VIVE LE FRANÇAIS!

7

G. Robert McConnell

Coordinator of Modern Languages
Scarborough Board of Education
Scarborough, Ontario

Rosemarie Giroux Collins

Wellington County Board of Education
Guelph, Ontario

Alain M. Favrod

Chairman
Department of French Studies
York University
Toronto, Ontario

Addison-Wesley Publishers Limited

Don Mills, Ontario • Reading, Massachusetts
Menlo Park, California • Wokingham, Berkshire
Amsterdam • Sydney • Singapore • Tokyo • Mexico City
Bogotá • Santiago • San Juan

CONSULTANTS

Anita Begrand
Professor, Faculty of Education
University of Regina
Regina, Saskatchewan

Donald Mazerolle
French Coordinator
School District 15
Moncton, New Brunswick

Maria Myers
Head of Modern Languages
Queen Elizabeth High School
Halifax, Nova Scotia

Claire Smitheram
French Curriculum Consultant
Department of Education
Charlottetown, Prince Edward Island

Printed in Canada

ISBN 0-201-17914-8

F G H - BP - 93 92 91

DESIGN

Pronk & Associates

Special features: Christine Dart, Brian McGroarty

Illustrations

Peter Grau 5, 12, 17, 19, 33, 41, 51, 53, 54, 78, 79, 82, 88,
91, 111, 118, 122-23, 128, 131, 148, 157, 161, 169, 198-99,
201, 208.

Sempé 32, 102, 139, 178, 188, 213, 216, 224. Reproduced by
permission of Christiane Charillon.

''Ça sert à quoi'', words and music by Maxime Le Forestier,
© 1973 by Éditions de Misère, 28, rue du Petit Musc, 75004
Paris. Recorded on **Maxime Le Forestier**, Polydor 2393 040.

''Chanson pour Elvis'' by Luc Plamandon and François
Cousineau. Recorded on **Olympia 78** by Diane Dufresne,
Barclay 80286.

''France étonnante: une raison de vivre'' by Georges
Duhamel, and ''Paris..., grenier d'enfance aux découvertes''
by Jean Cocteau, reproduced from **La France: un portrait en
couleurs**. Paris: Doré Ogrizek, 1959.

''J'suis snob'' by Boris Vian, reproduced by permission of
Southern Music Publishing Co. Ltd. Recorded on **Le
déserteur**, Philips 9101 268.

''La civilisation, ma mère!...'' by Driss Chraïbi, © 1972 by
Éditions Denoël, Paris 7e.

''Le troubadour'' by Jacques Brel, reproduced by permission
of Mme Jacques Brel.

''Lettre à une étrangère'' by André Maurois, from **Paris**, ©
1969, by permission of Fernand Nathan Éditeur.

''La France et l'Afrique'', p. 200, adapted from
C'est comme ça by Jean-Paul and Rebecca M. Valette.
Copyright © 1978 by D.C. Heath and Company. Reprinted
by permission of the publisher.

Photographs

Astral 121; M. Barber 16, 163(1), 186, 236; Ian Crysler 1,
55, 85(3), 155, 160, 161, 166, 202(2); Alain Favrod 15,
30, 69; French Embassy 39, 48(1), 184; FWITB 192, 194;
Philippe Gontier 3, 9, 37, 47, 48(2), 83, 144; Gina Healy
75; Hot Shots 10, 36, 46, 49, 57, 84, 85(2), 87, 107, 108-9,
114, 115(2), 116-17, 130, 132, 137, 146, 156, 162(2),
163(2), 177, 191, 202(3); Jeremy Jones 115(1,3), 202(5);
G. R. McConnell 13, 20, 27, 70, 202(1); H. & H. Parry
49(2), 76; Richard Plowright 14, 191, 202(4); Polydor 117;
Gord Pronk 85(1), 162(1); R.A.T.P. 95; Wendy Schottman
77, 104, 168; U.N. 193; Bob Williams 65; John Wilson
4, 8, 28, 45, 68, 153, 228

TABLE DES MATIÈRES

1 **Paris: Ville-Lumière** **1**

observations **21**
- l'emploi du futur antérieur avec **quand, lorsque, aussitôt que, dès que, après que**
- la formation du futur antérieur
- les verbes **descendre, monter** et **sortir** conjugués avec **avoir**
- les verbes **dormir, mentir, sentir** et **servir**
- le **passé simple**

savoir communiquer **29**
savoir-faire **33**

2 **La France à l'avant-garde de la technologie** **37**

observations **57**
- le présent du subjonctif: emploi et formation régulière
- le présent du subjonctif: formation irrégulière
- l'emploi du subjonctif avec les verbes de volonté
- l'emploi du subjonctif avec certaines expressions impersonnelles

savoir communiquer **66**
savoir-faire **70**

que sais-je? unités 1 et 2 **72**

3 **Sports et loisirs** **75**

observations **94**
- l'emploi du subjonctif avec les expressions de doute
- l'emploi du subjonctif avec les expressions d'émotion
- l'emploi du subjonctif avec certaines conjonctions
- les verbes **boire** et **recevoir**

savoir communiquer **101**
savoir-faire **105**

4 **La chanson française** **107**

observations **132**
- l'emploi du passé du subjonctif
- la formation du passé du subjonctif
- l'emploi du subjonctif avec les expressions négatives **ne . . . rien** et **ne . . . personne**
- le subjonctif/l'infinitif: contrastes et emplois

savoir communiquer **143**
savoir-faire **147**

que sais-je? unités 3 et 4 **150**

5 **Le tour de France** **153**

observations **172**
- les pronoms démonstratifs
- la formation du participe présent
- l'emploi du participe présent avec **en**
- **après** + l'infinitif passé
- **faire causatif**

savoir communiquer **185**
savoir-faire **189**

6 **La francophonie** **191**

observations **211**
- les pronoms possessifs
- le pronom interrogatif **lequel**
- le pronom relatif **lequel**
- la voix passive

savoir communiquer **223**
savoir-faire **227**

que sais-je? unités 5 et 6 **229**
tout ensemble **232**
grammaire **238**
vocabulaire **265**
index **284**

LE MAGAZINE DES JEUNES

VARIÉTÉS

PARIS
VILLE · LUMIÈRE

Bonjour, Paris! **2**
Rive Droite, Rive Gauche **8**
Lettre à une étrangère, *André Maurois* **10**
Paris…, grenier d'enfance
aux découvertes, *Jean Cocteau* **11**

Elle & lui: la tour Eiffel et Beaubourg,
le centre Georges- Pompidou **14**
Le toupet et les Parisiens **16**

NUMÉRO UN

BONJOUR
Paris!

Pendant que les touristes dorment encore dans les nombreux hôtels de la ville, Paris se réveille.

On pourrait affirmer sans mentir qu'à cette heure-là, c'est vraiment le Paris des Parisiens ... non seulement des «Parigots» eux-mêmes, mais aussi des «Parisiens de jour» qui y travaillent. En effet, dès le petit matin, des trains de banlieue et des files interminables de voitures amènent à Paris des milliers de ces «banlieusards» encore à moitié endormis. Parmi eux, il y a des ouvriers, des fonctionnaires, des cadres et des commerçants qui se dirigent vers quelque usine, ministère, bureau ou magasin.

Paris les accueille. C'est peut-être l'arôme des croissants qui sort des boulangeries ou des cafés, c'est peut-être le cri des vendeurs de journaux du matin —quelque chose de bien «parisien» leur dit «bonjour!»

Pour le Parisien qui habite dans Paris même, le «Bonjour, Paris!» à lui, c'est de redécouvrir chaque matin les silhouettes familières de la tour Eiffel ou du Sacré-Coeur. C'est peut-être aussi de s'ar-rêter à *son* bistro pour y déguster son café express avec un morceau de baguette bien tartiné de beurre et de confiture. On y retrouve les autres habitués qui vous disent un joyeux: «'jour! Beau temps, s'pas?» — le parisien pour «Bonjour! Il fait beau, n'est-ce pas?» En réalité, mille et une choses rappellent aux Parisiens ce Paris merveilleux, ce Paris qu'on a dans la peau.

Pour les touristes et les visiteurs, Paris est aussi «leur» ville. À partir du moment où ils savourent le croissant du «petit déjeuner compris», ils sont eux aussi Parisiens. En fin de compte, Paris, ce n'est pas seulement cette belle capitale où abondent les musées, les sites historiques, les bons restaurants, les boutiques élégantes, les petites rues où l'on aime tant flâner. Paris, c'est vraiment une manière de se sentir bien, tellement bien d'ailleurs, que, Parisien ou pas, lorsqu'on le quitte, on a toujours envie d'y retourner.

vocabulaire

masculin

un banlieusard	suburbanite
le beurre	butter
le beurre d'arachides	peanut butter
un cadre	professional, executive
un café express	espresso coffee
le chocolat (chaud)	(hot) chocolate
un commerçant	merchant, storekeeper
un croissant	crescent roll
un fonctionnaire	civil servant
le jambon	ham
le jus	juice
le miel	honey
un oeuf	egg
un ouvrier	workman
un Parisien	Parisian
un petit pain	roll

féminin

une baguette	long, thin loaf of bread
une banlieue	suburb
une boulangerie	bakery
la confiture	jam
une manière	manner, style
une Parisienne	Parisian
une saucisse	sausage

verbes

dormir	to sleep
mentir	to (tell a) lie
rappeler* qqch. à qqn	to remind, recall
sentir	to smell; taste
se sentir	to feel
servir	to serve

adjectifs

joyeux, joyeuse	joyful, happy
merveilleux, merveilleuse	marvellous, wonderful
nombreux, nombreuse	numerous
parisien, parisienne	Parisian

adverbe

à moitié	half

prépositions

à partir de	from
dès	right from

conjonction

lorsque	when

expressions

avoir envie (de)	to want
en fin de compte	in the final analysis

*se conjugue comme **appeler**.

langue vivante

Qu'est-ce qu'on sert pour …

le petit déjeuner continental?

un café express
un chocolat (chaud)
des croissants
des petits pains
une baguette
de la confiture

le petit déjeuner américain?

un café	du beurre d'arachides
du jus	des oeufs
des toasts (des rôties ✦)	du jambon
de la confiture	du bacon ✦
du miel	des saucisses

café-olé!

Quand on commande un café en France, on doit
connaître les différentes possibilités.

un café express = le café italien sans crème, préparé avec
une machine expresso

un café crème = un café express additionné de lait chauffé
par un jet de vapeur

un café filtre = un café préparé au moyen d'un filtre

un café au lait = mélange moitié café moitié lait chaud,
surtout servi à la maison

merveille-oeufs!

Comment servir les oeufs …

un oeuf à la coque

un oeuf sur le plat

des oeufs brouillés

un oeuf poché

une omelette

le bon usage

TO TAKE, TO BRING

1. **prendre:** *to take*
   Prends les deux livres.
   Mon frère va prendre des leçons de guitare.
   Je prends le train tous les jours.
   Tu as déjà pris ton bain?
   Elle a pris mon argent!
   Ce train est complet. On ne prendra plus de passagers.
   Prenez son numéro, s'il vous plaît.

2. **emmener:** *to take someone somewhere*
   Il emmène Marie au cinéma ce soir.

3. **apporter:** *to bring (carry) something*
   Apporte-moi le journal.

4. **rapporter:** *to bring (take) something back*
   J'ai rapporté les livres à la bibliothèque.

5. **amener:** *to bring someone (somewhere)*
   Puis-je amener ma copine?

6. **ramener:** *to bring someone back*
   Le train ramène les passagers.

attention!
suivre un cours = *to take a course*

en français, S.V.P.!

1. Did you take the bus this morning?
2. Are you going to bring your sister with you?
3. The taxi brought him back to the hotel.
4. Who took my book?
5. Bring me my glasses, please.
6. Did she bring back my records?
7. I took him to the store.
8. His father brought him back.

PERHAPS, MAYBE

L'emploi de l'expression **peut-être**

Comparez :

Il reviendra demain **peut-être**.
Peut-être qu'il reviendra demain.
Peut-être reviendra-t-il demain.

Quand l'expression **peut-être** commence une proposition, on utilise **peut-être que** ou l'inversion.

les options!

1. Il est en retard peut-être.
   ▶ **Peut-être qu'il est en retard.**
   ▶ **Peut-être est-il en retard.**
2. Nous arriverons lundi peut-être.
3. Elles se lèvent peut-être.
4. Il sera là peut-être.
5. Ils ont eu un accident peut-être.

TO BE HOT, WARM; COLD

1. **faire chaud, faire froid:** *(weather)*
   Il fait froid en hiver.

2. **avoir chaud, avoir froid:** *(people)*
   Martine a toujours froid.

3. **être chaud(e), être froid(e):** *(things)*
   L'eau est trop chaude.

en français, S.V.P.!

1. Be careful! That plate is hot!
2. It was very hot yesterday.
3. This soup is cold!
4. It's too cold to go out.
5. Close the window! I'm cold!

les mots-clefs

vocascope

Choisissez le terme qui correspond le mieux à la définition. Comptez un point pour chaque bonne réponse.

1. Un oeuf bouilli dans sa coquille:
   A un oeuf poché   B un oeuf à la coque
   C un oeuf sur le plat
2. Une petite pâtisserie feuilletée:
   A une baguette   B un petit pain   C un croissant
3. Un mélange de fruits bouillis et conservés dans le sucre:
   A la confiture   B le miel
   C le beurre d'arachides
4. Un employé dans les bureaux du gouvernement:
   A un commerçant   B un ouvrier
   C un fonctionnaire
5. Le magasin où on achète du pain:
   A une boucherie   B une boulangerie
   C une boutique
6. Un Parisien qui habite dans les environs de Paris:
   A un banlieusard   B un commutateur
   C un environnement
7. Le repas qu'on prend le matin:
   A le dîner   B le petit déjeuner   C le petit pain
8. Adjectif qui décrit quelqu'un qui est très content:
   A joyeux   B nombreux   C paresseux
9. L'ingrédient principal d'une omelette:
   A des oeufs   B des yeux   C de petits hommes
10. Viande hachée de gras de porc assaisonnée:
    A le jambon   B une saucisse   C le bacon

le jeu des mots

En français, tous les noms qui se terminent en **-ation** sont féminins.

▶ **accélérer → une accélération**

Quels noms sont de la même famille que les verbes suivants?

1. accuser	13. former
2. adorer	14. habiter
3. améliorer	15. imaginer
4. amputer	16. imiter
5. célébrer	17. méditer
6. concentrer	18. observer
7. déclarer	19. participer
8. décorer	20. réaliser
9. déguster	21. rénover
10. dériver	22. stimuler
11. énumérer	23. vacciner
12. fasciner	24. varier

▶ **une accusation → accuser**

Quels verbes sont de la même famille que les noms suivants?

1. une admiration	9. une déportation
2. une altération	10. une destination
3. une citation	11. une émigration
4. une colonisation	12. une lamentation
5. une compilation	13. une organisation
6. une confrontation	14. une transformation
7. une décoloration	15. une vaporisation
8. une délibération	

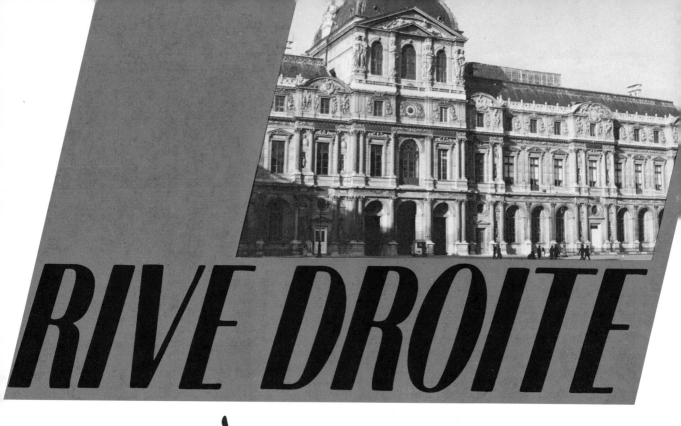

RIVE DROITE

À partir de l'île de la Cité, où vivaient les premiers habitants de Paris, les Parisii, la ville s'est développée sur les deux rives de la Seine.

La Rive Droite, c'est-à-dire la rive nord du fleuve, est le domaine de l'administration. On y trouve, par exemple, l'Hôtel de Ville et le palais de l'Élysée, qui est la résidence du président de la République. C'est aussi le domaine de presque tous les grands magasins tels que les Galeries Lafayette et le Printemps. On y trouve aussi le quartier de la Bourse, des grandes banques et des sociétés internationales. Puis, il y a le quartier des fameuses maisons de couture comme Dior, Balmain et Yves St-Laurent. Il y a également des gares principales comme la gare du Nord, la gare de Lyon et la gare Saint-Lazare.

Malgré ce côté sérieux, officiel et commercial, la Rive Droite comprend aussi Montmartre, le quartier des artistes, et Pigalle, le centre du «Paris by night».

Il ne faut pas oublier que c'est aussi sur la Rive Droite que s'étendent les deux plus belles places de Paris: la place de la Concorde et la place Charles-de-Gaulle, où se trouve le majestueux Arc de Triomphe. Sur la Rive Droite se situe aussi le plus célèbre musée du monde: le Louvre.

La Rive Gauche est plus ancienne que la Rive Droite: c'est pourtant le Paris des jeunes. Là sont le Quartier Latin et la Sorbonne, Montparnasse avec ses poètes et ses artistes, et Saint-Germain-des-Prés, un quartier fréquenté par un public élégant et aussi par des jeunes à cheveux longs et en blouson de cuir.

En fait, la Rive Gauche est un monde de contrastes. Il y a un petit côté sérieux quand même — on y trouve la majorité des ambassades, plusieurs ministères et de grands monuments comme le Panthéon, la tour Eiffel et les Invalides.

Malgré ses petites rues étroites qui datent du Moyen-Âge, la Rive Gauche reste, comme on l'a déjà dit, le Paris des jeunes. C'est ici dans le Quartier Latin que des étudiants s'installent pour discuter aux terrasses des cafés ou sur les bancs du jardin du Luxembourg.

D'autres jeunes se retrouvent à la grande fontaine de marbre située à l'entrée du boulevard St-Michel — le Boul'Mich, comme ils disent. Certains jouent de la guitare, d'autres font la manche et d'autres s'installent sur un bout de trottoir à attendre que quelque chose arrive.

Finalement, cette Rive Gauche — les quais, le Boul'Mich, Saint-Germain-des-Prés — c'est le Paris romantique. Les petits cafés à terrasses, les petits coins pittoresques, les quais de la Seine, c'est le monde des amoureux de tous les âges — mais eux aussi sont jeunes en fait, puisqu'ils ont choisi l'amour.

RIVE GAUCHE

9

ANDRÉ MAUROIS

LETTRE À UNE ÉTRANGÈRE

Célèbre écrivain et membre de l'Académie française, André Maurois est né en Normandie en l'an 1885. Après des études à Rouen, il a dirigé pendant un temps l'usine textile de sa famille. Cependant, le succès en 1918 de son premier livre, *Les Silences du Colonel Bramble*, l'a incité à poursuivre une carrière littéraire. Il a écrit tout d'abord des romans, mais il doit sa réputation surtout à la composition d'excellentes biographies sur des personnages tels que Shelley, Hugo, Proust et Balzac. André Maurois est mort en 1967 à l'âge de 82 ans.

Vous m'avez parlé de Paris, que vous n'aviez jamais vu, avec tant d'amour authentique que j'ai souhaité vous le montrer.

Vous ne serez pas déçue, car Paris est plus parfait encore et plus divers que vous ne croyez. Je vous demande d'y passer des mois, peut-être des années, parce que sa variété est une de ses beautés. Le climat de Paris est sans excès. Le printemps y est tendre. Une brume bleutée monte de la Seine. Un peu d'or flotte dans l'air.

Dans le ciel bleu de petits nuages blancs, immobiles, rappellent les ciels de Boudin. Mais l'été qui suit est sans rudesse. La coutume est de partir en juillet pour la campagne ou la mer; pourtant, si vous restez à Paris, vous ne le regretterez pas. Le Paris d'août est exquis; il devient comme une grande ville d'eaux; la chaleur s'y fait caresse et non brûlure. Vous y dînerez en plein air, dans les restaurants du Bois, des Champs-Élysées, de Montmartre, ou bien au parc Montsouris, ou dans quelque auberge de campagne, au bord de la Seine ou de la Marne. En octobre, la rentrée fera sourdre autour de vous une vie si active et si pleine que vous ne saurez même plus s'il pleut, s'il neige, ou si le soleil brille. Je ne sais pourquoi mais, quel que soit le temps, Paris n'est jamais triste et les ciels gris et dramatiques de l'hiver y ont autant de grâce que l'air léger du printemps.

Jean Cocteau

Poète et écrivain, Jean Cocteau est connu pour l'originalité et la versatilité de ses oeuvres. Né près de Paris en 1889, il a débuté comme poète en 1914 avec sa collection de poèmes, *La lampe d'Aladin*. Très tôt après, il a publié son premier roman, *Thomas l'imposteur*, et a commencé à écrire pour le théâtre et le cinéma.

Élu à l'Académie française en 1955, il s'est dévoué après surtout à la peinture, à l'illustration et à la poterie. Il est mort le 11 octobre 1963 d'une crise cardiaque aggravée par la nouvelle de la mort de son amie Édith Piaf, décédée le même jour.

Paris... grenier d'enfance aux découvertes

Paris est une ville à sept collines et même davantage. Le Montmartre, le Montsouris, le Montparnasse, le mont Valérien, les Buttes-Chaumont, la montagne Sainte-Geneviève ... et il y en a d'autres.

Sur ces monts et entre ces monts il y a des villes qui composent la ville. Des villes et des villages. Le Palais-Royal, par exemple, que j'habite, est une petite ville entourée de murailles et, pour rejoindre la vraie ville, il faut grimper des marches, pousser des grilles, traverser des voûtes et des couloirs.

Les étrangers connaissent mieux Paris que nous. Ils y apportent un œil neuf. L'habitude ne leur en gomme pas les spectacles. Il n'est pas rare qu'un étranger nous renseigne sur des secrets qui nous entourent.

Il en va de même lorsque nous arrivons chez eux et qu'ils croient que nous imaginons leurs capitales, alors que nous les voyons comme ils devraient les voir.

Mais Paris, à cause de sa beauté accidentelle, à cause de sa vieillerie qui se consolide, à cause d'un enchevêtrement d'immeubles et de masures, offre un véritable grenier d'enfance aux découvertes.

La moindre rue dissimule des parcs et des fermes. Des terrains vagues où stationnent les roulottes des bohémiens dominent une mer inquiétante de brumes et d'édifices, des escaliers à pic plongent entre des jardinets, en plein vacarme.

Les ruines de certains quartiers nous émerveillent, car seule la beauté se ruine bien.

Que Paris s'étende, que de nouveaux quartiers se construisent, c'est normal. Il est dommage qu'on abatte les lieux qui furent témoins d'illustres démarches, d'actes et de cortèges dont les fantômes font l'atmosphère morale d'une cité.

Il est vrai que la pioche n'arrive pas à vaincre des fantômes qui, s'ils perdent leurs habitudes, les cherchent et enveloppent nos âmes d'un brouillard prestigieux.

Sacré-Coeur, basilique construite entre 1875 et 1914 sur la butte Montmartre, dans le célèbre quartier des artistes.

Le Panthéon, ancienne église construite au 18e siècle dans le style classique. C'est maintenant le tombeau où reposent les cendres des grands hommes: Voltaire, Rousseau, Hugo, Zola et Jean Moulin, le célèbre héros de la Résistance.

Notre-Dame de Paris, construite entre 1163 et 1330 et une des premières cathédrales gothiques de France. Elle est située sur l'île de la Cité, le berceau de Paris.

Les Invalides, ensemble monumental où se trouve le tombeau de Napoléon 1er.

Le palais du Louvre, autrefois une résidence royale, maintenant l'un des plus riches musées du monde. On y trouve antiquités, sculptures, objets d'art et peintures de toutes époques. Parmi ses trésors: la célèbre «Joconde» de Léonard de Vinci.

L'Arc de Triomphe, monument construit entre 1806 et 1836 en haut des Champs-Élysées, au milieu d'une place circulaire (aujourd'hui place Charles-de-Gaulle) d'où rayonnent douze avenues. Sous la grande arcade se trouve la tombe du Soldat inconnu.

écrivent

Cher éditeur,

Je suis un lecteur assidu de votre magazine. Je dirais même plus — ma semaine commence non pas le lundi comme pour tout le monde, mais le jour où je reçois mon dernier numéro de **Variétés**.

Toutefois, j'ai une petite requête. La voici. Je compte aller à Paris cet été. J'ai donc consulté livres, brochures, etc. Mais ça ne suffit pas. Il me faut un numéro spécial de **Variétés** sur Paris. Faites donc plaisir à un fan.

A. Riviste

P.S. Si vous avez par hasard un poste d'éditeur de disponible, je serai à votre disposition dès mon retour de Paris.

[Merci de nous faire de tels compliments. Vous serez content de voir que, comme par hasard, ce numéro entier est sur Paris.

*P.S. En ce qui concerne votre demande d'emploi, on a ajouté votre nom à la liste des personnes qui veulent travailler à la rédaction de **Variétés**.*

P.P.S. À l'heure actuelle, cette liste comporte 492 candidats. Bon voyage!]

LA TOUR EIFFEL

La tour Eiffel est une des plus célèbres structures du monde. Avec près de trois millions de visiteurs par année, elle constitue une des plus grandes attractions touristiques de la France. Construite par l'ingénieur Gustave Eiffel pour l'exposition universelle de 1889, elle fut* à ce moment-là l'objet de critiques et de ridicule. On dénonça*, en effet, sa silhouette sur le bel horizon de Paris.

La tour est haute de 320 mètres et ses fondations plongent à 14 mètres sous terre. Pendant 41 ans, jusqu'en 1930 (date de la construction du Chrysler Building à New York), elle fut* la plus haute structure du monde. Elle nécessita*, à sa construction, plus de 12 000 pièces métalliques et plus de 2 500 000 rivets.

Durant son histoire, la tour Eiffel fut* le lieu de mille et un incidents curieux. Des cyclistes, par exemple, descendirent* ses marches, un éléphant les monta*, des alpinistes escaladèrent* ses flancs métalliques et, finalement, plus de 350 personnes la choisirent* pour dire adieu à ce monde.

& L U I

Beaubourg,
LE CENTRE GEORGES~POMPIDOU

En 1969, le président Georges Pompidou décida* de bâtir, sur le plateau Beaubourg, un centre consacré à l'art d'aujourd'hui. Le concours pour sa conception attira* 681 concurrents de 49 pays différents. Un jury international décerna* le premier prix aux architectes Renzo Piano et Richard Rogers.

D'une architecture ultra-moderne, la façade du centre est sillonnée d'installations techniques qui forment un univers coloré: rouge pour le transport (ascenseurs, escaliers mécaniques, etc.), vert pour l'eau, jaune pour l'électricité et bleu pour le conditionnement d'air.

Le centre Georges-Pompidou, appelé aussi tout simplement *Beaubourg*, est plus qu'un simple musée; c'est aussi un immense centre d'information avec bibliothèque, diathèque et archives. C'est aussi un centre de création artistique avec de nombreux studios et ateliers.

En fait, c'est bien plus que ça. Et ce sont les jeunes qui en donnent le ton. On les retrouve nombreux et partout, à l'intérieur comme à l'extérieur sur la place où on retrouve également des musiciens, des saltimbanques, des cracheurs de feu, des jongleurs. Ce centre culturel incomparable, c'est un peu la fête. Et ça c'est quelque chose!

*Tous ces verbes sont au **passé simple**, un temps réservé à la langue écrite littéraire. Voir pages 25 et 26.*

Le Toupet et les Parisiens

Le Parisien, dit-on, est différent du reste des Français. Il a souvent la réputation d'être vif, impatient et des fois même opiniâtre et sarcastique. Ce sont là des traits qui contrastent, selon beaucoup de personnes, avec la chaleur légendaire des Méridionaux. Une autre caractéristique que possède le Parisien, c'est le *toupet*. Ce fameux toupet, c'est l'irrespect pour l'autorité et le courage de dire ce qu'on pense et de faire ce qu'on veut. C'est cette audace qui permet au Parisien de garer sa voiture en plein milieu d'un trottoir ou d'arriver dans un restaurant sans réservations et de dire au maître d'hôtel qu'on avait fait des réservations à tel ou tel nom et que c'est un scandale pour un restaurant de faire une telle erreur.

Et dans un certain sens, on admire ce toupet. Devant un guichet de musée, par exemple, on n'est pas surpris d'entendre un Parisien dire: «Je refuse de payer l'entrée! Comme citoyen, j'ai le droit de voir les trésors culturels de mon pays!» C'est là une anecdote qui nous rappelle cette vieille plaisanterie: «En Angleterre, tout est permis, sauf ce qui est interdit. En Allemagne, tout est interdit, sauf ce qui est permis. En Russie, tout est interdit, même ce qui est permis. En France, tout est permis, même ce qui est interdit.»

PARIS-QUIZ

Feriez-vous un bon guide touristique à Paris?
Connaissez-vous les lieux et les monuments
suivants?

1. Un monument en fer construit par un ingénieur français pour l'exposition universelle à Paris en 1889.

2. Un immense et célèbre musée où sont exposées des peintures, des sculptures et des antiquités.

3. Église blanche située sur la butte Montmartre.

4. Célèbre monument dont les bas-reliefs représentent des batailles de Napoléon.

5. La plus grande avenue de Paris.

6. Cette place a changé de nom en 1971. Autrefois, elle s'appelait *place de l'Étoile*.

7. Cathédrale d'architecture gothique située sur l'île de la Cité.

8. Bâtiment où se trouvent les tombeaux de plusieurs grands écrivains français.

9. Université située près du Boul'Mich.

10. Édifice où est situé le tombeau de Napoléon 1er.

11. Centre d'art ouvert en 1977 qui porte le nom d'un président de la France.

12. La ville de Paris s'est développée sur les bords de ce fleuve.

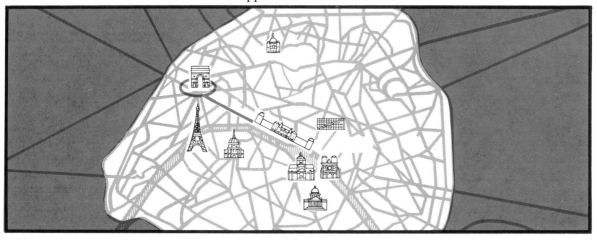

CONNAISSEZ-VOUS PARIS?

Avez-vous l'esprit créateur? **Variétés**, en conjonction avec le syndicat d'initiative de Paris, annonce une compétition littéraire.

Tout candidat doit soumettre un paragraphe d'environ 75 à 100 mots sur une des grandes attractions touristiques de Paris. Nos éditeurs choisiront le meilleur article qui sera publié dans la nouvelle brochure du syndicat.

Variétés acceptera avec plaisir vos soumissions mais regrette de ne pas pouvoir vous les retourner.

je me souviens!

les temps composés

1. la formation

	le passé composé	le plus-que-parfait	le conditionnel passé
parler	j'ai parlé	j'avais parlé	j'aurais parlé
finir	j'ai fini	j'avais fini	j'aurais fini
vendre	j'ai vendu	j'avais vendu	j'aurais vendu
arriver	je suis arrivé(e)	j'étais arrivé(e)	je serais arrivé(e)
se laver	je me suis lavé(e)	je m'étais lavé(e)	je me serais lavé(e)

2. l'accord du participe passé

a) verbes conjugués avec *avoir*

– Où sont les magazines que j'ai achetés hier?
– Je les ai donnés à Nicole.
– Quoi! Je ne les avais pas encore lus!
– Si j'avais su cela, je ne les lui aurais pas donnés.

Le participe passé s'accorde avec l'objet direct qui précède le verbe.

b) verbes conjugués avec *être*.

– Si Colette était venue plus tôt, nous serions partis à l'heure.
– C'est vrai, mais elle est descendue en ville avant.

Le participe passé s'accorde avec le sujet.

c) verbes *réfléchis*

– À quelle heure se sont-ils réveillés hier?
– À midi!
– C'est dommage. S'ils s'étaient levés de bonne heure, ils auraient pu faire de la voile avec nous.
– Oui, ils se seraient bien amusés!

Le participe passé s'accorde avec l'objet direct qui précède le verbe.

attention!

objet direct	objet indirect
Elle s'est lavée.	Elle s'est brossé les dents.
Nous nous sommes vus.	Nous nous sommes parlé.

19

A c'est fait!

Répondez aux questions au passé composé. Attention à l'accord du participe passé.

1. Quand allez-vous choisir vos cours?
   ▶ **Nous les avons déjà choisis.**
2. Quand est-ce que les enfants vont rentrer?
   ▶ **Ils sont déjà rentrés.**
3. Quand va-t-elle se lever?
   ▶ **Elle s'est déjà levée.**
4. Quand vas-tu poser ces questions?
5. Quand vont-elles finir le petit déjeuner?
6. Quand vas-tu écrire la lettre?
7. Quand vont-ils se parler?
8. Quand va-t-elle se réveiller?
9. Quand vas-tu faire la vaisselle?
10. Quand vont-ils venir?
11. Quand va-t-il prendre les photos?
12. Quand allez-vous lire les articles?

La Seine et Notre-Dame.

B les conditions

Donnez la forme correcte du plus-que-parfait ou du conditionnel passé dans les phrases suivantes. Attention à l'accord du participe passé.

1. Si tu (visiter) Paris, tu (pouvoir) voir Notre-Dame et la tour Eiffel.
   ▶ **Si tu avais visité Paris, tu aurais pu voir Notre-Dame et la tour Eiffel.**
2. S'il y (avoir) de la confiture, j'en (mettre) sur mes toasts.
3. Si elle (aller) à la boulangerie, elle (acheter) une baguette.
4. Si nous (savoir) qu'il y avait un match, nous (se dépêcher).
5. Si elle (préparer) des sandwichs, je les (manger).
6. S'ils (partir) avec moi, je les (conduire).
7. Si vous (se téléphoner), vous (entendre) les nouvelles.
8. Si nous (se souvenir) de son adresse, nous (aller) le visiter.
9. Si je (s'amuser) à la party, j'y (rester).
10. Si elle (sortir) avec Alain hier soir, il la (emmener) à la disco.

«Je ne suis Français que par cette grande cité, grande en peuples, grande en noblesse, mais surtout grande et incomparable en diversité et variété, la gloire de la France et l'un des plus notables ornements du monde.»

Montaigne (1533-1592)

OBSERVATIONS

objectifs

- l'emploi du futur antérieur avec **quand, lorsque, aussitôt que, dès que, après que**
- la formation du **futur antérieur**
- les verbes **descendre, monter** et **sortir** conjugués avec **avoir**
- les verbes **dormir, mentir, sentir** et **servir**
- le **passé simple**

contexte A

Deux copains, Paul et Jacques, jouent à un jeu vidéo.
Le père de Paul appelle son fils.

Le père: Dis donc, Paul, n'oublie pas que ta mère a besoin de toi!

Paul: Oui, oui, papa, mais Jacques est encore là! On fait une partie de «Guerre des étoiles». J'irai la chercher après qu'il sera parti.

Le père: Pars maintenant! Ta mère aura déjà fait tous ses achats.

Paul: Juste deux minutes, papa!

Jacques: Tu dois aller chercher ta mère?

Paul: Oui, c'est ça, … aussitôt qu'on aura fini la partie!

Jacques: Mais regarde bien, toto! Tu peux partir maintenant. Je viens de gagner!

analyse 1 (contexte A)

- **le futur antérieur avec** *quand, lorsque, aussitôt que, dès que, après que*

Le futur antérieur est utilisé pour décrire une action qui précédera une autre action au futur.

action au futur	action qui précède
– Quand **sortiras**-tu?	– Quand j'**aurai fini** mon travail!
– Quand nous **téléphonera**-t-il?	– Lorsqu'il **sera rentré**!
– Quand est-ce que tu **prépareras** le petit déjeuner?	– Aussitôt qu'ils **se seront levés**!
– Quand **ferez**-vous vos critiques?	– Dès que nous **aurons vu** le film!
– Quand **partiront**-ils?	– Après qu'ils **auront mangé**!

Je t'**aiderai** à écrire la lettre quand j'**aurai fait** la vaisselle.

Je **choisirai** mes cours dès que j'**aurai parlé** à mon conseiller.

Elle **prendra** son déjeuner après qu'elle **se sera lavé** les mains.

analyse 2 (contexte A)

■ la formation du futur antérieur

parler
j'aurai parlé*
tu auras parlé
il aura parlé
elle aura parlé
nous aurons parlé
vous aurez parlé
ils auront parlé
elles auront parlé

I will have talked, spoken

vendre
j'aurai vendu*
tu auras vendu
il aura vendu
elle aura vendu
nous aurons vendu
vous aurez vendu
ils auront vendu
elles auront vendu

I will have sold

finir
j'aurai fini*
tu auras fini
il aura fini
elle aura fini
nous aurons fini
vous aurez fini
ils auront fini
elles auront fini

I will have finished

aller
je serai allé(e)*
tu seras allé(e)
il sera allé
elle sera allée
nous serons allé(e)s
vous serez allé(e)(s)
ils seront allés
elles seront allées

I will have gone

se laver
je me serai lavé(e)*
tu te seras lavé(e)
il se sera lavé
elle se sera lavée
nous nous serons lavé(e)s
vous vous serez lavé(e)(s)
ils se seront lavés
elles se seront lavées

I will have washed (myself)

Pour former le futur antérieur, on utilise le futur du verbe auxiliaire (**avoir** ou **être**) et le participe passé.

l'accord du participe passé au futur antérieur

a) verbes conjugués avec **avoir**
Les oeufs? Je les servirai aussitôt que je **les** aurai préparés.

b) verbes conjugués avec **être**
Aussitôt qu'**elle** sera rentrée, elle me donnera l'argent.

c) verbes réfléchis
Dès qu'ils **se** seront préparés, on partira.
Elle sortira après qu'elle se sera lavé les cheveux.

application

A du passé au futur

Mettez les verbes suivants au futur antérieur.

1. j'ai demandé
   ▶ **j'aurai demandé**
2. tu as fini
3. elle a répondu
4. ils sont descendus
5. nous nous sommes débrouillés
6. il a compris
7. vous vous êtes ennuyé
8. elles sont revenues
9. j'ai vu
10. nous nous sommes levés

B le futur antérieur, S.V.P.!

Mettez les verbes suivants au futur antérieur.

1. manger/je
   ▶ **j'aurai mangé**
2. partir/elle
3. réfléchir/nous
4. se raser/ils
5. entendre/vous
6. connaître/je
7. prendre/il
8. écrire/tu
9. se réveiller/elles
10. arriver/nous

C au futur antérieur, S.V.P.!

Mettez le verbe entre parenthèses au futur antérieur.
1. Il (choisir) ses cours avant la fin du trimestre.
   ▶ **Il aura choisi ses cours avant la fin du trimestre.**
2. Je lui (rappeler) ce message avant ton arrivée.
3. Vous (entendre) de leurs nouvelles avant mardi.
4. Quand est-ce que tu (faire) ton droit?
5. Elle (rentrer) de son bureau dans une demi-heure.
6. Nous (se lever) avant midi.
7. Ils (prendre) le métro avant cinq heures.
8. Je (partir) longtemps avant eux.
9. Il (mettre) la table avant leur arrivée.
10. Elles (arriver) avant son départ.

D de deux phrases, une!

Utilisez **quand**, **lorsque**, **aussitôt que**, **dès que** ou **après que** pour former une seule phrase.
1. Je rentre. Je fais un sandwich. (quand)
   ▶ **Quand je serai rentré, je ferai un sandwich.**
2. Il se lève. Il prend une douche. (après que)
3. Elle arrive à Paris. Elle visite Beaubourg. (quand)
4. Nous trouvons une boulangerie. Nous achetons une baguette. (dès que)
5. Tu comprends le problème. Tu peux les aider. (aussitôt que)
6. Elles rentrent. Nous partons. (lorsque)
7. J'ai mon diplôme. Je vais en Europe. (après que)
8. Je finis cet exercice. Je suis très content. (quand)

analyse 3

■ **les verbes** *descendre, monter* **et** *sortir* **conjugués avec** *avoir*

Comparez:

Il **est descendu** à la cuisine.	Il **a descendu** le portrait.
Elle **est montée** à sa chambre.	Elle **a monté** la colline.
Je **suis monté** au troisième étage.	J'**ai monté** mes valises au troisième étage.
Ils **sont** déjà **sortis**.	Les photos? Ils les **ont** déjà **sorties** de l'album.

attention!
Quand **descendre, monter** et **sortir** n'ont pas d'objet direct, ce sont des verbes **intransitifs** conjugués avec **être**. Quand ces verbes ont un objet direct, ce sont des verbes **transitifs** conjugués avec **avoir**.

	intransitif (être)	transitif (avoir)
descendre	*to go down, to come down*	*to go down, to come down; to take down, to bring down*
monter	*to go up, to come up*	*to go up, to come up; to take up, to bring up*
sortir	*to go out, to leave*	*to take out, to bring out*

application

A avoir ou être?

Mettez le verbe entre parenthèses au passé composé.

1. Qui (descendre) mes posters?
2. Elles (monter) en ascenseur.
3. Est-ce que Pierre (sortir) les assiettes?
4. Ils (ne jamais monter) au sommet de la tour.
5. J'y (monter) la semaine passée.
6. Nous (ne pas descendre) en ville hier.
7. Est-ce que tous les fonctionnaires (sortir) en même temps?
8. Vous (descendre) cette pente sur votre planche à roulettes?
9. Les oeufs? Je les (sortir) du frigo.
10. Elle (monter) ses nouveaux vêtements dans sa chambre.

analyse 4

■ **les verbes** *dormir, mentir, sentir* **et** *servir*

le présent

dormir	mentir
je dors*	je mens*
tu dors	tu mens
il dort	il ment
elle dort	elle ment
nous dorm**ons**	nous ment**ons**
vous dorm**ez**	vous ment**ez**
ils dorm**ent**	ils ment**ent**
elles dorm**ent**	elles ment**ent**

*I sleep   *I (tell a) lie

sentir	servir
je sens*	je sers*
tu sens	tu sers
il sent	il sert
elle sent	elle sert
nous sent**ons**	nous serv**ons**
vous sent**ez**	vous serv**ez**
ils sent**ent**	ils serv**ent**
elles sent**ent**	elles serv**ent**

*I smell; taste   *I serve

l'imparfait

je dormais   je mentais   je sentais   je servais

attention!
À tous les autres temps, ces verbes se conjuguent comme **finir**.

se sentir: *to feel*
Je me sens bien.

servir à: *to be used for*
À quoi sert cette clef? Elle sert à ouvrir toutes les portes de la maison.

se servir de: *to use*
De quoi se sert-on pour manger de la soupe? On se sert d'une cuiller.

servir de: *to be used for*
Cette table sert de bureau.

Le coin des citations

«Être Parisien, ce n'est pas être né à Paris, c'est y renaître. Et ce n'est pas non plus y être, mais en être. Et ce n'est pas non plus y vivre, c'est en vivre.»

Sacha Guitry (1885-1957)

application

A choisissez bien!

Mettez le verbe convenable au présent pour compléter chaque phrase.

dormir, mentir, sentir, se sentir, servir, servir à, se servir de, servir de

1. Qu'est-ce que tu prépares pour le dîner? Ça … très bon!
2. Cette chambre à coucher … de bureau à son mari.
3. Si je prends un café avant d'aller au lit, je ne … pas bien.
4. À quoi … ce bouton?
5. Est-ce que vous … la salade avant la soupe?
6. Ils … beaucoup mieux depuis leur visite chez le docteur.
7. D'habitude, je … d'une brosse au lieu d'un peigne.
8. Ne faites pas de bruit. Le bébé … !
9. Je ne … pas très bien. J'ai mal à la tête.
10. D'habitude, on ne … pas d'oeufs au petit déjeuner en France.
11. Cette brosse … à laver la voiture.
12. De quoi …-tu pour réparer la voiture?
13. Il dit que je sors avec Paul? Eh bien, il … ! Ce n'est pas vrai!
14. Pouah! Cette viande … très mauvais!
15. C'est vous qui avez cassé la fenêtre! Ne … pas, les enfants!

analyse 5

■ le passé simple

Le passé simple est l'équivalent du passé composé **mais** il n'existe que dans la littérature.

Comparez:

le passé composé	le passé simple
Pierre **est arrivé** chez moi à huit heures.	Cartier **arriva** au Canada en 1534.
Louise **a choisi** un disque pop.	Jeanne Mance **choisit** un site pour le premier hôpital.
Les Dubé **ont vendu** leur maison.	Les Russes **vendirent** l'Alaska aux Américains en 1867.

la formation du passé simple

parler	finir	vendre
je parl**ai***	je fin**is***	je vend**is***
tu parl**as**	tu fin**is**	tu vend**is**
il parl**a**	il fin**it**	il vend**it**
elle parl**a**	elle fin**it**	elle vend**it**
nous parl**âmes**	nous fin**îmes**	nous vend**îmes**
vous parl**âtes**	vous fin**îtes**	vous vend**îtes**
ils parl**èrent**	ils fin**irent**	ils vend**irent**
elles parl**èrent**	elles fin**irent**	elles vend**irent**

*I spoke, talked   **I finished*   **I sold*

connaître	venir
je conn**us***	je v**ins***
tu conn**us**	tu v**ins**
il conn**ut**	il v**int**
elle conn**ut**	elle v**int**
nous conn**ûmes**	nous v**înmes**
vous conn**ûtes**	vous v**întes**
ils conn**urent**	ils v**inrent**
elles conn**urent**	elles v**inrent**

*I knew   **I came*

les verbes avec les mêmes terminaisons que *finir*

infinitif	passé simple
apprendre	j'appris
comprendre	je compris
conduire	je conduisis
dire	je dis
dormir	je dormis
écrire	j'écrivis
faire	je fis
mentir	je mentis
mettre	je mis
ouvrir	j'ouvris
partir	je partis
permettre	je permis
prendre	je pris
sentir	je sentis
servir	je servis
sortir	je sortis
suivre	je suivis
voir	je vis

les verbes avec les mêmes terminaisons que *connaître*

infinitif	passé simple
avoir	j'eus
croire	je crus
devoir	je dus
être	je fus
lire	je lus
pleuvoir	il plut
pouvoir	je pus
savoir	je sus
vivre	je vécus
vouloir	je voulus

les verbes avec les mêmes terminaisons que *venir*

infinitif	passé simple
devenir	je devins
obtenir	j'obtins
revenir	je revins
se souvenir	je me souvins
tenir	je tins

application

A d'un passé à l'autre

Changez le temps du verbe du passé simple au passé composé.

1. Hannibal contempla longtemps les Alpes.
   ▶ **Hannibal a contemplé longtemps les Alpes**.
2. Les soldats de Napoléon allèrent en Russie.
3. Nous choisîmes Champlain comme premier gouverneur de la Nouvelle-France.
4. Les Français perdirent la bataille de Waterloo.
5. Jules César partit en Gaule.
6. Les voyageurs apprirent la langue des Indiens.
7. Au printemps, nous fîmes le premier voyage en Chine avec Marco Polo.
8. Charles de Gaulle fut le premier président de la 5e République.
9. Pendant la Révolution, Robespierre vécut à Paris.
10. Les «filles du Roi» vinrent au Canada au 17e siècle.

vérification

A mais quand?

1. –Quand l'inviteras-tu? (après que/réserver une table au restaurant)
   ▶ **–Après que j'aurai réservé une table au restaurant**.
2. –Quand auras-tu ton permis de conduire? (lorsque/ réussir au test)
3. –Quand est-ce qu'ils déménageront? (aussitôt que/ vendre leur maison)
4. –Quand partira-t-elle pour la France? (dès que/finir ses études)
5. –Quand verront-ils leurs parents? (quand/arriver en Californie)

6. – Quand prépareras-tu le petit déjeuner? (aussitôt que/se lever)
7. – Quand leur écrirez-vous? (lorsque/trouver leur adresse)
8. – Quand sortiront-ils? (après que/se laver les cheveux)
9. – Quand pourra-t-elle nous aider? (quand/rentrer de son bureau)
10. – Quand joueras-tu au tennis? (aussitôt que/acheter une raquette)

 ## B quel temps?

Mettez le verbe entre parenthèses au **futur** ou au **futur antérieur**, selon le cas.

1. Je (aller) à l'aéroport aussitôt qu'on (confirmer) ma place dans l'avion.
   ▶ **J'irai à l'aéroport aussitôt qu'on aura confirmé ma place dans l'avion.**
2. Tu (se sentir) mieux après que tu (dormir) un peu.
3. Elles (sortir) aussitôt qu'elles (se maquiller).
4. On (aller) au concert, dès qu'on (prendre) le dîner.
5. Ils (avoir) une belle vue de Paris après qu'ils (monter) au sommet de la tour Eiffel.
6. Dès que je (finir) mon travail, je (venir) vous chercher.
7. Aussitôt qu'elle (se lever), elle (s'habiller).
8. Après qu'ils (montrer) leurs passeports, ils (pouvoir) passer à la douane.
9. Quand vous (arriver), elle (partir) déjà.
10. Nous (s'asseoir) après qu'on (servir) la salade.

«Naître à Paris, c'est être deux fois Français.»
Sébastien Mercier (1740-1814)

C avoir ou être?

Posez une question avec **quand** et le futur proche. Utilisez le passé composé dans chaque réponse et changez les mots en **caractères gras** à un pronom.

1. descendre **tes valises**/tu
   ▶ **Quand est-ce que tu vas descendre tes valises?**
   ▶ **Je les ai déjà descendues.**
2. descendre **en ville**/elle
   ▶ **Quand est-ce qu'elle va descendre en ville?**
   ▶ **Elle y est déjà descendue.**
3. sortir **la confiture** du frigo/tu
4. descendre **ces vieux posters**/il
5. monter **à son bureau**/elle
6. sortir **au cinéma** avec Marc/ils
7. monter **ces livres** à ta chambre/tu
8. descendre **dans cet hôtel**/elles
9. sortir **les photos** de l'album/vous
10. monter **à leur chambre**/ils

D les explorations de Jacques Cartier

Changez les verbes en **caractères gras** du passé simple au passé composé.

Quand Jacques Cartier **partit** de Saint-Malo en 1534, il **crut** qu'il allait trouver une route vers la Chine, un pays riche en or, en soie et en épices. Cependant, il **trouva** le Canada, un pays sauvage, riche en poissons, en terres et en fourrures. Pendant ce premier voyage, l'expédition française **traversa** l'océan Atlantique, **descendit** jusqu'au golfe du Saint-Laurent, puis **remonta** le golfe près de l'île d'Anticosti. Cartier **fit** plusieurs cartes de la région. Il **rencontra** aussi des Iroquois qui, avec leur chef Donnaconé, **vinrent** échanger des fourrures contre des outils européens. En août, les Français **durent** rentrer en France avant l'hiver.

En 1535, Cartier et ses hommes **retournèrent** au Canada où ils **explorèrent** le fleuve Saint-Laurent. Ils **allèrent** à Hochelaga où Cartier **nomma** la colline près de ce village huron «Mont-Royal». Cartier **fut** le premier explorateur blanc à voyager si loin vers l'ouest de ce continent.

Les Français **passèrent** l'hiver à Stadaconé, où beaucoup d'entre eux **tombèrent** malades à cause du scorbut. Heureusement, les Iroquois **eurent** un remède qu'ils **firent** de l'écorce de certains arbres.

Quand Cartier **rentra** en France, il **conseilla** au roi Henri IV de fonder une colonie pour la France dans ce pays sauvage si riche en ressources naturelles.

E le coin du traducteur

–Good morning! Did you sleep well?

–No, Dad. I don't feel very well this morning.

–That's too bad. You will feel better after you have eaten something.

–What's for breakfast?

–Juice, eggs, ham and toast.

–It smells good! When will it be ready?

–As soon as your brothers come down.

–Can I help you?

–Sure! Take the jam out of the fridge and put the peanut butter and honey on the table.

SAVOIR COMMUNIQUER

répertoire 1

Dans une rue à Paris...

dire
indiquer

volontiers
bien sûr
certainement
avec plaisir

prendre
emprunter

suivez
continuez sur

carrefours
intersections

d'accord
entendu

voir
apercevoir
remarquer

merci infiniment
merci beaucoup
je vous remercie

je vous en prie
il n'y a pas de quoi
de rien

– Pardon, monsieur, pourriez-vous me *dire* où *se trouve* le théâtre Racine?

– *Volontiers!* Mais c'est assez loin. Vous êtes à pied?

– Oui, mais *ça ne me fait rien* de marcher.

– Eh bien, vous êtes courageux. Vous savez que vous pouvez *prendre* le métro ou l'autobus.

– Non, non, *je préfère* marcher.

– Bon, alors vous *suivez* cette rue *dans cette direction*. Vous allez traverser deux *carrefours*, c'est-à-dire, deux feux, n'est-ce pas?

– Oui, *d'accord*.

– Au dernier feu, vous allez tourner à gauche. Ça, c'est la rue Lepic.

– Bon! Et après?

– Dans la rue Lepic, à cent mètres de l'intersection, vous allez *voir* une belle église gothique sur la droite.

– Une église, oui.

– Eh bien, le théâtre Racine est *en face*.

– *Merci infiniment*, monsieur.

– *Je vous en prie*. Et rappelez-vous, ce n'est pas *tout près*.

– Oui, merci!

se trouve
est situé

ça ne me fait rien
ça m'est égal

je préfère
j'aime mieux

dans cette direction
par là

en face
de l'autre
    côté de la rue

tout près
à deux pas d'ici

29

enchaînement

Faites le dialogue suivant avec un partenaire.

– Pardon …, pourriez-vous m'indiquer où est situé le théâtre Racine?

– …?

– Oui, mais ça m'est égal de marcher.

– …

– Non, non, j'aime mieux marcher.

– …

– Bon, d'accord. Qu'est-ce que je fais au deuxième feu?

– …

– C'est quelle rue?

– …

– Bon! Et après?

– …

– Très bien! Sur la droite il y a une église …

– …

– Je vous remercie, …

– …

débrouillez-vous!

Avec un ou deux partenaires, dramatisez les situations suivantes.

Vous êtes à Paris et vous venez de visiter la cathédrale de Notre-Dame. Vous désirez maintenant aller au centre Georges-Pompidou, mais vous avez oublié votre plan de ville.

1. Vous demandez des directions à un passant. Il explique comment vous y rendre.

2. Cette fois-ci, le passant, qui est un touriste, ne sait pas où se trouve le centre Georges-Pompidou. Il vous suggère cependant comment vous pouvez vous informer.

3. Cette fois-ci, vous vous adressez à un couple. Ces deux personnes ne sont pas d'accord sur le chemin à suivre pour arriver au centre Georges-Pompidou.

répertoire 2

Dans un bureau d'accueil des étudiants à Paris...

pardon
excusez-moi

je cherche
je voudrais me
   procurer

– *Pardon*, madame, je viens d'arriver à Paris et *je cherche* une chambre.

– Vous êtes étudiant, monsieur?

– Oui, madame, je vais *suivre des cours* à la Sorbonne.

suivre des cours
faire des études
faire un stage

vous pouvez
pourriez-vous

– *Vous pouvez* me *donner* votre carte d'étudiant, s'il vous plaît?

– Oui, la voici.

donner
passer

désirez
voulez

– Vous *désirez* une chambre *chez des particuliers* ou à la cité universitaire?

chez des particuliers
dans une famille

précisions
renseignements

– J'aimerais avoir des *précisions sur les* résidences de la cité universitaire.

sur les
au sujet des
concernant les
à propos des

– C'est nettement *moins cher* et vous avez aussi le *Restau-U*.

moins cher
meilleur marché

Restau-U
restaurant
   universitaire

– Une dernière question, si vous le permettez. Est-ce que chaque chambre a sa salle de bains?

– Mais, monsieur, *vous plaisantez*! Il y a un lavabo dans chaque chambre, mais, pour le reste, *toilettes* et douches, c'est communautaire.

vous plaisantez
vous rigolez

toilettes
W.C.

ça ne fait rien
ça m'est égal

– *Ça ne fait rien*. Je vais quand même prendre une chambre à la cité universitaire.

– Bien, monsieur, je vais voir ce que je peux *faire*.

faire
arranger

enchaînement

Faites le dialogue suivant avec un partenaire.

–Excusez-moi, …, je viens d'arriver à Paris et je voudrais me procurer une chambre.

–…?

–Oui, je vais faire un stage à la Sorbonne.

–…?

–J'aimerais avoir des renseignements concernant les résidences de la cité universitaire.

–…

–Est-ce que chaque chambre a sa salle de bains?

–…

–Ça m'est égal! Je vais quand même prendre une chambre à la cité universitaire.

débrouillez-vous!

Avec un ou deux partenaires, dramatisez les situations suivantes.

Vous arrivez à Paris pour faire des études. Vous cherchez un logement meublé, pas trop cher, près de l'université.

1. Vous expliquez à l'employé au bureau d'accueil ce que vous cherchez: logement chez une famille sans enfants et qui ne parle pas anglais; demi-pension (petit déjeuner et dîner); salle de bains et entrée privées. L'employé vous propose trois possibilités.

2. Vous voulez loger à la cité universitaire. Vous désirez partager une chambre avec un autre étudiant en première année, de préférence non-fumeur et de langue française. Chambre au rez-de-chaussée si possible. On a de la difficulté à vous trouver ce que vous cherchez.

3. Cette fois-ci, vous cherchez un studio sur la Rive Gauche: cuisinette, ascenseur, salle de bains privée, balcon, téléviseur, chauffage central, service de femme de chambre. Vous refusez chaque suggestion de l'employé qui finit par s'impatienter avec vous.

SAVOIR~FAIRE

A expansion

1. Après que j'aurai quitté l'école aujourd'hui, je …
2. Aussitôt que l'hiver sera arrivé, je …
3. Après que j'aurai terminé mes études secondaires, je …
4. Lorsque j'aurai gagné assez d'argent, je …
5. Quand j'aurai acheté ma propre voiture, je …
6. Dès que j'aurai un bon emploi, je …

B les annonces publicitaires

Vous travaillez pour une station de radio. Rédigez une annonce publicitaire pour chacun des produits suivants.

1. Le beurre «Jolie laitière»
2. Les chocolats «Valentino»
3. La confiture «Tartinette»
4. Le beurre d'arachides «Croqui-croquant»
5. Les saucisses «Porcofino»

PETIT DÉJEUNER

LE «BONGOÛT»
un ou deux oeufs au choix
croissants ou toasts
bacon, saucisses ou jambon
café, thé ou chocolat
4,50 $

LE CONTINENTAL
croissants ou toasts
café, thé ou chocolat
2,50 $

LE GOURMET
omelette au fromage,
au jambon ou aux champignons
croissants, toasts ou petits pains
café, thé ou chocolat
5,50 $

À LA CARTE
jus d'orange
jus de pommes
jus de tomates
petit 0,75 $ grand 1,10 $
lait blanc
lait au chocolat
petit 0,55 $ grand 0,90 $

café	0,75 $
thé	0,75 $
chocolat	0,75 $
danoise *(au citron ou aux fraises)*	1,25 $
gaufre *(nature ou aux bleuets)*	2,50 $
demi-pamplemousse	1,75 $
coupe de fruits	2,25 $
un oeuf	1,00 $
bacon	1,55 $
jambon	1,55 $
saucisses	1,55 $
toasts	0,75 $
croissant	0,75 $

Avec un partenaire, jouez les rôles d'un(e) client(e) et
d'un garçon de table (d'une serveuse) au restaurant
«Bongoût». Examinez bien le menu et faites une variété
de commandes. La conversation sera peut-être comme
ceci:

Serveuse: Bonjour, monsieur.

Client: Bonjour, mademoiselle.

Serveuse: Vous avez choisi?

Client: Je voudrais le petit déjeuner «Bongoût», s'il
vous plaît.

Serveuse: Très bien, monsieur. Un ou deux oeufs?

Client: Deux oeufs, s'il vous plaît, ... sur le plat.

Serveuse: D'accord. Bacon, saucisses ou jambon?

Client: Du bacon ... bien cuit.

Serveuse: Vous prenez les croissants ou les toasts?

Client: Les toasts, s'il vous plaît.

Serveuse: Pain blanc, pain de blé entier ou pain de seigle?

Client: Je préfère le pain blanc.

Serveuse: Bon! Et avec ça, quelque chose à boire,
monsieur?

Client: Ah, oui! Une tasse de café et ... un jus de
tomates.

Serveuse: Un grand ou un petit?

Client: Un petit, s'il vous plaît.

Serveuse: Très bien, monsieur.

Client: Merci beaucoup, mademoiselle.

petit vocabulaire

bien cuit	well done
un bleuet ♣	blueberry
boire	to drink
un champignon	mushroom
un citron	lemon
une danoise	Danish pastry
une fraise	strawberry
nature	plain
le pain de blé entier	wholewheat bread
le pain de seigle	rye bread
un pamplemousse	grapefruit

D renseignez-vous!

Avez-vous l'intention de voyager à Paris un jour? Avant
d'y aller, il faudra vous renseigner sur le coût du voyage
si vous voulez préparer un budget. Vous devriez aussi
être au courant de certaines différences entre la vie
canadienne et la vie parisienne. Faites des recherches
pour répondre aux questions suivantes.

1. Combien coûte un passeport canadien?
2. Où pouvez-vous obtenir un formulaire de demande
   pour un passeport?
3. Combien vaut un dollar canadien en francs français?
4. Combien coûte un billet d'avion aller et retour?
5. Quel est le nom et le prix d'un bon guide touristique
   sur Paris?
6. Quel est le système de classement pour les hôtels?
7. Quelle est la différence entre un repas **à prix fixe**,
   un repas **à la carte** et un repas **libre service**.
8. D'habitude, au restaurant, quel pourcentage doit on
   payer pour le service?
9. Que signifient les termes **pension** et **demi-pension**?
10. Combien coûte un billet de métro? Un timbre pour
    envoyer une carte postale au Canada?
11. Autre qu'au bureau de poste, où peut-on acheter des
    timbres?
12. À quoi sert un jeton?
13. Quelle est la différence entre un petit déjeuner
    continental et un petit déjeuner **américain**?
14. De l'aéroport Charles-de-Gaulle, comment peut-on
    se rendre à la ville?
15. Si on perd son passeport à l'étranger, à qui doit-on
    s'adresser?

je compose

Vous êtes à Paris depuis deux semaines. Que pensez-vous de la ville en général? Quels monuments avez-vous visités? Comment sont-ils? Comment trouvez-vous les restaurants? Comment sont les Parisiens? Qu'est-ce que vous aimez le mieux? Qu'est-ce que vous n'aimez pas? Écrivez à un(e) ami(e) au Canada pour lui parler de vos impressions.

situations

Avec un partenaire, faites des dialogues basés sur les situations suivantes.

1. Vous allez préparer le déjeuner pour un de vos amis, mais il n'aime pas les plats que vous lui proposez.

2. Comme guide touristique parisien, vous faites le commentaire sur les sites de la Rive Gauche. Un touriste vous pose beaucoup de questions.

3. Comme guide touristique parisien, vous faites le commentaire sur les sites de la Rive Droite. Un touriste vous pose beaucoup de questions.

4. C'est l'an 1888. Vous interviewez l'ingénieur Gustave Eiffel au sujet de son projet de construire une tour pour l'exposition universelle à Paris.

Le coin des citations

«Paris est un véritable océan. Parcourez-le, décrivez-le, … il s'y rencontrera toujours un lieu vierge, un antre inconnu, des fleurs, des perles, des monstres, quelque chose d'inouï …»

Honoré de Balzac (1799-1850)

L'Obélisque, place de la Concorde.

LE MAGAZINE DES JEUNES

VARIÉTÉS

La France à l'avant garde de la technologie

France d'aujourd'hui **38**

Le Train à Grande Vitesse **44**

Conduire à Paris: apprentissage par chocs culturels **46**

France nouvelle, France traditionnelle **48**

J'suis snob, *Boris Vian* **50**

télécom

NUMÉRO DEUX

FRANCE D'AUJOURD'HUI

Lorsqu'on pense à la France, on a tendance à évoquer son héritage culturel, son histoire. Ou alors, on songe à des lieux touristiques comme Paris ou la Côte d'Azur. Ou encore, on pense à des produits séduisants tels que les vins, les fromages, les parfums et les articles de luxe. Et, bien sûr, la France est aussi le pays où règnent la haute cuisine et la haute couture. Cardin, Hechter, Saint-Laurent, Dior: tout le monde reconnaît ces noms, maintenant symboles du chic par excellence pour tant de gens. Mais les parfums, les fromages, la haute couture ne jouent qu'un rôle secondaire dans la nouvelle économie française.

Ce qu'on ne réalise pas toujours, c'est que la France actuelle est une puissance économique et industrielle très importante. Quelques statistiques nous permettent de mieux comprendre ce fait. Par son produit national brut, ce pays de 54 000 000 d'habitants occupe le cinquième rang dans le monde. (On vend plus de Rolls-Royce en France qu'en Angleterre!) Par l'importance de son agriculture, la France occupe la deuxième place après les États-

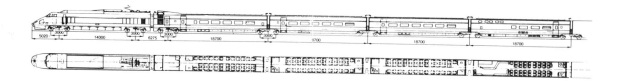

Unis et elle est au même rang que le Japon pour les exportations. On doit aussi considérer l'importance de ses banques, dont cinq figurent parmi les dix plus grandes du monde.

Par son industrie, la France est à la quatrième place dans le monde après les États-Unis, l'Allemagne de l'Ouest et le Japon. En effet, elle se montre très active dans de nombreux secteurs de la haute technologie. Comparée à l'Allemagne de l'Ouest, la France est plus avancée dans six domaines importants: l'informatique, l'énergie nu-cléaire, l'aérospatiale, les transports aériens, les transports ferroviaires ultra-rapides et l'océano-graphie.

La France donc, ce n'est pas seulement la France d'hier, qui, avec les autres pays d'Europe, repré-sente notre héritage historique et culturel, c'est aussi aujourd'hui une puissance économique mo-derne en plein essor.

La France à l'avant-garde de la technologie

vocabulaire

masculin

un article de luxe	luxury item
le bois	wood
un fait	fact
le fer	iron
le parfum	perfume
un pays	country
le pétrole	oil
un pneu (des pneus)	tire
un produit	product

féminin

l'aéronautique	airplane industry
l'aérospatiale	aerospace science
la Côte d'Azur	French Riviera
l'économie	economy
l'énergie	energy
une exportation	export
la haute couture	high fashion
la haute cuisine	gourmet cooking
l'informatique	computer science
une puissance	power
une raffinerie	refinery
la viticulture	grape production (for winemaking)

verbes

considérer*	to consider
occuper	to occupy
reconnaître†	to recognize
songer (à qqn, qqch.)‡	to think about

adjectifs

actuel, actuelle	current
avancé	advanced
culturel, culturelle	cultural
haut	high
historique	historical
industriel, industrielle	industrial
touristique	tourist

expressions

à l'avant-garde (de)	on the leading edge (of)
avoir tendance (à)	to tend to
par excellence	to the ultimate degree

* se conjugue comme **espérer**.
† se conjugue comme **connaître**.
‡ se conjugue comme **manger**.

langue vivante

EXPORTATIONS PRINCIPALES

les avions
le fer
la machinerie agricole
les produits chimiques
les textiles
le vin
les voitures
les articles de luxe

L'INDUSTRIE EN FRANCE

l'aéronautique
la construction navale
les textiles
les produits chimiques
l'industrie nucléaire
l'aluminium
l'industrie mécanique
la machinerie agricole

le pétrole
les raffineries
le fer
les voitures
l'électronique
la viticulture
le bois
les pneus

LA FRANCE

le bon usage

TO THINK ABOUT

1. **penser à:** *to think about; to direct one's thoughts towards something or someone*
   Il pense souvent à son avenir.
   Je pense à mon ami.
   Pensez-y!

2. **penser de:** *to think about; to have an opinion about something or someone*
   Qu'est-ce que tu penses de son idée?
   Que pensez-vous de sa soeur?
   Qu'en penses-tu?

en français, S.V.P.!

1. What did he think about the movie?
2. Tell me what you think about my idea.
3. Think about what you are saying.
4. What would you think about a trip to Europe?
5. She is always thinking about her family in Montreal.

MORE THAN, LESS THAN

1. **plus que, moins que:** *more than, less than (before a noun or a pronoun)*
   André a gagné plus que moi.
   Tu manges plus que ton frère.

2. **plus de, moins de:** *more than, less than (before a number)*
   J'ai plus de vingt dollars.
   Il ne commande jamais moins de trois hamburgers.

en français, S.V.P.!

1. I answered more than five questions.
2. We travel more than you.
3. Will there be more than ten people?
4. He earns less than his brother.
5. They live less than thirty kilometres from here.

LITTLE, FEW

1. **petit, petite** (adjectif): *little, small*
   Les Morin ont trois petits enfants.
   On m'a servi un petit morceau de gâteau.

2. **peu:** (adverbe): *little*
   Il travaille peu.

3. **un peu** (adverbe): *a little*
   J'ai mangé un peu.
   Il fait un peu moins froid aujourd'hui.
   Je suis un peu nerveux.

4. **peu de** (expression de quantité): *few, little; not a lot*
   J'ai peu de problèmes.
   J'ai dépensé très peu d'argent.

5. **un peu de** (expression de quantité): *a little*
   Il me reste un peu de temps.
   Un peu de patience, s'il vous plaît!

6. **quelques** (adjectif): *a few*
   Le directeur va vous dire quelques mots.
   Je serai parti pendant quelques jours.

7. **quelques-un(e)s** (pronom): *a few*
   Quelques-uns des enfants sont absents.
   J'ai acheté quelques-unes de ses sculptures.

en français, S.V.P.!

1. He bought a small car.
2. Think about it a little.
3. A few of my friends have arrived.
4. I have a little money.
5. He has few good ideas.
6. Do you have a few minutes?
7. I eat very little.

les mots-clefs

vocascope

Choisissez le terme qui correspond le mieux à la définition. Comptez un point pour chaque bonne réponse.

1. Substance solide d'un arbre qui sert à faire des meubles:

   A le plastique   B le bois   C le sirop

2. Liquide à odeur agréable souvent à base d'alcool:

   A une fleur   B le jus   C le parfum

3. Huile naturelle utilisée comme source d'énergie:

   A le pétrole   B la graisse   C l'huile végétale

4. Enveloppe de caoutchouc qui recouvre une chambre à air comprimé, adaptée à une roue de bicyclette, de voiture:

   A une botte   B un pneu   C une bande dessinée

5. Région située dans le sud-est de la France aux bords de la Méditerranée:

   A l'Espagne   B la Manche   C la Côte d'Azur

6. Usine où on enlève les impuretés des matières:

   A une raffinerie   B un pays   C une salle de bains

7. Objets en vente dans les boutiques et les magasins chic:

   A des articles indéfinis   B des articles de luxe
   C des articles de presse

8. Terme qui se réfère à la mode chic ou élégante:

   A la haute couture   B la haute cuisine   C la glace

9. La culture de la vigne pour la production du vin:

   A l'horticulture   B la viticulture
   C le manque de culture

10. Adjectif qui décrit une dimension dans le sens vertical:

   A large   B étroit   C haut

Pour monsieur...

MACHO

eau de cologne *MACHO*
after-shave *MACHO*
pré-shave *MACHO*
savon *MACHO*
talc *MACHO*

... On vous reconnaîtra de loin!

MACHO

le jeu des mots

En français, les mots qui se terminent en **-ie** sont féminins. Les exceptions: **le génie, un incendie, un parapluie.** Un groupe de ces noms en **-ie** se terminent en **-y** en anglais.

la technolog**ie** → technolog**y**

Quels sont les noms français qui correspondent aux noms anglais suivants?

1. biography
2. calligraphy
3. philosophy
4. trilogy
5. apathy
6. sympathy
7. pharmacy
8. industry
9. dynasty
10. topography
11. analogy
12. astrology
13. terminology
14. machinery
15. zoology

Quels sont les noms anglais qui correspondent aux noms français suivants?

1. la comédie
2. l'énergie
3. l'océanographie
4. l'archéologie
5. la modestie
6. la bibliographie
7. la monarchie
8. la télépathie
9. la géologie
10. la géographie
11. la chorégraphie
12. la tragédie

Beaucoup d'adjectifs qui se terminent en **-ique** sont dérivés de ces noms en **-ie**:

la technolog**ie** → technolog**ique**

Quels sont les adjectifs qui correspondent aux noms suivants?

1. l'encyclopédie
2. la photographie
3. la mélodie
4. la télégraphie
5. la psychologie
6. la mélancolie
7. la symétrie
8. la gastronomie
9. l'harmonie
10. la symphonie
11. l'ironie
12. l'astronomie

La France à l'avant-garde de la te[c]

LE TRAIN À GRANDE VITESSE

En septembre 1980, le président de la République Française a inauguré le train le plus rapide du monde. Après plus de quatorze ans de recherches, c'est un grand succès pour la Société Nationale des Chemins de fer Français. En effet, la S.N.C.F. met à la disposition des voyageurs un train qui relie Paris et Lyon en deux heures — un trajet normal de quatre heures. Grâce à leur vitesse de 260 km à l'heure, ces trains électriques super-rapides permettent de gagner chaque destination en la moitié du temps. Imaginez que si le projet de tunnel sous la Manche voit enfin le jour, Londres sera seulement à 2 heures 15 minutes de Paris.

Ce train de l'avenir doit son développement à deux événements majeurs. Le premier a été l'augmentation constante du trafic des voyageurs — plus

de cinquante pour cent entre 1968 et 1978. En effet, de plus en plus de Français préfèrent le train aux autres moyens de transport. Le second facteur a été la crise pétrolière des années 70 qui a souligné le fait que le train consomme trois fois moins d'énergie par unité transportée que l'avion ou la voiture. Donc, le TGV permet non seulement de gagner aux voyageurs un temps considérable mais il permet aussi une économie d'énergie très nette.

Pour ce qui est du confort, ce nouveau train ne laisse rien à désirer. Les passagers voyagent assis dans des fauteuils individuels inclinables: de plus, pour se rafraîchir et se restaurer, les voyageurs sont servis tout comme dans un avion à l'aide de plateaux repas où ils ont le choix d'assiettes garnies, d'entrées chaudes ou de sandwichs avec, bien sûr, les boissons habituelles. En plus de ce service de restauration, le train comporte aussi un bar, un kiosque à journaux et des cabines téléphoniques.

Grâce à la climatisation et à l'insonorisation, vous avez tout pour faire un voyage rapide et agréable. De plus, à votre arrivée, vous êtes déjà en plein centre-ville. Gain de temps, voyage relaxant, sécurité, économie d'énergie, nuisance minimale sur l'environnement: voilà ce que représente le TGV — belle réussite de la technologie française.

La France à l'avant garde de la technologie

Conduire à Paris

APPRENTISSAGE PAR CHOCS CULTURELS

Si, durant un voyage en France, vous décidez de louer une voiture à Paris, la «Ville-Lumière» et les Parisiens vous réservent, en ce qui concerne la circulation, des chocs culturels tout à fait particuliers.

Commençons par la fameuse «priorité à droite»! C'est une règle de la route qui permet à un automobiliste qui arrive sur la droite de passer avant et devant vous! Eh bien, les Parisiens en ont fait un art! Et attention si vous oubliez de les laisser passer! Prenez, par exemple, la place Charles-de-Gaulle, un vaste rond-point où aboutissent douze avenues. Les voitures débouchent sur cette place à une vitesse vertigineuse—de rigueur, si on est un vrai Parisien — et tout le monde a la priorité! Imaginez un peu être pris dans ce tourbillon fantastique! Impossible d'en sortir! Donc, premier conseil: évitez la place Charles-de-Gaulle!

Imaginez aussi un carrefour sans feux et sans stops avec quatre voitures qui arrivent en même temps! En cas de collision, le pire travail en France c'est d'être agent de police ou d'assurance!

Deuxième phénomène: le bouchon! — ce qui veut dire que la route est bloquée. La symphonie de klaxons et d'invectives qui en résulte est souvent épique! Un cas typique, c'est le livreur qui plante son camion en plein milieu de la rue, sans se soucier des voitures qui attendent. Alors, deuxième conseil: évitez les rues étroites!

Un autre avertissement: comme vous allez conduire assez lentement et avec prudence, quelques Parisiens vont sûrement s'impatienter avec vous. Dans ce cas, ils baisseront sans doute leurs vitres et vous crieront quelques petits «mots doux». Alors, dernier conseil: continuez tranquillement votre chemin. Considérez cela comme une excellente occasion d'apprendre du nouveau vocabulaire.

Nous vivons une époque où la puissance d'un pays est liée surtout à son développement technologique. De ce fait, l'histoire du monde moderne montre un grand changement dans le mode de la vie. La France, elle, a changé de visage dans beaucoup de domaines, mais dans son effort de «vivre mieux demain», la France nouvelle n'a pas cependant déplacé la France traditionnelle. En effet, les traditions les plus chères aux Français sont restées, car elles sont liées à la recherche d'un art de vivre.

«La Vieille France» n'a pas disparu. Pour toutes sortes de produits typiquement français, la fabrication respecte les traditions de l'artisanat. Dans les procédés

France nouvelle

délicats comme la fabrication des parfums, la qualité exige beaucoup de soins. On récolte, par exemple, les pétales des fleurs à la main, comme autrefois. Ainsi, dans certains domaines de l'industrie et de l'agriculture, les petits ateliers et les petites exploitations dominent. Ici, au moins, l'homme a gardé sa supériorité sur la machine.

Lorsque l'art de vivre est lié à la joie de vivre, la tradition règne suprême. C'est certainement le cas pour la gastronomie française. C'est vrai aussi pour le métier noble de vigneron où l'expérience est

transmise de père en fils. Cette longue tradition a permis aux vignobles français de devenir célèbres dans le monde entier.

De vieilles traditions sont restées, mais on en redécouvre d'autres. Récemment, par exemple, l'artisanat a connu une véritable renaissance. De jeunes artisans — potiers, ferronniers, tisserands — ont choisi de se retirer à la campagne où, selon de vieilles méthodes, ils créent quelque chose de leurs mains. Pour certains Français, en effet, vivre mieux, c'est vivre à l'écart des pressions de la vie contemporaine. Pour eux, le bonheur n'existe que dans le sentiment d'une création personnelle.

Donc, l'évolution s'est faite dans les deux sens: modernisation et technologie

France traditionnelle

dans la plupart des domaines, retour à la tradition pour certains individualistes. Il est quand même bon de savoir que le monde moderne n'a pas trop changé la personnalité fondamentale de la France où la recherche d'un art de vivre reste liée à l'individualisme.

j'suis snob

Paroles de Boris VIAN

J'suis snob… j'suis snob
C'est vraiment l'seul défaut que j'gobe
Ça demande des mois d'turbin
C'est une vie de galérien
Mais quand je sors avec Hildegarde
C'est toujours moi qu'on r'gard'
J'suis snob…foutrement snob
Tous mes amis le sont, on est snob et c'est bon

Chemises d'organdi, chaussures de zébu
Cravates d'Italie, et méchant complet vermoulu
Un rubis au doigt… de pied, pas çui-là
Les ongles tout noirs et un très joli p'tit mouchoir
J'vais au cinéma voir des films suédois
Et j'entre au bistro pour boire du whisky à gogo
J'ai pas mal au foie, personne ne fait plus ça
J'ai un ulcère, c'est moins banal et plus cher

J'suis snob…c'est basse
J'm'appelle Patrick, mais on dit Bob.
Je fais du ch'val tous les matins
Car j'adore l'odeur du crottin
Je ne fréquente que des baronnes
Au nom comme des trombones
J'suis snob…excessivement snob
Et quand je parle d'amour, c'est tout nu dans la cour

On se réunit avec les amis
Tous les vendredis pour faire des snobisme–parties
Il y a du coca, on déteste ça
Et du camembert qu'on mange à la petite cuiller
Mon appartement est vraiment charmant
J'me chauffe au diamant, on n'peut rien rêver d'plus fumant
J'avais la télé, mais ça m'ennuyait
Je l'ai r'tournée… d'l'aut' côté, c'est passionnant

J'suis snob…ah! ah!
Je suis ravagé par ce microbe.
J'ai des accidents en Jaguar
Je passe le mois d'août au plumard
C'est dans les p'tits détails comme ça
Que l'on est snob ou pas
J'suis snob…encore plus snob que tout à l'heure
Et quand je serais mort, j'veux un suaire de chez Dior!

50

FRANCE-QUIZ

Identifiez les lieux et trouvez-les sur la carte de France.

1. Lieu de naissance du célèbre explorateur Jacques Cartier.
2. Station de ski populaire près du Mont-Blanc.
3. Le plus long fleuve de France.
4. Ville renommée pour sa moutarde.
5. Ville située près de la frontière allemande.
6. Grand port au coeur d'une célèbre région viticole.
7. Ville célèbre par ses porcelaines.
8. Site de la célèbre course automobile.
9. Lieu de pèlerinage dans les Pyrénées.
10. Capitale de la France.
11. «Capitale du caoutchouc», située près du Massif Central; site des usines Michelin.
12. Ville au confluent du Rhône et de la Saône; troisième ville de France par sa population et son industrie.
13. Premier port de France; surnommé «porte de l'Orient».
14. Site du célèbre festival des films.
15. Ville qui a donné son nom à la célèbre «salade niçoise».
16. Port important situé sur la Manche.

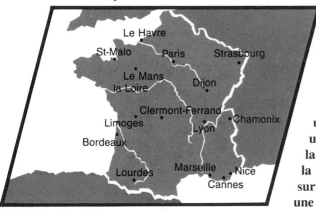

petit vocabulaire

au coeur de	*at the heart of, in the middle of*
au confluent	*at the confluence (where two rivers meet)*
le caoutchouc	*rubber*
un fleuve	*river*
un lieu de naissance	*birthplace*
un lieu de pèlerinage	*shrine*
la Manche	*English Channel*
la porcelaine	*china; dishes*
surnommé(e)	*nicknamed*
une usine	*factory*

L'énergie
C'EST IMPORTANT!

Variétés vous demande de compléter ce questionnaire. Pour chacune des questions suivantes, choisissez **toujours**, **quelquefois** ou **jamais**. Comptez 2 points pour chaque «toujours», 1 point pour chaque «quelquefois» et 0 point pour chaque «jamais». Faites le total pour déterminer votre contribution à la conservation de l'énergie.

	toujours	quelquefois	jamais
1. Prenez-vous une douche au lieu d'un bain?	2	1	0
2. Éteignez-vous les lumières quand vous quittez une salle?	2	1	0
3. Fermez-vous votre stéréo quand vous n'êtes pas dans votre chambre?	2	1	0
4. En été, refusez-vous d'utiliser un séchoir électrique pour vos cheveux?	2	1	0
5. Quand il fait froid dans la maison, mettez-vous un chandail au lieu de mettre plus fort le chauffage?	2	1	0
6. Si vous n'allez pas loin, y allez-vous à pied au lieu d'y aller en voiture?	2	1	0
7. Si vous sortez avec vos amis, prenez-vous une seule voiture au lieu d'en prendre trois ou quatre?	2	1	0
8. Quand il fait très chaud, refusez-vous de faire fonctionner le climatiseur?	2	1	0
9. Fermez-vous le téléviseur quand il n'y a personne dans la salle?	2	1	0
10. Quand vous utilisez la machine à laver, lavez-vous trois ou quatre paires de jeans à la fois au lieu d'une seule paire?	2	1	0

les résultats

de 18 à 20 points: Bravo! Vous avez le sens des responsabilités!
de 11 à 17 points: Vous êtes sur le bon chemin!
de 0 à 10 points: Vous devriez avoir honte! Évidemment, ce n'est pas vous qui payez les factures!

petit vocabulaire

à la fois	*at the same time*
avoir honte	*to be ashamed*
le chauffage	*heat*
un climatisateur	*air conditioner*
éteindre	*to turn off, out*
être sur le bon chemin	*to be on the right track*
une facture	*bill*
faire fonctionner	*to let run*
fermer	*to turn off*
mettre plus fort	*to turn up*
un séchoir	*dryer*
un téléviseur	*television set*

53

La France agricole

légende de la carte

- le blé
- la production du vin
- l'industrie laitière
- l'élevage du bétail
- l'élevage des porcs
- l'élevage des moutons
- l'élevage de la volaille
- la mise en boîte des poissons

Étudiez la carte, puis répondez aux questions suivantes:

1. La France produit plus de 23,4 millions de tonnes de blé par an. Pourquoi la production du blé est-elle d'une telle importance?
2. Le blé est cultivé un peu partout, mais où se trouve la région principale de cette culture?
3. À part le blé, beaucoup de céréales sont cultivées. Chaque année on cultive plus de 10 millions de tonnes de maïs. Pourquoi?
4. Les bovins comptent plus de 24 millions de têtes. Qu'est-ce que ces bovins fournissent?
5. L'industrie laitière est de première importance. À part le lait, nommez d'autres produits laitiers.
6. Il y a plus de 350 différents fromages fabriqués. À part la vache, quels autres animaux fournissent le lait pour ces fromages?
7. Qu'est-ce que l'élevage de la volaille fournit aux Français?
8. Quelles sont trois régions de France réputées pour la qualité de leurs vins? Quelles conditions favorisent la culture de la vigne?
9. Il y a plusieurs grands ports où les pêcheurs rapportent près d'un million de tonnes de poissons par an. Où vont ces pêcheurs pour attraper la morue?
10. D'habitude, quelles sortes de poissons et de fruits de mer met-on en boîte?

petit vocabulaire

le bétail	*livestock*
le blé	*wheat*
les bovins	*cattle*
l'élevage (m.)	*raising*
les fruits de mer (m.)	*seafood*
le maïs	*corn*
la morue	*cod*
un mouton	*sheep*
un pêcheur	*fisherman*
un poisson	*fish*
la volaille	*poultry*

NOS LECTEURS NOUS *écrivent*

Cher éditeur,

J'ai lu avec intérêt votre numéro spécial sur Paris. Je pense que vous avez fait un assez bon portrait de cette ville merveilleuse. Cependant, une chose me dérange. Vous semblez caricaturiser les Parisiens: ils semblent froids, impatients et impolis. Ce n'est pas le cas! Durant mon séjour cet été à Paris, je les ai trouvés très accueillants, très patients (surtout avec les étrangers!) et très polis.

Je tenais à corriger une impression que vous auriez pu laisser avec vos autres lecteurs.

Étienne Latour

[Vous avez eu raison de nous écrire. Nous n'avions pas l'intention d'induire nos lecteurs en erreur. Merci.]

je me souviens!

le présent

1. formation régulière

parler	finir	vendre
je parle	je finis	je vends
tu parles	tu finis	tu vends
il parle	il finit	il vend
elle parle	elle finit	elle vend
nous parlons	nous finissons	nous vendons
vous parlez	vous finissez	vous vendez
ils parlent	ils finissent	ils vendent
elles parlent	elles finissent	elles vendent

attention!

les verbes comme *acheter:* j'achète, tu achètes, il achète, elle achète, nous achetons, vous achetez, ils achètent, elles achètent

les verbes comme *espérer:* j'espère, tu espères, il espère, elle espère, nous espérons, vous espérez, ils espèrent, elles espèrent

les verbes comme *essayer:* j'essaie, tu essaies, il essaie, elle essaie, nous essayons, vous essayez, ils essaient, elles essaient

les verbes comme *employer:* j'emploie, tu emploies, il emploie, elle emploie, nous employons, vous employez, ils emploient, elles emploient

les verbes comme *s'ennuyer:* je m'ennuie, tu t'ennuies, il s'ennuie, elle s'ennuie, nous nous ennuyons, vous vous ennuyez, ils s'ennuient, elles s'ennuient

les verbes comme *appeler:* j'appelle, tu appelles, il appelle, elle appelle, nous appelons, vous appelez, ils appellent, elles appellent

les verbes comme *manger:* je mange, tu manges, il mange, elle mange, nous mangeons, vous mangez, ils mangent, elles mangent

les verbes comme *commencer:* je commence, tu commences, il commence, elle commence, nous commençons, vous commencez, ils commencent, elles commencent

2. formation irrégulière

Les verbes suivants sont irréguliers au présent. Voir GRAMMAIRE, pages 260–64.

aller	dire	partir	se sentir
apprendre	dormir	permettre	servir
s'asseoir	écrire	pleuvoir	sortir
avoir	être	pouvoir	se souvenir
comprendre	faire	prédire	suivre
conduire	lire	prendre	venir
connaître	mentir	reconnaître	vivre
croire	mettre	savoir	voir
devenir	ouvrir	sentir	vouloir
devoir			

A au présent, S.V.P.!

1. chanter/nous
2. choisir/ils
3. entendre/vous
4. se réveiller/elle
5. réfléchir/je
6. répondre/il
7. annoncer/nous
8. considérer/je
9. payer/tu
10. attendre/ils
11. rappeler/elles
12. s'ennuyer/tu
13. se lever/tu
14. employer/vous
15. songer/nous

B le présent des verbes irréguliers!

1. aller/je
2. avoir/ils
3. dormir/il
4. être/nous
5. savoir/ils
6. s'asseoir/elles
7. écrire/nous
8. pleuvoir/il
9. pouvoir/tu
10. connaître/il
11. venir/elles
12. dire/vous
13. lire/tu
14. conduire/vous
15. ouvrir/je
16. vivre/tu
17. voir/nous
18. faire/vous
19. suivre/il
20. mettre/je
21. devoir/ils
22. prendre/ils
23. partir/elle
24. vouloir/elles

OBSERVATIONS

objectifs

- le présent du subjonctif: emploi et formation régulière
- le présent du subjonctif: formation irrégulière
- l'emploi du subjonctif avec les verbes de volonté
- l'emploi du subjonctif avec certaines expressions impersonnelles

contexte A

Deux amies se parlent au téléphone...

– Je te téléphone pour savoir à quelle heure on va se rencontrer.
– Ah oui! Eh bien, il faut d'abord que j'aille chez le coiffeur. J'ai rendez-vous à deux heures.
– Ça va prendre longtemps?
– Eh bien, écoute! Je veux qu'il me fasse une permanente, donc, il faut compter au moins trois heures.
– Il est absolument nécessaire que tu fasses ça aujourd'hui?
– Absolument! J'ai l'air d'une folle avec mes cheveux.
– Bon, alors, si on se donne rendez-vous au resto vers cinq heures et demie?
– Il vaudrait mieux que nous téléphonions pour réserver. Le samedi, il y a toujours beaucoup de monde.
– Ne t'en fais pas! Je m'en occupe. Allez, au revoir, il faut que je me dépêche!
– Au revoir.

analyse 1 (contexte A)

■ le présent du subjonctif: emploi et formation

Contrastez:

l'indicatif	le subjonctif
Je suis sûr qu'il **est** en retard.	Je ne suis pas sûr qu'il **soit** en retard.
Il est vrai que vous **parlez** français.	Je suis heureux que vous **parliez** français.
Il est probable qu'elle **finira** son travail.	Il est possible qu'elle **finisse** son travail.
Je crois qu'ils **vendront** leur maison.	Je doute qu'ils **vendent** leur maison.
Elle part pendant qu'il **fait** la vaisselle.	Elle part avant qu'il **fasse** la vaisselle.
On utilise l'indicatif pour exprimer une **certitude** ou une **probabilité**.	On utilise le subjonctif avec certains verbes, certaines expressions et certaines conjonctions qui expriment l'**incertitude**, le **doute** ou la **possibilité**.

l'emploi du subjonctif

proposition principale	proposition subordonnée
Il **est** possible	
Il **sera** possible	qu'il **soit** en retard.
Il **serait** possible	

D'habitude, on utilise le subjonctif dans la proposition subordonnée. L'emploi du subjonctif dépend de l'expression utilisée dans la proposition principale. Notez que, dans la proposition principale, on peut utiliser différents temps.

Je ne suis pas sûr qu'elle **soit** contente.
{ I'm not sure that she *is* happy.
I'm not sure that she *will be* happy. }

Le présent du subjonctif exprime le présent et le futur. (Il n'y a pas de futur du subjonctif.)

la formation du présent du subjonctif

parler	finir	vendre
que je parle	que je finisse	que je vende
que tu parles	que tu finisses	que tu vendes
qu'il parle	qu'il finisse	qu'il vende
qu'elle parle	qu'elle finisse	qu'elle vende
que nous parlions	que nous finissions	que nous vendions
que vous parliez	que vous finissiez	que vous vendiez
qu'ils parlent	qu'ils finissent	qu'ils vendent
qu'elles parlent	qu'elles finissent	qu'elles vendent

Pour former le présent du subjonctif, on utilise le radical de la 3ᵉ personne du pluriel du présent de l'indicatif, puis on ajoute les terminaisons:
-e, -es, -e, -e, -ions, -iez, -ent, -ent.
Remarquez que les trois conjugaisons ont les mêmes terminaisons.

formation régulière

infinitif	3ᵉ personne du pluriel du présent de l'indicatif	radical
parler	ils parlent	parl-
finir	ils finissent	finiss-
vendre	ils vendent	vend-
s'asseoir	ils s'asseyent	s'assey-
connaître	ils connaissent	connaiss-
conduire	ils conduisent	conduis-
dire	ils disent	dis-
dormir	ils dorment	dorm-
écrire	ils écrivent	écriv-
lire	ils lisent	lis-
mentir	ils mentent	ment-
mettre	ils mettent	mett-
ouvrir	ils ouvrent	ouvr-
partir	ils partent	part-
reconnaître	ils reconnaissent	reconnaiss-
sentir	ils sentent	sent-
sortir	ils sortent	sort-
suivre	ils suivent	suiv-
vivre	ils vivent	viv-

attention!

infinitif	3ᵉ personne du pluriel	radical	les formes *nous* et *vous*
s'asseoir	ils s'assoient	s'assoi-	que nous nous assoyions que vous vous assoyiez
croire	ils croient	croi-	que nous croyions que vous croyiez
voir	ils voient	voi-	que nous voyions que vous voyiez
employer	ils emploient	emploi-	que nous employions que vous employiez
essayer	ils essaient	essai-	que nous essayions que vous essayiez
s'ennuyer	ils s'ennuient	ennui-	que nous nous ennuyions que vous vous ennuyiez
acheter	ils achètent	achèt-	que nous achetions que vous achetiez
espérer	ils espèrent	espèr-	que nous espérions que vous espériez
appeler	ils appellent	appell-	que nous appelions que vous appeliez

attention!

Remarquez que pour le verbe **s'asseoir**, il y a deux formes possibles.

Le verbe **pleuvoir** n'a qu'une seule forme: **qu'il pleuve**.

Le coin des citations

«Un train, c'est facile à prendre, deux billets, deux cafés brûlants et puis la buée sur les vitres des arborescences qui rendent songeurs ces premiers amoureux du matin.»

Jean Cayrol. *Exposés du soleil*

application

A au subjonctif, S.V.P.!

1. ils regardent/je
   ▶ **que je regarde**
2. ils choisissent/tu
3. ils entendent/elle
4. ils suivent/nous
5. ils conduisent/je
6. ils servent/vous
7. ils écrivent/tu
8. ils achètent/nous
9. ils connaissent/je
10. ils répètent/vous
11. ils croient/nous
12. ils disent/elles

B encore le subjonctif!

1. songer
   ▶ **que nous songions**
2. réussir/que je …
3. descendre/qu'ils …
4. reconnaître/que tu …
5. rappeler/que tu …
6. mettre/qu'elles …
7. partir/qu'il …
8. vivre/que je …
9. ouvrir/que nous …
10. voir/que vous …
11. considérer/que je …
12. se lever/qu'ils …

analyse 2 (contexte A)

■ **le présent du subjonctif: formation irrégulière**

a) les verbes dont le radical change

venir

que je vienne	**que nous venions**
que tu viennes	**que vous veniez**
qu'il vienne	qu'ils viennent
qu'elle vienne	qu'elles viennent

prendre

que je prenne	**que nous prenions**
que tu prennes	**que vous preniez**
qu'il prenne	qu'ils prennent
qu'elle prenne	qu'elles prennent

devoir

que je doive	**que nous devions**
que tu doives	**que vous deviez**
qu'il doive	qu'ils doivent
qu'elle doive	qu'elles doivent

infinitif	3e personne du pluriel	radical	les formes *nous* et *vous*
devenir	ils deviennent	devienn-	que nous devenions que vous deveniez
revenir	ils reviennent	revienn-	que nous revenions que vous reveniez
tenir	ils tiennent	tienn-	que nous tenions que vous teniez
venir	ils viennent	vienn-	que nous venions que vous veniez

infinitif	3e personne du pluriel	radical	les formes *nous* et *vous*
apprendre	ils apprennent	apprenn-	que nous apprenions que vous appreniez
comprendre	ils comprennent	comprenn-	que nous comprenions que vous compreniez
prendre	ils prennent	prenn-	que nous prenions que vous preniez
surprendre	ils surprennent	surprenn-	que nous surprenions que vous surpreniez
apercevoir	ils aperçoivent	aperçoiv-	que nous apercevions que vous aperceviez
devoir	ils doivent	doiv-	que nous devions que vous deviez
recevoir	ils reçoivent	reçoiv-	que nous recevions que vous receviez

b) les verbes dont le radical est irrégulier

aller
que j'aille
que tu ailles
qu'il aille
qu'elle aille
que nous allions*
que vous alliez*
qu'ils aillent
qu'elles aillent

faire
que je fasse
que tu fasses
qu'il fasse
qu'elle fasse
que nous fassions
que vous fassiez
qu'ils fassent
qu'elles fassent

pouvoir
que je puisse
que tu puisses
qu'il puisse
qu'elle puisse
que nous puissions
que vous puissiez
qu'ils puissent
qu'elles puissent

savoir
que je sache
que tu saches
qu'il sache
qu'elle sache
que nous sachions
que vous sachiez
qu'ils sachent
qu'elles sachent

vouloir
que je veuille
que tu veuilles
qu'il veuille
qu'elle veuille
que nous voulions*
que vous vouliez*
qu'ils veuillent
qu'elles veuillent

c) les verbes *avoir* et *être*

avoir
que j'aie
que tu aies
qu'il ait
qu'elle ait
que nous ayons
que vous ayez
qu'ils aient
qu'elles aient

être
que je sois
que tu sois
qu'il soit
qu'elle soit
que nous soyons
que vous soyez
qu'ils soient
qu'elles soient

attention!

À l'exception des verbes **avoir** et être, tous les verbes ont les mêmes terminaisons au présent du subjonctif.

Le coin des citations

«Il faut qu'à la mode
Chacun s'accommode;
Le fou l'introduit,
Le sage la suit.»

Legrand. *Les paniers*

*Au présent du subjonctif des verbes **aller** et **vouloir**, le radical change avec les sujets **nous** et **vous**.

application

A de l'indicatif au subjonctif!

1. il va ▶ **qu'il aille**
2. nous venons
3. j'aperçois
4. elle prend
5. vous devez
6. nous nous souvenons
7. il est
8. je sais
9. vous voulez
10. tu fais
11. vous avez
12. ils vont
13. je peux
14. elle tient
15. nous comprenons

analyse 3 (contexte A)

■ l'emploi du subjonctif avec les verbes de volonté

aimer mieux que	*to prefer that*
défendre que	*to forbid that*
demander que	*to ask that*
exiger que	*to demand, require that*
ordonner que	*to order that*
permettre que	*to permit that*
préférer que	*to prefer that*
souhaiter que	*to hope, wish that*
vouloir que	*to want, wish that*

Qu'est-ce qu'ils veulent **que nous fassions**?

Elle préfère **que nous ne fumions pas**.

Le capitaine ordonne **que les soldats viennent tout de suite**.

Permets-tu **que je mette mes bottes ici**?

J'aimerais mieux **que vous n'y alliez pas**.

application

A les préférences

1. Il part. ▶ **Je préfère qu'il parte**.
2. Elle fait la vaisselle.
3. Tu m'attends.
4. Vous choisissez le chandail bleu.
5. Ils vont au théâtre.
6. Elle achète une voiture de sport.
7. Ils sortent plus tard.
8. Tu prends un taxi.
9. Vous conduisez l'auto.
10. Elle vient tout de suite.

B non, c'est non!

1. Tu écoutes mes disques.
   ▶ **Je ne veux pas que tu écoutes mes disques**.
2. Vous prenez mes livres.
3. Il est fâché.
4. Tu me téléphones après minuit.
5. Il vend sa guitare.
6. Elle finit toute la pizza.
7. Vous vous assoyez là.
8. Ils suivent ces cours.
9. Tu as peur.
10. Tu te maquilles dans ma chambre.

Le coin des citations

«La machine conduit ainsi l'homme à se spécialiser dans l'humain.»

Jean Fourastié. *Le grand espoir du XXe siècle*

j'insiste!

1. attendre/tu ▶ **Je veux que tu attendes.**
2. faire le ménage/vous   Je demande …
3. dormir/elle   Je préfère …
4. être heureux/ils   Je souhaite …
5. devenir médecin/tu   Je voudrais …
6. prendre le train/nous   J'aimerais mieux …
7. aller chez Pierre/tu   Je permets …
8. rester ici/vous   J'ordonne …
9. lire cet article/elles   J'exige …
10. sortir/vous   Je défends …

analyse 4 (contexte A)

■ **l'emploi du subjonctif avec certaines expressions impersonnelles**

il est bon que	*it is good that*
il est essentiel que	*it is essential that*
il est impossible que	*it is impossible that*
il est naturel que	*it is natural that*
il est nécessaire que	*it is necessary that*
il est possible que	*it is possible that*
il est préférable que	*it is preferable that*
il est temps que	*it is time that*
il faut que*	*it is necessary that*
il semble que	*it seems, appears that*
il vaut mieux que†	*it is better that*

attention!

* il **faut**, il **faudra**, il **faudrait**, il **a fallu**
† il **vaut**, il **vaudra**, il **vaudrait**, il **a valu**

exemples:

Il est nécessaire **que je prenne** un taxi.
Il faut **que nous nous dépêchions**.
Il est bon **qu'il n'y ait pas** de test aujourd'hui.
Il est naturel **que vous soyez** fatigués après un si long voyage.
Il est important **que vous réussissiez**.
Il est essentiel **qu'ils entendent** cette nouvelle.
Il sera impossible **que tu fasses** tout ça.

application

c'est ça!

1. Je dois travailler? ▶ **Oui, il faut que tu travailles.**
2. Il doit partir?
3. Elle doit mettre son chapeau?
4. Nous devons écrire une composition?
5. Je dois aller à la pharmacie?
6. Ils doivent avoir les bonnes réponses?
7. Nous devons manger avant de partir?
8. Il doit finir son travail?
9. Je dois répondre tout de suite?
10. Elles doivent être là?

voilà mon opinion!

1. rentrer/nous ▶ **Il est temps que nous rentrions.**
2. conduire/tu   Il vaudra mieux …
3. essayer/elle   Il est nécessaire …
4. gagner/vous   Il est possible …
5. aller avec toi/je   Il est préférable …
6. se débrouiller/il   Il est important …
7. être malade/tu   Il n'est pas bon …
8. réfléchir/vous   Il est essentiel …
9. partir/je   Il sera bientôt temps …
10. avoir faim/nous   Il est naturel …

vérification

A ah, les parents!

Exprimez l'opinion de vos parents sur les sujets suivants. Pour chaque opinion, utilisez un des verbes suivants:

préférer que, exiger que, permettre que, souhaiter que, vouloir que, défendre que.

1. apprendre une langue seconde
   ▶ **Mes parents veulent que j'apprenne une langue seconde.**

2. réussir à mes examens
3. parler moins au téléphone
4. lire plus de livres
5. acheter moins de disques
6. travailler après les classes
7. avoir de meilleures notes
8. faire mes devoirs
9. suivre des cours de français
10. conduire leur voiture
11. être content(e)
12. aller à l'université
13. choisir une bonne carrière
14. se lever de bonne heure le samedi

B ah, les jeunes!

Exprimez votre opinion sur les sujets suivants. Utilisez les expressions **il est nécessaire que** ou **il n'est pas nécessaire que**.

1. conserver de l'énergie
   ▶ **Il est nécessaire que nous conservions de l'énergie.**
   ou ▶ **Il n'est pas nécessaire que nous conservions de l'énergie.**

2. suivre des cours d'informatique
3. voyager en Europe
4. étudier pendant le week-end

5. être indépendants
6. avoir une voiture
7. finir nos études secondaires
8. avoir un emploi à temps partiel
9. partager le ménage
10. assister à toutes nos classes
11. essayer de notre mieux
12. savoir conduire
13. sortir le week-end
14. considérer nos priorités
15. songer à notre avenir

C vive le subjonctif!

Mettez le verbe au présent du subjonctif.

1. (entendre) Il faudra que j'... tous les détails.
2. (choisir) Je préfère que tu ... une carrière dans le domaine de l'informatique.
3. (écouter) Il demande que nous ... ses nouvelles idées sur la viticulture.
4. (s'aimer) Il semble que vous ...
5. (acheter) J'aimerais mieux qu'elles ... des articles de luxe.
6. (être) Il est bon que la France ... à l'avant-garde de la technologie.
7. (vivre) La situation économique exige que je ... plus simplement.
8. (s'ennuyer) Ils souhaitent que nous ne ... pas en vacances.
9. (connaître) Il est possible qu'il ... mieux le pays.
10. (devenir) Il est temps que l'aérospatiale ... une priorité.

D ça dépend!

Mettez le verbe au présent de l'indicatif ou au présent du subjonctif, selon le cas.

1. Je sais que vous (s'intéresser) à la haute couture.
2. Il faudra qu'ils (faire) de leur mieux.
3. Ils sont sûrs que nous les (reconnaître).
4. Je vois qu'il (se sentir) beaucoup mieux aujourd'hui.
5. Il est naturel que tu (vouloir) réussir.
6. Ils nous rappellent que l'énergie nucléaire (être) très nécessaire.
7. Je défends que vous (se servir) de mon stéréo.
8. Nous voudrions qu'ils (venir) nous voir.
9. Nous sommes certains qu'ils (pouvoir) le faire.
10. Il est impossible que nous (se lever) de bonne heure demain matin.

E le coin du traducteur

Utilisez le subjonctif.

1. I want them to leave.
2. He has to know all the answers.
3. It would be better that you speak French with him.
4. They will never allow you to drive their car.
5. It's good that it's not raining.
6. It's time that we got ready.
7. Did he forbid you to sit down?
8. We would prefer they come by train.
9. Is it possible that they know the address?
10. It appears that the subjunctive is important.

Le coin des citations

«Le savant n'est pas l'homme qui fournit les vraies réponses, mais celui qui pose les vraies questions.»

Claude Levi-Strauss. *Le cru et le cuit*

F le coin du traducteur

– Did you know that France is becoming an industrial power?
– Sure. Don't we buy French cars, wine and luxury items? And everyone knows that France has always been on the leading edge in high fashion.
– That's right, but most Frenchmen want their country to become even more advanced in technology.
– Are you talking about computer science and aerospace science?
– Yes. So it's natural that more French students are taking these courses. In Canada, it's important that we do the same thing.
– Enough of that! I prefer that we talk about gourmet cooking!
– Can't you ever be serious?
– Not when I'm hungry!

SAVOIR COMMUNIQUER

répertoire 1

Merci, monsieur le concierge!

comment est-ce que je m'y prends?
qu'est-ce que je dois faire?

tout d'abord
d'abord
premièrement

vous avez une idée
vous êtes au courant

attendez
une minute
un instant

faire le voyage
arriver à votre destination

qu'autrefois
que dans le temps

marqué
indiqué
écrit
noté

pratique
commode

vraiment
réellement

– Pardon, monsieur, *je désire* aller à Genève par le train. *Comment est-ce que je m'y prends?*

– *Tout d'abord*, il faut aller à la Gare de Lyon parce que c'est de là que partent les trains *pour* la Suisse.

– C'est loin la Gare de Lyon?

– Non, *à deux pas d'ici*.

– *Vous avez une idée* des horaires?

– *Attendez*, je crois bien que j'ai un horaire ici quelque part … Ah, voilà. *Vous avez de la chance*, mademoiselle; vous allez pouvoir prendre le TGV, c'est le train à grande vitesse, vous savez.

– Ah, oui. J'en ai entendu parler. *Il semble que ce soit* très rapide et très confortable.

– Vous allez *faire le voyage* en trois heures et demie à peu près. C'est quelque chose quand même. Et dire *qu'autrefois ça prenait* six heures.

– Et pour les billets, est-ce qu'il est *indispensable* que j'aille à la gare?

– Non, vous pouvez *faire des réservations* par téléphone. Le numéro de la S.N.C.F. est *marqué* ici.

– Ça c'est vraiment *pratique*.

– Et à la gare, mademoiselle, *vous n'avez même pas besoin de* passer au guichet. Il y a maintenant des distributeurs automatiques où vous pouvez vous-même obtenir votre billet.

– C'est *vraiment* tout ce qu'il y a de plus moderne.

je désire
je veux
j'aimerais
je voudrais

pour
en destination de

à deux pas d'ici
tout près d'ici

vous avez de la chance
vous êtes chanceuse
vous avez de la veine

il semble que ce soit
on dit que c'est

ça prenait
le voyage durait

indispensable
absolument nécessaire

faire des réservations
réserver

vous n'avez même pas besoin de
vous n'êtes pas obligée de

je n'en doute pas
j'en suis certaine
j'en suis persuadée

–Ah, mademoiselle, nous sommes très fiers de notre système de chemins de fer! Et vous verrez, vous arriverez à l'heure!

–*Je n'en doute pas.* Merci de tous ces renseignements.

–*À votre service*, mademoiselle.

à votre service
il n'y a pas de quoi
de rien
je vous en prie

enchaînement

Faites le dialogue suivant avec un partenaire.

–... ?

–Premièrement, il faut aller à la Gare de Lyon.

–... ?

–Parce que c'est de là que partent les trains pour la Suisse.

–... ?

–Non, tout près d'ici.

–... ?

–Une minute. J'ai un horaire ici quelque part. Voilà! Vous avez de la chance! Vous allez pouvoir prendre le TGV. C'est le train à grande vitesse, vous savez.

–...

–Vous allez arriver à votre destination en trois heures et demie au lieu de six heures.

–... ?

–Non, vous pouvez réserver par téléphone. Le numéro de la S.N.C.F. est indiqué ici.

–...

–Et à la gare, vous n'êtes pas obligé de passer au guichet. Il y a des machines pour les billets.

–...

–Oui, nous en sommes très fiers.

–...

–Il n'y a pas de quoi. Bon voyage!

débrouillez-vous!

Avec un ou deux partenaires, dramatisez les situations suivantes.

Vous êtes à Paris et vous voulez prendre le TGV pour aller en Suisse. Vous ne savez pas où vous informer et vous n'avez pas d'horaire.

1. Vous demandez des renseignements au concierge de votre hôtel. Il vous explique ce que vous devez faire.
2. Cette fois-ci, vous demandez des renseignements à un touriste. Il consulte son guide et il vous suggère ce que vous devez faire.
3. Cette fois-ci, vous demandez des renseignements à deux Parisiens. Un des Parisiens déteste le nouveau système de chemins de fer. Son ami n'est pas d'accord. Au lieu de vous renseigner, ils commencent à se disputer.

répertoire 2

Dans un train, un contrôleur parle avec un voyageur.

je m'excuse
excusez-moi
désolé

comment ça?
quoi?
qu'est-ce que
 vous dites?

vous devez
vous êtes
 obligé de
il (vous) faut

il y a
on trouve
il existe

depuis quand?
ça fait combien
 de temps?

écrit
affiché
indiqué

–*Je m'excuse*, mais votre billet n'est pas valable.

–*Comment ça*, pas valable?

–Il n'est pas *composté*.

–Composté? Qu'est-ce que ça veut dire «composté»?

–*Vous devez* le valider avant de monter dans le train.

–Et *comment est-ce que je fais ça?*

–*Il y a* des machines pour cela, monsieur. Il s'agit
 simplement de *mettre* votre billet dans la machine.

–*Depuis quand?*

–Mais, monsieur, *ça fait* bien longtemps!

–Tiens! Mais vraiment je ne savais pas.

–Voyons, monsieur, c'est *écrit* partout!

–Excusez-moi, mais *je suis étranger* et je ne savais pas.
 Tenez, voilà mon passeport!

–Votre passeport?! Monsieur! Je ne suis pas douanier,
 moi, je suis contrôleur de train!

–Oh, pardon, excusez-moi, mon général!

composté
validé

*comment est-ce que
 je fais ça?*
comment est-ce que
 je m'y prends?

mettre
placer
insérer

ça fait
il y a

je suis étranger
je ne suis pas
 français

enchaînement

Faites le dialogue suivant avec un partenaire.

–Excusez-moi, monsieur/mademoiselle, mais votre
  billet n'est pas valable.

–… ?

–Il n'est pas composté.

–… ?

–Il faut le valider avant de monter dans le train.

–… ?

–Il existe des machines pour cela. Il s'agit simplement
  d'insérer votre billet dans la machine.

–… ?

–Ça fait bien longtemps!

–…

–Voyons, monsieur/mademoiselle, c'est affiché partout!

–…

–Votre passeport?! Je ne suis pas douanier, moi, je suis
  contrôleur de train.

–… !

débrouillez-vous!

Avec un partenaire, dramatisez les situations suivantes.

Pendant votre séjour en France, vous décidez de voyager
en train pour la première fois. Le contrôleur de train
passe dans les compartiments pour vérifier les billets.

1. Vous ne saviez pas que vous auriez dû composter
   votre billet à la gare. Le contrôleur, qui est très gentil,
   vous explique patiemment ce règlement.

2. Cette fois-ci, le contrôleur est très impoli. Vous vous
   disputez.

3. Cette fois-ci, quand le contrôleur vous demande votre
   billet, vous ne pouvez pas le trouver. Pendant que
   vous le cherchez, le contrôleur, très fâché, menace de
   vous faire descendre à la prochaine gare.

SAVOIR-FAIRE

A voyage en train

HORAIRE DES TRAINS

✗	✗	✗	✗	✗	✗	✗	
6 45	7 45	9 25	10 05	13 20	14 30	17 00	PARIS – Gare de Lyon
9 04	10 09	11 46	12 26	15 39	16 52	19 21	DIJON
10 33	11 45	13 31	14 00	17 07	18 40	20 51	LYON
12 29	13 47	15 55	16 04	19 00	20 39	22 55	AVIGNON
13 30	14 50	17 02	17 06	19 59	21 43	0 10	MARSEILLE
14 11	15 36	18 08	17 54	20 49	22 35	1 14	TOULON
16 14	17 20	20 18	19 55	22 25	0 12	3 19	NICE

✗ = wagon-restaurant

Avec un partenaire, jouez les rôles d'un voyageur et d'un employé de la S.N.C.F. Imaginez différents voyages et faites vos réservations. La conversation sera peut-être comme ceci:

– Un aller et retour pour Avignon, s'il vous plaît.
– Pour quel train?
– Pour le train de 7 h 45.
– En quelle classe?
– En deuxième.
– Très bien. Le train arrivera à Avignon à 13 h 47.
– Je voudrais aussi réserver une place assise.
– Certainement, monsieur. Compartiment fumeurs ou non-fumeurs?
– Non-fumeurs, s'il vous plaît.
– Fenêtre ou corridor?
– Fenêtre, s'il vous plaît.

– Voilà! Le train part du quai numéro 2, voie 6. N'oubliez pas de composter votre billet avant de monter dans le train!
– Merci beaucoup.
– À votre service.

vocabulaire utile

un aller	*one-way ticket*
un aller et retour	*return, round-trip ticket*
un compartiment fumeurs ou non-fumeurs	*smoking or non-smoking*
en première classe	*first class*
en deuxième classe	*second class*
fenêtre ou corridor	*a window seat or an aisle seat*
un quai	*platform*
réserver une place assise	*to reserve a seat*
une voie	*track*

B expansion

Exprimez vos opinions personnelles sur votre école.
Utilisez le subjonctif.

1. Il est nécessaire que …
2. Il est essentiel que …
3. Il est naturel que …
4. Il est temps que …
5. Il est important que …
6. Il est bon que …
7. Il est possible que …
8. Il est impossible que …
9. Je voudrais que …
10. J'aimerais mieux que …

C bien sûr, vous connaissez la France!

Même si vous n'avez pas voyagé en France, vous avez
déjà une connaissance de ce pays. La France est
renommée pour ses ressources naturelles et humaines,
pour ses produits et pour sa culture. Pouvez-vous
nommer …

1. des couturiers français?
2. des plats français?
3. des fromages français?
4. des vins français?
5. des parfums français?
6. des voitures françaises?
7. des lignes aériennes françaises?
8. des chansons françaises?
9. des auteurs français?
10. des vedettes françaises?

D je compose

Vous venez de rentrer après un séjour de deux mois en
France où vous avez fait des études commerciales.
L'éditeur d'un journal canadien vous demande d'écrire
un article sur l'économie française. Il vous suggère
quelques sujets: l'industrie, la technologie, les
exportations, l'agriculture.

E situations

Avec un partenaire, faites des dialogues basés sur les
situations suivantes.

1. Dans un café, vous parlez avec un vieux Français qui
   a peur que la vieille France traditionnelle disparaisse
   à cause de la technologie moderne. Vous essayez de
   lui expliquer que les deux Frances sont compatibles.
2. Vous êtes moniteur/monitrice d'auto-école à Paris et
   vous donnez une leçon à un Canadien qui vient de
   s'installer en France.
3. Vous interviewez un administrateur de la S.N.C.F.
   au sujet du TGV.

«Ce n'est pas possible, m'écrivez-vous; cela
n'est pas français.»

Napoléon 1er

QUE SAIS-JE ?

unités 1 et 2

- la formation et l'emploi du futur antérieur
- les verbes comme **dormir**
- **descendre**, **monter** et **sortir** conjugués avec **avoir**
- le passé simple
- la formation du présent du subjonctif
- l'emploi du subjonctif avec les verbes de volonté et avec certaines expressions impersonnelles

A les associations

Quelles idées vont ensemble?

1. **un fonctionnaire**	le jambon
2. la viande	une omelette
3. une baguette	l'aéronautique
4. un ouvrier	un article de luxe
5. des oeufs	**le gouvernement**
6. un ordinateur	un métal
7. le parfum	la haute couture
8. le vin	une voiture
9. des avions	la viticulture
10. des pneus	la Méditerranée
11. le Canada	le pétrole
12. une raffinerie	un électricien
13. la Côte d'Azur	le pain
14. le fer	l'informatique
15. Yves Saint-Laurent	un pays

B soyez logique!

Choisissez la bonne expression pour compléter chaque phrase.

1. Je mets toujours du beurre sur (les banlieues, les croissants, les cadres).
2. Est-ce que cette table est faite de plastique ou (de miel, de beurre d'arachides, de bois)?
3. Tout le monde doit essayer de conserver (l'énergie, la confiture, la puissance).
4. Elle n'a pas (besoin, peur, envie) de sortir ce soir parce qu'elle est trop fatiguée.
5. Quand on ne se (lève, sent, réveille) pas bien, on prend rendez-vous chez le médecin.
6. Qu'est-ce qu'on (dort, ment, sert) pour le dîner ce soir?
7. Savez-vous le nom du président (actuel, haut, avancé) de la France?
8. Je ne l'ai pas (senti, reconnu, rappelé) sans ses lunettes.
9. Nous vous téléphonerons (pendant, depuis, aussitôt) qu'elle sera arrivée.
10. La France exporte beaucoup (d'amour, de vin, de banlieusards).

C petite histoire de Paris

Mettez les verbes **en caractères gras** au passé composé.

En 300 avant J.-C., les Parisii, une tribu de pêcheurs qui **donna** son nom à Paris, **vinrent** s'installer dans les îles de la Seine. Ils **appelèrent** un de leurs villages Lutèce. En 52 avant J.-C., pendant la conquête de la Gaule par les Romains, Jules César **arriva** à ce village. Les Romains **prirent** Lutèce et **commencèrent** à construire dans la région des routes et des ponts. En 355, l'empereur romain Julien **choisit** Lutèce comme site pour son palais. Les Romains parlaient le latin. Plus tard, quand des tribus barbares **entrèrent** dans cette région, des mots germaniques **furent** ajoutés au latin. C'est de ce mélange que la langue française **eut** ses origines. En 508, Clovis **fit** de Paris la capitale de son royaume. L'Île-de-France **resta** à travers les siècles le domaine des rois de France et Paris **devint** l'une des capitales les plus importantes du monde.

D avoir ou être?

Mettez le verbe indiqué au passé composé. Attention à l'accord.

1. Est-ce que tu (sortir) assez d'argent de la banque?
2. Voilà la table qu'ils (descendre) du quatrième étage.
3. Comment est-ce qu'elles (monter) au quinzième étage?
4. Quand est-ce qu'ils (descendre) en ville hier?
5. À la gare elle (monter) dans un taxi.
6. Où as-tu mis la clef que tu (sortir) de ta poche?
7. Les valises? Je les (monter) à votre chambre, monsieur.
8. Nous (ne pas sortir) la voiture hier.
9. Qui (sortir) le beurre du frigo?
10. On (ne jamais descendre) dans cet hôtel.

E faites votre choix!

Complétez chaque phrase avec le présent du verbe correct: **dormir, mentir, sentir, se sentir, servir, servir à, servir de, se servir de.**

1. Ce n'est pas vrai! Tu …!
2. À quoi … cette machine?
3. Le samedi, il … jusqu'à midi.
4. Ce sofa … aussi de lit.
5. Ces roses … très bon.
6. Je ne … que des fruits pour le dessert.
7. Ce tapis … à couvrir le trou dans le plancher.
8. Nous ne … pas de fourchette pour manger du poulet.
9. Vous semblez malade. Vous ne … pas bien?
10. Pouah! Ce fromage Limburger … mauvais!

F et après ça?

Faites des phrases avec **après que** et le futur antérieur.

1. (je/écrire cette lettre) (il/la mettre à la poste)
   ▶ **Après que j'aurai écrit cette lettre, il la mettra à la poste.**
2. (elle/faire ses bagages) (nous/les descendre)
3. (vous/sortir) (je/jouer du piano)
4. (ils/partir) (nous/fermer le magasin)
5. (vous/prendre le petit déjeuner) (je/faire la vaisselle)
6. (il/lire ce livre) (je/l'emprunter)
7. (elles/se réveiller) (nous/mettre la radio)
8. (ils/rentrer) (je/leur dire la nouvelle)
9. (je/finir de me laver les cheveux) (tu/pouvoir entrer dans la salle de bains)
10. (tu/voir le film) (on/en discuter)

quel temps futur?

Utilisez le futur ou le futur antérieur des verbes indiqués, selon le cas.

1. Aussitôt que tu (arriver), je t'en (parler).
   ▶ **Aussitôt que tu seras arrivé, je t'en parlerai.**
2. Je (être) content quand ils (partir)
   ▶ **Je serai content quand ils seront partis.**
3. Nous te (dire) ce qui s'est passé après que nous (apprendre) tous les faits.
4. Dès qu'ils (se lever), nous (pouvoir) leur demander de nous aider.
5. Je vous (écrire) lorsque je (revenir).
6. Après qu'ils (mettre) la table, on (s'asseoir).
7. Quand elle (considérer) toutes les options, elle (prendre) une décision.
8. Après que vous (dîner), est-ce que vous (avoir envie) de jouer aux cartes?
9. Je te (donner) l'argent dès que je (aller) à la banque.
10. Aussitôt que je (laver) la voiture, il (pleuvoir) sans doute!

au subjonctif, S.V.P.!

Mettez le verbe indiqué au présent du subjonctif.

1. Il est essentiel que nous (songer) aux conséquences.
2. Je préférerais que vous m'(attendre) chez moi.
3. Il est temps que tu (faire) quelque chose.
4. Il ne semble pas qu'elles (aller) avec nous.
5. Nous souhaitons qu'ils (comprendre) ce que nous disons.
6. Défendez-vous que je (conduire) une moto?
7. Elle ne permet pas que nous (se servir) de son ordinateur.
8. Il vaudrait mieux que vous (se lever) de bonne heure.
9. Il est naturel que tu (choisir) une voiture économique.

10. Il faut que chaque étudiant (savoir) ce qu'il doit faire.
11. Je voudrais que vous (se dépêcher) de finir.
12. Serait-il possible que toutes ces phrases (être) correctes?

au subjonctif ou à l'indicatif?

Mettez le verbe au présent du subjonctif ou au présent de l'indicatif, selon le cas.

1. Voulez-vous que je (mettre) le beurre sur la table?
2. Je sais que vous (avoir) le temps de le faire.
3. Demandez-vous qu'elle (partir) maintenant?
4. Nous sommes certains qu'ils (pouvoir) y aller.
5. Je pense qu'il (se sentir) beaucoup mieux ce matin.
6. Il est important que vous (vouloir) réussir.
7. Nous croyons que vous (dormir) trop.
8. Il est naturel que vous (avoir) envie de voyager en France.
9. Ne pouvez-vous pas voir que je (faire) de mon mieux?
10. Est-il absolument nécessaire qu'on (apprendre) le subjonctif?

de l'anglais au français

1. What is this product used for?
2. Did you bring down my books?
3. Someone took my bicycle out of the garage.
4. I want them to sleep well before their trip.
5. Must we finish all this work?
6. It's time for them to drive me home.
7. It's essential that you pay attention.
8. It would be better that you not lie.
9. After you have taken a course in computer science, you will be able to use my computer.
10. When we have finished all these exercises, we will have a test, won't we?

LE MAGAZINE DES JEUNES

VARIÉTÉS

SPORTS
et loisirs

Les loisirs: Les distractions sont nombreuses **76**
La pétanque **83**
Entr'acte **84**
Les Français et le jeu **86**
Le football américain, vu par un étranger,
   d'après Paul Bourget **89**

NUMÉRO TROIS

LES LOISIRS
LES DISTRACTIONS SONT NOMBREUSES...

Malgré le fait que leur journée de travail est moins longue qu'autrefois, les Français n'ont guère le temps de sortir en semaine. Pour beaucoup d'entre eux, c'est en effet le fameux régime *métro-boulot-dodo*. Ces Français-là se contentent souvent d'aller boire un verre au bistro du coin après le travail. (On pourrait dire alors métro-boulot-bistro-dodo!)

Il faut bien préciser néanmoins que pas tous les Français font l'arrêt-apéritif à la sortie du bureau ou de l'usine. Réellement, si beaucoup d'adultes aiment se rencontrer au café, cette habitude est moins répandue chez les jeunes, qui ont tendance à consommer nettement moins d'alcool que leurs aînés.

Pour les gens qui rentrent directement chez eux, c'est la télévision qui divertit, qui fait oublier les problèmes de la journée. Le téléviseur est d'ailleurs souvent installé dans la salle à manger. Il est, en fait, l'invité d'honneur car c'est lui qui prend le plus souvent la parole. Eh oui! C'est bien triste, mais les Français, d'habitude si friands de bonne conversation, cèdent la place à l'omniprésente télévision.

Cependant, d'autres tendances plus heureuses ont fait leur apparition. Beaucoup de Français suivent, le soir, des cours pour adultes; d'autres s'inscrivent aux activités organisées par les «Maisons de la Culture». Des théâtres à Paris offrent maintenant des séances à 6 heures du soir, ce qui permet aux banlieusards de rentrer chez eux à une heure raisonnable.

C'est pendant le week-end que les Français trouvent plus de temps à consacrer à leurs loisirs et aux activités familiales. Certains restent à la maison pour faire du bricolage, pour s'occuper du jardin ou pour s'adonner à leur passe-temps favori. D'autres aiment aller à la campagne, soit pour faire un pique-nique en famille, soit pour pratiquer un sport en plein air.

Au cours des dernières années, les Français ont atteint un niveau de vie plus élevé. Il est maintenant assez facile de s'offrir une maison de campagne grâce à la vente à crédit. Les maisons de campagne se multiplient — pendant le week-end ou pendant l'été, elles sont un refuge où on essaie de fuir la vie trop agitée des villes surpeuplées.

Mais pour certains Français, l'évasion à la campagne ne suffit pas. Pendant leurs loisirs ou leurs vacances, ils veulent accomplir quelque chose d'utile. C'est pour cela que des groupes de volontaires consacrent leur temps libre à restaurer de vieux monuments, à sauver châteaux et églises menacés de tomber en ruines. Ces gens travaillent bien souvent dans des conditions difficiles. Ces travailleurs pleins d'enthousiasme, qui passent leur temps libre à manier la pioche et le marteau, sont en majorité des jeunes. En échange de leur travail, ils ne reçoivent aucun salaire. Leur seule récompense, c'est la satisfaction qu'ils trouvent à sauver le passé architectural de leur pays.

En France, comme ailleurs, le rythme de vie oblige les gens à considérer la détente comme une partie intégrale de leur emploi du temps. Les distractions sont nombreuses et varient avec l'âge, la région et la saison. Mais pour ce qui est des loisirs, ces Français d'habitude si individualistes sont, en fin de compte, bien comme nous tous.

vocabulaire

masculin

le bricolage	tinkering about, do-it-yourself
le canotage	boating, rowing; canoeing ♣
un château	castle
le cyclisme	cycling
un emploi du temps	timetable
des exercices aérobiques	aerobic exercises
un loisir	leisure or spare-time activity
un niveau	level
un passe-temps	pastime
le patinage	skating
un salaire	salary
un téléviseur	television set
le temps libre	free time; spare time
le vol delta	hang-gliding

féminin

une distraction	entertainment, amusement
une église	church
l'équitation	horseback riding
une habitude	habit
l'haltérophilie	weightlifting
une partie	part
la planche à voile	windsurfing
la plongée sous-marine	scuba diving
une usine	factory
la varappe	rock climbing

verbes

accomplir	to accomplish
boire	to drink
divertir	to amuse, entertain
s'inscrire* (à qqch.)	to register, enrol
s'occuper (de qqch.)	to attend to, look after
offrir†	to offer
recevoir	to receive

adjectif

fameux, fameuse	famous

adverbes

ailleurs	elsewhere
autrefois	in the past

préposition

grâce à	thanks to

expressions

à la campagne	to (in) the countryside
en plein air	outdoors
faire un pique-nique	to go on a picnic
néanmoins	nevertheless
ne … aucun(e)	not one, not any
ne … guère	hardly, scarcely

* se conjugue comme **écrire**.

† se conjugue comme **ouvrir**.

SPORTS et loisirs

la varappe

les exercices aérobiques

la plongée sous-marine

l'haltérophilie

le patinage

le jogging

le vol delta

le canotage

l'équitation

la planche à voile

le cyclisme

le camping

le bon usage

TO LEAVE

1. **quitter:** *to leave a place, a person*
   Il quitte la maison à huit heures.
   Elle a quitté Montréal en 1980.
   J'ai quitté mes amis devant le café.

2. **sortir (de):** *to leave, to go out; to go out of (a building, a room)*
   Ils sont sortis après le dîner.
   Il sort de son bureau vers cinq heures.
   Quand est-ce que tu es sorti de l'hôpital?

3. **partir (de):** *to leave, to set out*
   Je pars pour Paris demain.
   Ils sont partis d'ici à minuit.
   Ils partent bientôt en vacances.

4. **laisser:** *to leave something or someone behind; to leave alone*
   As-tu laissé tes clefs sur la table?
   Ils ont laissé leur fils chez ses grands-parents.
   Laisse–moi tranquille!

en français, S.V.P.!

1. I have to leave you now.
2. Where did I leave my umbrella?
3. He is leaving the principal's office.
4. When do you leave for the Riviera?
5. Leave my room immediately!
6. I usually leave school at four o'clock.
7. Did they go out with Anne last night?
8. They want to leave for the airport now.
9. Did you leave the children with the neighbours?
10. Why does she go out with him?

TIME

1. **l'heure:** *time (by the clock)*
   Quelle heure est-il?
   Il est toujours à l'heure.

2. **le temps:** *time (in the general sense)*
   Le temps passe vite.
   Je n'ai jamais assez de temps libre.
   Il parle tout le temps
   Il a le temps de le faire.

3. **une fois:** *time (preceded by a number or an expression of quantity)*
   Je vais te le dire seulement une fois.
   Combien de fois est-il tombé de son cheval?
   Ça fait cinq fois que le téléphone sonne!

attention!

s'amuser = *to have a good time*
à la fois = *at the same time, at once*

en français, S.V.P.!

1. You are never on time!
2. How many times have I told you his name?
3. He has a lot of free time.
4. This time you are wrong!
5. What time does the game start?
6. Are you having a good time?
7. How can you do five things at once?
8. I don't have time to talk to you.

PART

1. **une partie:** *a part (portion, fraction, quantity) of a whole*

   Il a vendu une partie de ses terres.

   Ce film a des parties amusantes.

   J'ai cassé une partie de ma dent.

   La plus grande partie de ce que tu dis n'est pas vraie!

2. **faire partie de:** *to be a part of, to belong to, to be a member of*

   Il fait partie de l'équipe de hockey.

   Est-ce qu'elle fait partie de ta famille?

3. **jouer un rôle:** *to play a part*

   Je joue le rôle de Dracula dans cette pièce.

4. **prendre part à:** *to take part in*

   Ils prennent part à toutes les réunions.

   Je ne veux pas prendre part à cette dispute.

5. **prendre le parti de:** *to take someone's part; to side with someone*

   Tu ne prends jamais mon parti!

   As-tu pris le parti de Paul?

6. **de la part de quelqu'un:** *on someone's part; on someone's behalf*

   Merci beaucoup de ma part.

   C'était une erreur de la part de son médecin.

   Je téléphone de la part de Mme Dubé.

7. **partiel, partielle** (adjectif): *part*

   Je cherche un emploi à temps partiel.

en français, S.V.P.!

1. What part of the play did you like the most?
2. Are you on the soccer team?
3. She always takes his part.
4. He always plays the good parts.
5. I ate only part of my sandwich.
6. Doesn't he take part in the discussions?
7. He will soon start to work part-time.
8. On behalf of everyone, thank you.

les mots-clefs

vocascope

Choisissez le terme qui correspond le mieux à la définition. Comptez un point pour chaque bonne réponse.

1. Paiement pour un travail ou pour un service:
   A une loterie   B un salaire
   C un chèque de voyage

2. Action ou art de monter à cheval:
   A la varappe   B les cheveux   C l'équitation

3. La répartition d'occupations ou de travaux pendant la journée ou la semaine:
   A un emploi du temps   B le temps libre
   C un passe-temps

4. Sport qui consiste à soulever des poids:
   A le tennis   B le karaté   C l'haltérophilie

5. Établissement industriel où, à l'aide de machines, on transforme des matières en produits finis:
   A un magasin   B une école   C une usine

6. Action de faire diverses réparations à la maison:
   A le ménage   B le bricolage   C le patinage

7. Édifice pour l'exercice d'un culte religieux:
   A une église   B un stade   C un salon de beauté

8. Sport qui consiste à nager sous la surface de l'eau:
   A la planche à voile   B la plongée sous-marine
   C le canotage

9. Habitation seigneuriale ou royale:
   A une cabane   B un château   C un igloo

10. Sport qui consiste à voler grâce aux courants de l'air:
    A l'aérospatiale   B le cyclisme   C le vol delta

le jeu des mots

En français, les mots en **-age** sont masculins. Les exceptions: **une cage, une image, une page, une plage.**
Il y a un groupe de verbes dont le nom de la même famille se termine en **-age**.

patin**er** → le patin**age**

Quels sont les noms qui correspondent aux verbes suivants?

1. marchander
2. porter
3. flotter
4. sonder
5. hériter
6. monter
7. numéroter
8. piloter
9. laver
10. modeler
11. assembler
12. espionner
13. laminer
14. masser
15. marier

Quels sont les verbes qui correspondent aux noms suivants?

1. le bricolage
2. le canotage
3. l'équipage
4. le vagabondage
5. le collage
6. le chauffage
7. le rapportage
8. l'élevage
9. le bordage
10. le bronzage
11. le doublage
12. le rinçage
13. l'affichage
14. le levage
15. le maquillage

LA PÉTANQUE

En France, il n'y a que deux sports plus populaires que la pétanque: le football et le ski. En effet, plus de 12 millions de pratiquants en font le troisième sport national. On joue à la pétanque surtout dans le Midi de la France. En réalité, ce jeu n'est qu'une variante régionale d'un jeu de boules pratiqué dans d'autres pays méditerranéens. En Italie, par exemple, ce jeu s'appelle «Bocce». Est-ce vraiment un sport? Non, pas vraiment puisque l'exercice n'y figure presque pas. C'est un jeu alors? En fait, dans certaines régions, c'est plutôt une institution qui fait partie du décor local.

Pour y jouer, il s'agit tout simplement de lancer une boule en métal pour l'approcher du cochonnet, c'est-à-dire, de la petite boule qui sert de but. Ce cochonnet est à environ dix mètres du lieu de lancement. Il s'agit aussi d'essayer d'écarter les boules des adversaires qui sont bien placées près du cochonnet.

Pourquoi cette popularité? D'abord, la pétanque est un jeu pratique: tous les terrains plats font l'affaire. Puis, elle est démocratique. Au sein d'un groupe de pétanqueurs, vous trouverez hommes d'affaires, ouvriers et chômeurs qui se tutoient et qui prennent plaisir à leur jeu.

La pétanque est aussi compréhensive: vous pouvez y jouer même si vous avez mal au dos, même si vous êtes gros. Elle est flatteuse: quand vous gagnez, c'est bien sûr parce que vous avez bien joué ou parce que vous avez fait un coup sensationnel. Quand vous perdez, c'est toujours à cause des boules «trop lourdes», «trop légères» ou «trop grosses».

Finalement, la pétanque est économique: un jeu de boules coûte moins de cent francs. Peu d'argent vraiment lorsque vous considérez tous les avantages, sans compter l'admiration des badauds qui observent intensément chacun de vos magnifiques lancers.

Variétés a interviewé quelques Français pour savoir ce qu'ils font durant leurs heures de loisirs.

Entr'acte!

Serge Manceaux
APPRENTI MENUISIER DE 17 ANS

Moi, je suis un fana du rugby! J'appartiens à un club et on joue tous les week-ends. On se marre bien et on a une équipe sensationnelle — l'année dernière, on est arrivé en demi-finale! Alors, vous pensez si on nous soutient dans la ville, hein! Pour nous voir jouer dimanche dernier, il y avait presque autant de spectateurs que d'habitants! Et puis, après la victoire, vous auriez dû voir ce qui s'est passé: on a défilé dans la rue en chantant. Tout le monde y était; c'était le délire!

Ben, du temps libre, du temps libre, y'en a pas beaucoup! Moi et mon mari, on est, comme qui dirait, au poste presque vingt-quatre heures sur vingt-quatre! Alors, on regarde la télé; la télé, c'est tout pour nous. Le week-end, on va de temps en temps chez les parents de mon mari qui ont une petite maison en banlieue. Ils sont vieux et seuls, vous comprenez. Alors, on se fait un devoir d'aller leur rendre visite. Puis, on les aide un peu avec leur jardin. La dernière fois, ça nous a permis de rapporter des légumes frais. On en a fait une ratatouille qui était vraiment délicieuse!

Adèle Chabatier
CONCIERGE DE 46 ANS

Mes distractions? Je n'en ai qu'une. Pour moi, c'est de retrouver certains amis à la *Boîte à Sardines!* Ça c'est une boîte de nuit qui bouge — surtout le week-end! Dès que j'entre et que j'entends la musique, j'ai envie de danser. J'adore ça! Quand je danse, j'oublie le reste. Et croyez-moi, je me défoule et ça me fait du bien! À la *Boîte à Sardines*, les «slows», c'est défendu! C'est un endroit pour les jeunes qui sont au courant. Il y a une ambiance électrique! Vous aimez la danse? Venez faire un circuit avec moi. Ça va vous transformer!

Nadine Morin
ÉTUDIANTE DE 18 ANS

Étienne Lalou
CADRE DE 35 ANS

Eh bien, moi, je suis féru du jogging. Depuis trois ans, je me lève tous les matins à six heures et hop, je fais mes six kilomètres en compagnie de mon chien qui est jogger lui aussi. En plus, le week-end passé, j'ai recommencé à faire du vélo. Je suis parti avec ma femme et nos trois gosses. Cela a fait une belle sortie en famille. Et puis moi, vous savez, j'ai besoin de variété dans la vie. Le week-end prochain, ce sera la spéléologie ou l'alpinisme!

Mes heures de loisirs? Mais vous vous moquez de moi, pardi! Des heures de loisirs, je n'ai que ça, moi, voyons! Et vous voulez savoir ce que je fais? Eh bien, je vais vous le dire. Moi, je marche! Oui, je fais de la marche à pied. D'ailleurs, c'est très bon pour la santé. Je pense que j'ai fait toutes les rues de Paris en me promenant. De temps en temps, je m'arrête dans un bistro. C'est normal, hein! Souvent on m'offre un pot et je fais un petit brin de causette si je trouve quelqu'un qui a la patience de m'écouter. Au fait, vous avez le temps de prendre un verre?

Victorin Lafarge
RETRAITÉ DE 82 ANS

les français et le jeu

Depuis bien longtemps, les Français semblent avoir été friands de jeux de société et de hasard.

De tous les jeux de cartes, c'est «la belote» qui est peut-être le plus populaire — on y joue chez soi en famille et au café avec des amis. On joue au bridge, mais plutôt dans les classes sociales plus élevées. Le poker se joue aussi, mais surtout dans les casinos.

Également très populaires sont les jeux de société importés d'Amérique. Chaque année en France on vend presqu'un million de Scrabble et plus de 500 000 Monopoly!

Pour ce qui est des jeux de hasard, la Loterie nationale connaît depuis 1933 une popularité extraordinaire. Quatre millions de Français essaient chaque semaine de gagner «le gros lot» de 2 à 5 millions de francs. Chacun espère, bien sûr, faire sa fortune malgré le fait que des statisticiens ont calculé qu'on avait plus de chances d'être foudroyé que de gagner le gros lot.

Le «Loto» français, qui est en fait à l'origine de la loterie canadienne 6/49, est un autre jeu de hasard lancé en 1976. Ce jeu consiste à choisir 6 numéros différents entre 1 et 49. La mise de base n'est que de 2 francs. Durant sa première année d'existence, ce jeu avait fait 10 millions de gagnants, un fait qui a manifestement contribué à sa popularité.

En plus de la Loterie nationale et du Loto, de nombreux Français sont passionnés du tiercé, offert par le Pari Mutuel Urbain. (Le P.M.U. est un organisme officiel qui permet aux Français de miser de l'argent sur les courses de chevaux.) Le tiercé, où la mise de base n'est que de 5 francs, consiste à choisir trois chevaux gagnants d'une course.

Il est intéressant de signaler que 8 millions de parieurs hebdomadaires dépensent plus de 8 milliards de francs dans les près de 100 tiercés de l'année. Une telle somme représente une moyenne de 148 francs par an et par Français. Puisque le gouvernement impose une taxe importante sur les revenus des loteries, du P.M.U. et des casinos (il y en a plus de 140 en France), ces jeux sont souvent considérés comme un impôt indirect. Les partisans affirment que si l'on supprimait le P.M.U., il faudrait augmenter de 4 pour cent l'impôt sur le revenu.

Cette passion pour le jeu, c'est bien sûr la perspective d'une richesse instantanée. Hier, rien. Aujourd'hui, villa à la mer, chalet à la montagne, yacht, voiture de sport. Alors, pourquoi pas? Et sans rien faire, sinon choisir quelques chevaux ou quelques numéros sur un billet.

SPORTS ~ QUIZ

De la liste de sports, choisissez le sport qui correspond à la définition.

1. Sport où on apprend l'auto-défense.
2. Sport qui oppose deux équipes de cinq joueurs plus un gardien de but. Les joueurs, munis de bâtons, essaient de faire entrer une rondelle dans le but de l'adversaire.
3. Sport où les participants manient un fleuret.
4. Sport qui oppose deux équipes de onze joueurs et qui consiste à faire entrer un ballon dans le but sans le toucher des mains.
5. Sport qui consiste à faire entrer une petite balle dans les dix-huit trous d'un vaste terrain.
6. Sport dérivé du cricket qui oppose deux équipes de neuf joueurs.
7. Sport qui consiste à tirer une flèche sur une cible.
8. Sport qui oppose deux équipes de cinq joueurs; on marque des points quand le ballon entre dans un panier.
9. Sport qui consiste à faire tomber et à maintenir à terre un adversaire.
10. Sport joué en simple ou en double où on fait passer un volant par-dessus un filet à l'aide d'une raquette.
11. Sport qui consiste à faire glisser une lourde pierre sur la glace.
12. Sport qui oppose deux équipes de six joueurs qui font passer un ballon par-dessus un filet.
13. Sport où deux ou quatre joueurs, munis de raquettes, se renvoient une balle par-dessus un filet.
14. Sport où on descend une pente en traîneau.
15. Sport qui consiste à attraper des poissons.

le tir à l'arc
le karaté
le golf
le tennis
le badminton
l'escrime
le volley-ball
la lutte
la pêche
le soccer
le basket-ball
le baseball
le curling
la luge
le hockey

petit vocabulaire

un but	goal	un fleuret	fencing foil	un trou	hole
une cible	target	un poisson	fish	un volant	bird
un filet	net	une rondelle	puck		
une flèche	arrow	un traîneau	sleigh, sled		

88

LE FOOTBALL AMÉRICAIN,
VU PAR UN ÉTRANGER

Le signal est donné et le jeu commence. Terrible jeu qui suffirait seul à mesurer la différence qui sépare le monde anglo-saxon et le monde latin; jeu de jeunes dogues élevés à mordre; jeu d'une race faite pour les attaques sauvages, la défense violente et la conquête implacable… À chaque extrémité se dressent deux poteaux représentant, ceux de droite, un des camps, ceux de gauche, un autre. Toute la question consiste à faire passer un ballon de peau derrière la ligne de but adverse. C'est dans l'attente de chaque jeu que se concentre l'excitation de ce divertissement presque féroce.

Le quart, celui qui recevra le ballon, est penché en avant, ses compagnons et ses adversaires penchés eux aussi dans des attitudes de bêtes qui vont sauter. Tout d'un coup, il court pour jeter le ballon, ou bien, d'un mouvement d'une rapidité folle, il le passe aux mains d'un autre joueur que les adversaires doivent arrêter. La brutalité par laquelle on saisit ce porteur de ballon est impossible à imaginer quand on ne l'a pas vue. Il est empoigné par le milieu du corps, par la tête, par les jambes, par les pieds. Quand les joueurs se séparent après un de ces placages, un des combattants reste souvent à terre, immobile, incapable de se lever, tant il a été frappé, serré, écrasé, pilé. Un docteur chargé du service des blessés arrive et le palpe. On voit les mains du savant secouer un pied, une jambe, masser des côtes, laver un visage, éponger le sang qui ruisselle du front, des yeux, du nez, de la bouche. Quelquefois, il faut emporter le malheureux. Mais le plus souvent, il se tord un peu et finit par se relever. Et après quelques pas, appuyé sur une épaule complaisante, le voilà prêt à plonger une nouvelle fois dans ce combat déchaîné.

d'après Paul Bourget

TÉLÉSPECTATEST

Variétés vous demande de faire ce sondage parmi vos camarades de classe. Choisissez un comité pour calculer les pourcentages et pour faire un rapport à la classe.

1. Est-ce que vous regardez la télé tous les jours?
   - oui
   - non

2. Avez-vous regardé la télé hier?
   - oui
   - non

3. Pendant quelle partie de la journée regardez-vous la télé le plus?
   - le matin
   - l'après-midi
   - le soir

4. Quand est-ce que vous regardez la télé le plus?
   - les jours de la semaine
   - le week-end

5. Combien d'heures par jour est-ce que vous regardez la télé?
   - moins d'une heure
   - trois heures à quatre heures
   - une heure à deux heures
   - plus de quatre heures
   - deux heures à trois heures

6. Pour quelle raison principale regardez-vous la télé?
   - pour m'évader de la vie de tous les jours
   - pour apprendre de nouvelles choses
   - pour passer le temps

7. Quels genres d'émissions regardez-vous? Mettez les émissions suivantes en ordre de préférence selon vos goûts.
   - les comédies
   - les drames
   - les sports
   - les aventures
   - les films
   - les policiers
   - les feuilletons
   - les nouvelles
   - les dessins animés
   - les mélodrames à épisodes
   - les vidéoclips
   - les westerns
   - les documentaires

petit vocabulaire

s'évader	*to escape*
un feuilleton	*serial*
un mélodrame à épisodes	*soap opera*
un vidéoclip	*music video*

Le coin des citations

«La télé, c'est le réel de maintenant.»
Jean-François Bizot. *Les années blanches.*

... Pour monsieur et madame!

Points de repère

Une nouvelle collection de livres-manuels pour le bricoleur.

Langage simple.
Instructions faciles.
Richement illustrés.

SEPT titres disponibles:

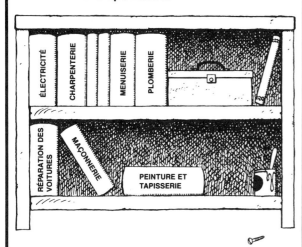

ÉLECTRICITÉ
CHARPENTERIE
MENUISERIE
PLOMBERIE
RÉPARATION DES VOITURES
MAÇONNERIE
PEINTURE ET TAPISSERIE

En vente chez votre libraire!

NOS LECTEURS NOUS *écrivent*

Cher éditeur,

Dans votre dernier numéro spécial sur la France à l'avant-garde de la technologie, vous avez oublié de mentionner un domaine où les Français sont aussi les pionniers. Il s'agit des usines marémotrices. Ce sont des barrages installés le long des côtes où l'on utilise le mouvement de la marée montante et descendante pour produire de l'électricité. Une trouvaille, n'est-ce pas? J'ai pensé que vos lecteurs seraient intéressés.

Benjamin Corbel

[Merci! On aurait dû en effet mentionner cette technologie d'avant-garde qui permet de produire de l'électricité sans pollution.]

Le coin des citations

«Dans le sport, l'homme reprend ses droits. Il reconquiert la discipline, la seule liberté qui soit douce.»
Pierre Drieu La Rochelle. *État civil.*

je me souviens!

la négation

les expressions négatives

ne … aucun(e)	ne … pas
ne … guère	ne … personne/personne … ne
ne … jamais	ne … plus
ne … ni … ni	ne … rien/rien … ne

phrases affirmatives / phrases négatives

phrases affirmatives	phrases négatives
Il a des idées.	Il **n'**a **aucune** idée.
Nous avons dépensé beaucoup d'argent.	Nous **n'**avons **guère** dépensé d'argent.
Ils y étaient toujours allés.	Ils **n'**y étaient **jamais** allés.
Tu aimes le hockey et le baseball?	Tu **n'**aimes **ni** le hockey **ni** le baseball?
Elle prendra un croissant.	Elle **ne** prendra **pas de** croissant.*
Je vais chercher encore.	Je **ne** vais **plus** chercher.
Je lui ai dit de tout dire.	Je lui ai dit de **ne rien** dire.
J'aurais invité tout le monde.	Je **n'**aurais invité **personne.**†
Nous allons voir quelqu'un.	Nous **n'**allons voir **personne.**†
Tout le monde était content.	**Personne n'**était content.
Tout l'ennuie.	**Rien ne** l'ennuie.

* Après une négation…

un, une, des
du, de la, de l' } ⟶ de (d')

attention!

Il mange **du** poulet et **de la** salade. Elle **ne** mange **ni** poulet **ni** salade.

†On place le mot **personne** après le participe passé et après l'infinitif.

oui et non!

Posez la question, puis répondez-y à l'affirmative et à la négative.

1. jouer au tennis
   - ▶ **As-tu joué au tennis?**
   - ▶ **Oui, j'ai joué au tennis.**
   - ▶ **Non, je n'ai pas joué au tennis.**

2. considérer toutes les options
3. accomplir ton but
4. servir la salade
5. acheter le vin
6. dormir cet après-midi
7. attendre longtemps
8. se débrouiller
9. sortir hier
10. divertir tes amis

B au contraire!

Mettez chaque phrase à la négative. Utilisez l'expression indiquée.

1. Nous accomplissons beaucoup. (ne … rien)
   - ▶ **Nous n'accomplissons rien.**

2. Ils étaient souvent en retard. (ne … jamais)
3. J'irai au théâtre encore. (ne … plus)
4. Ils ont parlé à Monique. (ne … personne)
5. Elle avait dormi longtemps. (ne … guère)
6. Vous auriez eu une difficulté. (ne .. aucun)
7. Il aura reconnu la photo. (ne … pas)
8. Ils devaient tout faire. (ne … rien)
9. Elle nous a conseillé d'y aller encore. (ne … plus)
10. Je voudrais voir tout le monde. (ne … personne)

C mais non!

Répondez aux questions suivantes à la négative. Utilisez l'expression indiquée.

1. Est-ce que vous avez perdu de l'argent? (ne … pas)
   - ▶ **Non, je n'ai pas perdu d'argent.**

2. Est-ce qu'il a du temps libre? (ne … guère)
3. Est-ce que vous voulez acheter un magazine? (ne … pas)
4. Est-ce que tu as vu des films? (ne … aucun)
5. A-t-il fait des exercices aérobiques? (ne … jamais)
6. Y a-t-il du miel? (ne … plus)
7. Vous a-t-elle offert de la pizza? (ne … pas)
8. Est-ce qu'ils prennent du lait et du sucre dans leur café? (ne … ni … ni)
9. Mettez-vous de l'oignon dans ton hamburger? (ne … jamais)
10. Lui aurait-elle donné un cadeau? (ne … pas)

D rien ou personne?

1. Est-ce que cela le fâche?
   - ▶ **Non, rien ne le fâche.**

2. Est-ce que tu cherches quelqu'un?
   - ▶ **Non, je ne cherche personne.**

3. Est-ce qu'il se moque de tout?
4. Est-ce que quelqu'un lui a téléphoné?
5. Est-ce que tout le monde a compris?
6. Est-ce que quelqu'un l'a invité?
7. Aurais-tu dit quelque chose?
8. Est-ce que quelqu'un aurait dû répondre?
9. Est-ce que cela l'avait intéressé?
10. Se sont-ils servis de ça?

OBSERVATIONS

objectifs

- l'emploi du subjonctif avec les expressions de doute
- l'emploi du subjonctif avec les expressions d'émotion
- l'emploi du subjonctif avec certaines conjonctions
- les verbes **boire** et **recevoir**

contexte A

Deux jeunes récemment mariés se parlent...

– Bon, il est déjà trois heures moins dix. Il faut absolument que je parte.
– C'est à quelle heure ton rendez-vous chez le médecin, chérie?
– À trois heures vingt.
– Je doute que tu puisses y arriver à temps en métro. Tu veux que je t'y conduise?
– Non, je vais y arriver. Je préfère que tu viennes me chercher.
– Il est possible que je fasse les deux, tu sais.
– Tu es vraiment mignon, adorable — un vrai chou.
– Je suis toujours ravi que tu me dises ce genre de choses.
– Bon, assez de mamours, allons-y!

analyse 1 (contexte A)

■ l'emploi du subjonctif avec les expressions de doute

a) avec *douter que* (*to doubt that*)

Je doute qu'ils viennent.

attention!

Je doute qu'il **soit** malade.	**mais**	**Je ne doute pas** qu'il **est** malade.

b) avec certaines expressions à la négative ou à l'interrogative

croire que	*to believe that*
espérer que	*to hope that*
penser que	*to think that*
être certain que	*to be certain that*
être sûr que	*to be sure that*
il est évident que	*it is obvious that*
il est probable que	*it is probable, likely that*
il est vrai que	*it is true that*

Comparez:

à l'affirmative	à la négative	à l'interrogative
Il croit qu'il **fait** beau.	Il ne croit pas qu'il **fasse** beau.	Croit-il qu'il **fasse** beau?
Il est sûr qu'il m'**attendra**.	Il n'est pas sûr qu'il m'**attende**.	Est-il sûr qu'il m'**attende**?

Il est probable que tu **finiras** à temps.

Il n'est pas probable que tu **finisses** à temps.

Est-il probable que tu **finisses** à temps?

Quand ces expressions s'emploient à la négative ou à l'interrogative, on utilise le subjonctif parce qu'il y a un doute ou une incertitude.

application

A moi, j'en doute!

1. C'est vrai.
   ▶ **Je doute que ce soit vrai.**
2. Il a beaucoup d'argent.
3. Vous vous ennuyez.
4. Tu as raison.
5. Elle prend des leçons de tennis.
6. Nous sommes en retard.
7. Ils finissent le jeu.
8. Je vais à la campagne ce week-end.
9. Cette pièce divertira tes parents.
10. Nous pouvons nous en occuper.

B au contraire!

1. Je crois qu'il fait chaud.
   ▶ **Je ne crois pas qu'il fasse chaud.**
2. Il est certain que je viendrai.
3. Je pense que c'est possible.
4. Il est vrai qu'il veut partir.
5. Je suis certain que tu te débrouilleras.
6. Il est évident qu'ils accompliront cela.
7. Elle est sûre que vous avez tort.
8. Il est probable que je sortirai.
9. Il est évident qu'ils savent la réponse.
10. Nous croyons qu'ils peuvent venir.

C les questions

1. Il est amusant.
   ▶ **Crois-tu qu'il soit amusant?**
2. Elle conduit bien.
3. Je réussirai.
4. Elle fait des progrès.
5. Ils se connaissent.
6. J'ai du talent.

Le coin des citations

«Il n'est rien de réel que le rêve et l'amour.»
Anna de Noailles

analyse 2 (contexte A)

■ l'emploi du subjonctif avec les expressions d'émotion

être content que	*to be happy that*
être désolé que	*to be sorry that*
être étonné que	*to be astonished that*
être fâché que	*to be angry that*
être fier que	*to be proud that*
être furieux que	*to be furious that*
être heureux que	*to be happy that*
être surpris que	*to be surprised that*
être ravi que	*to be delighted that*
être triste que	*to be sad that*
avoir peur que	*to fear (be afraid) that*
c'est dommage que	*it's a pity (shame) that*
regretter que	*to regret (be sorry) that*

Je regrette **que vous n'ayez pas** le temps d'y aller.
Elle est contente **que tu sois** ici.
C'est dommage **que vous ne puissiez pas** venir.
Je ne suis pas surpris **que tu doives** partir.
Êtes-vous étonnés **que nous rentrions** de bonne heure?

application

A les regrets!

1. Mon ami part.
   ▶ **Je regrette que mon ami parte.**
2. Il fait mauvais.
3. Tu ne peux pas sortir.
4. On n'accomplit rien.
5. Elle ne va pas bien.
6. Vous devez travailler.

B que d'émotion!

1. (rentrer)   Je suis fâché que vous ... si tard.
2. (conduire)   Mes parents sont fiers que je ... si bien.
3. (revenir)   Nous sommes tristes qu'ils ne ... pas.
4. (réussir)   Êtes-vous content que je ... ?
5. (avoir)   Nous avons peur qu'il y ... un accident.
6. (pouvoir)   C'est dommage que vous ne ... pas y aller.
7. (s'ennuyer)   Je ne suis pas heureux qu'ils ...
8. (savoir)   Es-tu surpris que je ... toutes les réponses?

contexte B

Deux amis se parlent...

– C'est gentil de t'occuper de mes plantes et de mon chat pendant mon absence.
– C'est la moindre des choses; puis Zorro est le chat le plus sympathique du monde.
– Rappelle-moi de te donner la clef de la maison afin que tu puisses entrer.
– Ça serait bien à moins que tu ne veuilles que j'entre par une fenêtre!
– Non, vraiment, ce n'est pas nécessaire!
– Oh, dis donc, n'oublie pas de m'écrire avant que tu reviennes!
– Cela va sans dire.
– Et précise bien la date de ton retour pour que je puisse venir te chercher.
– OK, OK, c'est fini les rappels?
– Pour aujourd'hui, oui.

analyse 3 (contexte B)

■ l'emploi du subjonctif avec certaines conjonctions

afin que/pour que	*in order that*
avant que	*before*
bien que/quoique	*although*
jusqu'à ce que	*until*
pourvu que	*provided that*
sans que	*without*
à moins que … ne*	*unless*
de peur que … ne*	*for fear that*

* Notez qu'avec ces expressions, le mot **ne** n'est pas une négation. On le retrouve aussi parfois après **avant que**, **sans que** et **avoir peur que**.

Je ne ferai pas de bruit **afin que tu puisses** dormir.
Dépêchons-nous **avant qu'il soit** trop tard.
Quoiqu'ils aient beaucoup d'argent, ils n'iront pas en Europe cet été.
Elle n'ira pas **à moins que tu ne lui téléphones**.
Je ne vais pas lui donner l'argent **de peur qu'il ne le perde**.

attention!

à moins que + sujet + **ne** + verbe
de peur que + sujet + **ne** + verbe

On utilise aussi le subjonctif avec l'expression **attendre que** *(to wait until)*:

J'attendrai **qu'il vienne**.

application

A les conditions

1. savoir la réponse/je
   ▶ **Pourvu que je sache la réponse.**
2. pouvoir m'aider/tu
3. vouloir y aller/ils
4. avoir raison/vous
5. faire la vaisselle/tu
6. avoir assez d'argent/elles

B la moindre des choses!

1. entrer tard/je
   ▶ **À moins que je n'entre tard!**
2. finir ton travail/tu
3. répondre au téléphone/vous
4. être seuls/ils
5. venir en métro/elle

C attends donc!

1. Il finit.
   ▶ **J'attendrai qu'il finisse.**
2. Elle répond.
3. Vous arrivez.
4. Il a le temps.
5. Vous vous habillez.
6. Elles peuvent me voir.

D avant ça!

1. Vous quittez la maison.
   ▶ **Je viendrai avant que vous quittiez la maison.**
2. Elles sortent.
3. Tu vas chez Marc.
4. Ils sont prêts.
5. Vous finissez le dîner.
6. Elle descend.

Ces verbes, expressions et conjonctions sont suivis de l'indicatif.

1. verbes exprimant une opinion (à l'affirmative)
   croire que
   espérer que
   penser que

2. verbes exprimant la certitude et la probabilité (à l'affirmative)
   être certain que
   être sûr que
   il est évident que
   il est probable que
   il est vrai que

3. verbes exprimant une affirmation ou une connaissance (à l'affirmative)
   affirmer que
   dire que
   savoir que

4. conjonctions
   alors que
   après que
   aussitôt que
   dès que
   parce que
   pendant que
   tandis que

---

analyse 4

■ les verbes *boire* et *recevoir*

le présent de l'indicatif	le présent du subjonctif
je bois*	que je boive
tu bois	que tu boives
il boit	qu'il boive
elle boit	qu'elle boive
nous buvons	que nous buvions
vous buvez	que vous buviez
ils boivent	qu'ils boivent
elles boivent	qu'elles boivent

I drink
au passé composé: Il **a bu** tout le lait.

le présent de l'indicatif	le présent du subjonctif
je reçois*	que je reçoive
tu reçois	que tu reçoives
il reçoit	qu'il reçoive
elle reçoit	qu'elle reçoive
nous recevons	que nous recevions
vous recevez	que vous receviez
ils reçoivent	qu'ils reçoivent
elles reçoivent	qu'elles reçoivent

I receive
au passé composé: J'**ai reçu** mon diplôme en avril.
au futur: Il **recevra** une bonne note en géographie.

Le coin des citations

«Il y a de la peine oisive
Et du loisir qui est labeur.»

A. d'Aubigné. *Les tragiques.*

vérification

A les avis sont partagés!

Utilisez les expressions **je doute que** ou **je ne doute pas que**.

1. Les guerres sont inévitables.
   - ▶ **Je doute que les guerres soient inévitables.**
   - *ou* ▶ **Je ne doute pas que les guerres sont inévitables.**
2. La télévision divertit la plupart des gens.
3. La plongée sous-marine est un sport dangereux.
4. Les jeunes ont trop de temps libre.
5. La France perd ses vieilles traditions.
6. Les jeunes sont paresseux.
7. Tout le monde doit aller à l'université.
8. La plupart des gens font trop d'argent.
9. Beaucoup d'étudiants veulent quitter l'école après la douzième année.
10. Les étudiants d'aujourd'hui peuvent suivre la carrière de leur choix.

B les opinions

Posez une question avec le verbe **croire**, puis répondez à l'affirmative et à la négative.

1. Il y a trop de violence à la télé.
   - ▶ **Croyez-vous qu'il y ait trop de violence à la télé?**
   - ▶ **Oui, je crois qu'il y a trop de violence à la télé.**
   - ▶ **Non, je ne crois pas qu'il y ait trop de violence à la télé.**
2. Il y a trop d'annonces publicitaires à la télé.
3. Les examens sont nécessaires.
4. Les garçons savent conduire mieux que les filles.
5. On ne lit pas assez de bons livres.
6. Les jeunes ne font pas assez de devoirs.
7. La connaissance d'une langue seconde est indispensable.
8. L'haltérophilie devient de plus en plus populaire.

C l'ensemble des phrases

Utilisez la conjonction **que** pour faire une seule phrase.

1. Roger est fâché. Sa bicyclette est cassée.
   - ▶ **Roger est fâché que sa bicyclette soit cassée.**
2. Nous sommes désolés. Ils ne peuvent pas venir à la party.
3. J'ai peur. Tu perds tout cet argent.
4. Marcelle est contente. Elle part en vacances demain.
5. Nous sommes étonnés. Vous ne vous reconnaissez pas.
6. Alain est fâché. Sa soeur boit tout son coca.
7. Êtes-vous surpris? Nous aimons vos idées.
8. Mme Leclerc est très fière. Sa fille accomplit tant.
9. Il est triste. Elle a mal à la tête.
10. C'est dommage. Marc reçoit de si mauvaises notes.

D tout est possible!

Donnez votre opinion personnelle. Utilisez les expressions **il est possible que, je doute que, je crois que** ou **il est certain que**.

1. Je vivrai en France.
   - ▶ **Il est possible que je vive en France.**
   - *ou* ▶ **Je doute que je vive en France.**
   - *ou* ▶ **Je crois que je vivrai en France.**
   - *ou* ▶ **Il est certain que je vivrai en France.**
2. J'irai à l'université.
3. Je serai riche.
4. Je ferai des études en océanographie.
5. J'aurai une voiture de sport.
6. Je lirai toutes les pièces de Shakespeare.
7. Je choisirai la carrière idéale.
8. Je deviendrai célèbre.
9. Je m'inscrirai à un cours de varappe.
10. Je saurai tout!

E ça va ensemble!

Utilisez la conjonction indiquée pour faire une seule phrase.

1. (à moins que … ne) Nous n'arriverons jamais à l'heure. Nous partons tout de suite.

   ▶ **Nous n'arriverons jamais à l'heure à moins que nous ne partions tout de suite.**

2. (afin que) Ferme le stéréo. Je peux t'entendre.
3. (avant que) Elle ne partira pas. Elle reçoit son argent.
4. (quoique) Nous ne sortirons pas. Il fait beau.
5. (sans que) Ils nous donneront de l'argent. Nous le demandons.
6. (bien que) Tu seras en retard. Tu prends un taxi.
7. (jusqu'à ce que) Nous allons rester. Vous venez.
8. (pourvu que) Nous irons au cinéma. Nous avons assez d'argent.
9. (pour que) Il vous y conduira. Vous arrivez à l'heure.
10. (de peur que … ne) Je ne dirai rien. Il se fâchera.

F quel choix!

Mettez le verbe au présent de l'indicatif ou au présent du subjonctif, selon le cas.

1. Je ne suis pas certain qu'elle me (reconnaître).
2. Espérez-vous que nous (accomplir) tout?
3. Je pense que vous (mentir).
4. Ne faites-vous pas de varappe de peur que vous ne (tomber)?
5. Je ne peux pas attendre qu'ils (être) prêts.
6. Quoiqu'ils (avoir) faim, ils refusent de manger.
7. Est-ce qu'il est vrai que Richard (dormir) encore?
8. Sont-ils fiers que nous (recevoir) nos diplômes?
9. Je suis sûr qu'il (pleuvoir).
10. Je regrette que tu ne (se sentir) pas bien.

11. Il est fâché qu'on (conduire) par ce mauvais temps.
12. Il fait son travail pendant que nous (regarder) la télé.
13. Je crois bien que nous y (aller).
14. Il est probable qu'il (devenir) mécanicien.

G le coin du traducteur

1. Is it true they can't come to the concert?
2. He will not leave before you give him his timetable.
3. Do you think we have too much free time?
4. She's not surprised that he windsurfs.
5. I don't think we need a new television set.
6. Will you wait until we arrive?
7. We will help you provided that you order a pizza.
8. I doubt that we will be able to recognize them.
9. Unless it rains, we'll go canoeing.
10. Thanks to the TGV, I don't doubt we'll be on time.
11. Do you think that the subjunctive is difficult?
12. I'm sorry you don't like these sentences.

Le coin des citations

«Quittons les voluptés pour savoir les reprendre,
Le travail est souvent le père du plaisir:
Je plains l'homme accablé du poids de son loisir.
Le bonheur est un bien que nous vend la nature.»
Voltaire. *Discours en vers sur l'homme.*

SAVOIR COMMUNIQUER

répertoire 1

Le permis de conduire

blague à part
sans plaisanter

bravo
félicitations

penses
songes
envisages de
séparément
l'un après
l'autre
je préfère
j'aime mieux

sûr
certain

au fait
à propos
à ce sujet

– Alors, comment est-ce que *ça s'est passé* ta leçon à l'auto-école?

– Pas mal, papa. Enfin… pas d'accident! *En fait* et *blague à part*, la monitrice *veut* que je *passe* mon examen dans une semaine.

– Eh bien, *bravo*! Tu *penses* passer le Code en même temps que la Conduite?

– Qu'est-ce que tu en penses?

– Moi, je dis qu'*il est préférable* que tu fasses les deux *séparément*.

– Ça nous oblige à faire deux voyages.

– *Je préfère* que tu te concentres sur un test à la fois.

– Tu as probablement raison. Bon, alors il faut que *je prenne* deux rendez-vous.

– Je ne suis pas *sûr* que tu aies besoin d'un rendez-vous pour le Code. Il s'agit simplement de se présenter.

– *Au fait, je veux que tu m'accompagnes.*

– Mais voyons, mon fils, cela va sans dire.

ça s'est passé
tu t'en es sorti
avec

en fait
en réalité

veut
désire
aimerait

passe
subisse
me présente à

il est préférable
il vaut mieux

je prenne
j'arrange

je veux que tu
m'accompagnes
je tiens à ce que tu
viennes avec moi
il est important
pour moi que tu
m'accompagnes
je serai content que tu
m'accompagnes

enchaînement

Faites le dialogue suivant avec un partenaire.

– Alors, comment est-ce que ça s'est passé ta leçon à l'auto-école?

– …

– Quand est-ce que la monitrice veut que tu passes ton examen?

– …

– Félicitations! Tu songes passer le Code en même temps que la Conduite?

– …?

– Moi, je dis qu'il vaut mieux que tu fasses les deux séparément.

– …

– J'aime mieux que tu te concentres sur un test à la fois.

– …

– Je ne suis pas certain que tu aies besoin d'un rendez-vous pour le Code. Il s'agit simplement de se présenter.

– …

– Mais voyons, cela va sans dire.

débrouillez-vous!

Avec un ou deux partenaires, dramatisez les situations suivantes.

1. Vous prenez des leçons à une auto-école et selon le moniteur vous êtes prêt à passer les examens pour le permis de conduire. Il vous explique ce que vous devez faire pour obtenir le permis.

2. Cette fois-ci, le moniteur vous explique que vous n'êtes pas encore prêt à passer les examens puisque vous avez mal conduit pendant les leçons. Il veut que vous preniez plus de leçons. Vous n'êtes pas d'accord.

3. Cette fois-ci, c'est vous le moniteur d'auto-école. L'élève à qui vous donnez une leçon conduit comme un fou. Vous essayez sans succès de lui expliquer le code de la route. Irrité, vous commencez à vous fâcher.

4. Cette fois-ci, vous conduisez la voiture de vos parents et vous ne vous arrêtez pas à un feu rouge. Il y a un accident et la voiture est endommagée. Vous devez rentrer et expliquer la situation à vos parents.

répertoire 2

Au téléphone.

–Allô?

–Allô, oui!

–Ah, mademoiselle Jacqueline?

–Oui, oui! C'est elle-même.

–Mademoiselle Jacqueline, *ici Paul.*

    ici Paul
    Paul à l'appareil

–Paul qui?

–Polka.

–Paul quoi?

–Polka!

vous vous moquez
vous vous fichez

–Polka? *Vous vous moquez* de moi?

–Non, non, ici Paul Polka. *Je vous ai rencontrée* l'autre jour au Restau-U. *J'étais votre voisin de table.*

    je vous ai rencontrée
    j'ai fait votre connaissance

    j'étais votre voisin de table
    j'étais assis à côté de vous

–Ah, oui! C'est vous le gars qui portait la chemise à pois.

–C'est ça, c'est ça! Oui, alors, *j'aimerais*, c'est-à-dire, je souhaiterais … vous revoir.

    j'aimerais
    je voudrais
    j'aimerais bien

–Tiens… vraiment?

pourriez-vous
seriez-vous
    d'accord de

–Oui… euh… *pourriez-vous m'accorder* un rendez-vous?

    m'accorder
    me donner

–C'est que… *je suis vraiment très occupée.*

    je suis vraiment très occupée
    j'ai vraiment beaucoup à faire

se voir
se rencontrer

–Mais écoutez, on pourrait *se voir* quand vous voudrez. Ce soir, demain, ce week-end, c'est à vous de décider.

    j'ai un tas de choses à faire
    je suis vraiment débordée

j'ai un cours
je suis un cours

–Ce soir, *j'ai un cours.* Demain, pas une minute de libre. Samedi, je dois me laver les cheveux et le dimanche je vais toujours chez mes parents.

–Et la semaine prochaine…?

–Alors, écoutez, *je ne fais jamais de projets* aussi longtemps à l'avance.

    je ne fais jamais de projets
    je ne planifie jamais

–Bon, alors… euh… *est-ce que je peux* vous *retéléphoner?*

    est-ce que je peux
    est-ce que je pourrais
    puis-je

retéléphoner
rappeler

–Écoutez, donnez-moi votre numéro de téléphone, hein? Et c'est moi qui vous rappellerai.

enchaînement

Faites le dialogue suivant avec un partenaire.

– …!
– Ah, mademoiselle Jacqueline?
– …
– Mademoiselle Jacqueline, ici Paul.
– …?
– Polka.
– …?
– Polka!
– …?
– Non, non, ici Paul Polka. J'ai fait votre connaissance l'autre jour au Restau-U. J'étais assis à côté de vous.
– …
– C'est ça, c'est ça! Oui, alors, je voudrais, c'est-à-dire, je souhaiterais… vous revoir.
– …?
– Oui… euh… pourriez-vous me donner un rendez-vous?
– …
– Mais écoutez, on pourrait se rencontrer quand vous voudrez. Ce soir, demain, samedi, dimanche, c'est à vous de choisir.
– …
– Et la semaine prochaine…?
– …
– Bon, alors… euh… puis-je vous rappeler?
– …

débrouillez-vous!

Avec un partenaire, dramatisez les situations suivantes.

1. Vous faites la connaissance de quelqu'un et vous lui téléphonez pour lui demander de sortir avec vous mais il (elle) vous fait toutes sortes d'excuses.

2. Cette fois-ci, c'est vous qui recevez le coup de téléphone mais vous ne vous souvenez pas du tout de la personne dont vous avez fait la connaissance. Vous lui posez des questions pour vous rappeler son identité.

3. Cette fois-ci, quelqu'un que vous admirez depuis longtemps vous téléphone. Vous voulez bien sortir avec cette personne mais vous ne voulez pas paraître trop anxieux.

Le coin des citations

«Le loisir, voilà la plus grande joie et la plus belle conquête de l'homme.»

Rémy de Gourmont.

SAVOIR~FAIRE

A les jeunes et le temps libre

On dit que les jeunes d'aujourd'hui ne savent pas profiter de leur temps libre. Les jeunes affirment, par contre, qu'ils n'en ont pas assez pour accomplir tout le travail qu'on leur donne. Qui a raison? Complétez ce questionnaire, puis discutez des résultats avec toute la classe.

1. Combien de temps libre avez-vous pendant une journée d'école?
   - moins de trente minutes
   - moins d'une heure
   - plus d'une heure
   - plus de deux heures

2. Que faites-vous pendant ce temps libre? Classez les activités suivantes par ordre de préférence.
   - faire des recherches
   - étudier
   - faire des devoirs
   - aller à la cafétéria
   - lire
   - parler avec des copains

3. D'habitude, combien d'heures de devoirs avez-vous chaque jour?
   - moins d'une heure
   - plus d'une heure
   - plus de deux heures

4. D'habitude, combien d'heures par jour passez-vous à faire vos devoirs?
   - moins d'une heure
   - plus d'une heure
   - plus de deux heures

5. D'habitude, que faites-vous après les cours? Classez les activités suivantes par ordre de préférence.
   - travailler
   - regarder la télé
   - aider vos parents
   - faire des parties de jeux vidéo
   - vous amuser à un passe-temps favori
   - sortir avec des copains
   - dormir
   - faire des devoirs
   - écouter de la musique
   - parler au téléphone

6. Quand vous avez du travail à faire, que faites-vous?
   - vous faites le travail tout de suite
   - vous faites le travail à la dernière minute

B le coin des opinions

Donnez votre opinion personnelle sur chaque citation suivante. Utilisez les expressions suivantes pour vous exprimer:

je doute que
je ne doute pas que
je crois que
je ne crois pas que
il est probable que
il n'est pas probable que

1. «La pratique d'un loisir est de grande importance pour réduire le 'stress' de la vie moderne.»
2. «Les jeunes d'aujourd'hui sont de moins en moins en bonne forme physique.»
3. «Les athlètes professionnels d'aujourd'hui gagnent trop d'argent.»
4. «La télévision a tué l'art de la conversation.»
5. «Les vidéoclips servent à rendre accessibles aux jeunes les grandes vedettes de musique.»
6. «Les jeunes d'aujourd'hui sont drogués par les jeux vidéo.»
7. «La technologie moderne a trop changé notre existence.»
8. «Les cours d'éducation physique devraient être obligatoires pour tout étudiant au niveau secondaire.»
9. «Acheter un billet de loterie, c'est jeter son argent par la fenêtre.»
10. «Les jeux de société offrent des loisirs peu coûteux et très agréables.»

C je compose

Inventez et écrivez dix questions «trivia» sur le thème *Sports et loisirs*. Échangez vos questions avec un partenaire. Bonne chance!

D les situations

Avec un partenaire, faites des dialogues basés sur les situations suivantes.

1. Un visiteur français qui regarde un match de baseball pour la première fois vous pose des questions sur ce jeu. Vous lui expliquez les règles.
2. Vous jouez aux cartes avec un ami quand il vous accuse de tricher. C'est la grande dispute!
3. Vous expliquez comment jouer à votre jeu de société favori à un ami qui n'y a jamais joué.
4. Vous êtes annonceur à la télé et vous interviewez la personne qui vient de gagner cinq millions de dollars à la loterie 6/49.
5. Vous interviewez:
   a) Wayne Gretzky, le célèbre joueur de hockey.
   b) Nadia Comaneci, la célèbre gymnaste.
   c) Boris Notgudenoff, le célèbre joueur d'échecs.
   d) Ava Lansch, la célèbre skieuse.

VARIÉTÉS

LE MAGAZINE DES JEUNES

La Chanson française

Tour de chant **108**
Si on parlait musique, hein? **114**
D'une génération à l'autre **116**
Le troubadour, *Jacques Brel* **118**
La chanson québécoise **119**
Maria Chapdelaine, *Louis Hémon* **120**

NUMÉRO QUATRE

TOUR DE CHANT

Depuis bien longtemps, la chanson connaît en France une immense popularité. Même au Moyen Âge, des «troubadours» divertissaient non seulement les seigneurs de la Cour mais aussi le peuple. Aujourd'hui encore, la chanson est un art apprécié de tous. En effet, rares sont les Français qui, de temps à autre, ne fredonnent pas une vieille rengaine.

Les chansons qu'on aime, même si on n'en connaît que quelques mots, ce sont de bonnes amies. Quand on est seul dans les derniers recoins du privé — comme la salle de bains ou la voiture — c'est là qu'on se met à siffloter, à fredonner une belle mélodie du temps passé. À grands renforts de «la-la-la», on prend des airs de star de la chanson. Dans sa voiture — coincé dans les pires embouteillages — on chante, on accompagne les chanteurs qu'on joue à la radio. Surpris quelquefois par le conducteur d'à côté, on rougit mais on se sent bien. Au son de *Paris, je t'aime*, la célèbre chanson de Maurice Chevalier, on se rappelle quelque vieux souvenir romantique. Et les frustrations de ces «bouchons» disparaissent, s'évaporent.

Oui, la chanson est partout. Et elle devient de plus en plus populaire grâce aux divers moyens de diffusion tels que la radio, la télé et surtout les disques et les cassettes. Une chanson à la mode, un «tube» comme on dit en France, se vend par millions d'exemplaires.

Il est intéressant de noter que ce ne sont pas seulement les chansons «rock» qui font les grands succès. En effet, à part les vieux airs interprétés par les «Anciens» comme Charles Trenet, Maurice Chevalier, Édith Piaf, Yves Montand et tant d'autres, il y a à l'heure actuelle d'autres types de chansons qui ont, elles aussi, leur succès. On peut citer d'abord la chanson légère, identifiable en général par une mélodie agréable et entraînante. Les mots — des mots de tous les jours — ne nécessitent pas, cela va sans dire, un effort intellectuel considérable.

Il y a aussi la chanson folklorique et régionale qui connaît aujourd'hui un regain de faveur très net. En fait, tout autour de la France de nouveaux groupes font revivre les chansons d'autrefois. Également très appréciées par tous sont les chansons-poèmes de nombreux chanteurs-compositeurs vénérés comme de véritables poètes. Les chansons de Georges Brassens, l'un des plus respectés de ces troubadours modernes, se vendent aussi bien que les grands succès «rock». Et le rock fait fureur en France, comme partout dans le monde.

Même avec cette extraordinaire vivacité et diversité, les Français choisissent encore d'adopter certains chanteurs d'autres pays francophones. Le Belge Jacques Brel a pratiquement conquis la France durant les années soixante. La Québécoise Fabienne Thibeault fait de même aujourd'hui. Il est évident que les Français ne sont jamais rassasiés de belles chansons.

En fin de compte, entre les Français et la chanson, il y a une longue et merveilleuse histoire — une véritable histoire d'amour.

vocabulaire

masculin

un bouchon*	traffic jam
un chant	song
un embouteillage	traffic jam
un exemplaire	copy
un groupe	group
un million (de)	million
un mot	word
un moyen	way, means
un souvenir	memory
un type	type, sort

féminin

une chanson	song

verbes

accompagner	to accompany
citer	to name, list, quote
disparaître†	to disappear
se mettre à	to begin

adjectifs

agréable	pleasant
coincé	stuck
extraordinaire	extraordinary
léger, légère	light
merveilleux, merveilleuse	marvellous
passé	past
le (la) pire	the worst
populaire	popular
surpris	surprised
véritable	true, genuine

adverbe

également	equally, also

préposition

durant	during

expressions

à la mode	in style, fashionable
à l'heure actuelle	right now
les années soixante	the sixties
à part	besides
cela va sans dire	that goes without saying
de plus en plus	more and more
de temps à autre	from time to time, now and then
en fait	in fact
faire de même	to do the same
faire fureur	to be all the rage

*langue familière
†se conjugue comme **connaître**

Les Différentes Catégories de Musique

la musique pop

le jazz

la musique rock

le reggae

la musique folklorique

la musique classique

le country et western

la musique militaire

les blues

la musique soul

111

le bon usage

FOR (with expressions of time)

1. **pour:** *pour exprimer une durée de temps à l'avenir*
   Nous allons louer une voiture pour une semaine.
   Il part pour un an.

2. **pendant:** *pour exprimer une durée de temps au passé*
   Il a neigé pendant trois jours.
   – Pendant combien de temps l'avais-tu connu?
   – Pendant dix ans.

3. **depuis:** *pour exprimer une durée de temps qui continue au présent**
   Il pleut depuis trois jours.
   – Depuis quand habitent-ils Québec?
   – Depuis longtemps.

* Dans ce cas, on utilise le présent du verbe.

en français, S.V.P.!

1. They are leaving for two weeks.
2. She has been sleeping for ten hours.
3. Yesterday I worked for three hours.
4. He stayed in the hospital for a long time.
5. – How long have you been studying French?
   – For seven years.

LES NOMBRES

1. **cent (100):** *one hundred*
   cent personnes
   deux cents personnes
   deux cent dix personnes

2. **mille (1 000):** *one thousand*
   mille dollars
   deux mille dollars

3. **un million (1 000 000):** *one million*
   un million **de** billets
   trois millions de dollars

4. **un milliard (1 000 000 000):** *one billion*
   un milliard **de** francs
   trois millards de francs

en français, S.V.P.!

1. There are more than a billion people in China.
2. He earned two thousand dollars last week.
3. If you had bought a lottery ticket, you could have won five million dollars.
4. There are three hundred and sixty-five days in this year.
5. I could name a million songs that I prefer.
6. There were more than five thousand people at the game.

Le coin des citations

«Sans la musique, la vie serait une erreur.»
Nietzsche. *Le crépuscule des idoles.*

les mots-clefs

vocascope

De la liste donnée, choisissez la catégorie de musique qui correspond le mieux aux personnes qui l'interprètent. Comptez un point pour chaque bonne réponse.

A la musique pop
B la musique classique
C la musique folklorique
D la musique rock
E le country et western
F la musique militaire
G la musique soul
H le jazz
I les blues
J le reggae

1. Musique au rythme lent interprétée par Muddy Waters, B. B. King et Billie Halliday.
2. Musique de compositeurs comme Beethoven, Brahms et Bizet.
3. Musique composée par John Philip Sousa pour les défilés de soldats.
4. Musique contemporaine chantée par Charles Aznavour, Anne Murray et John Denver.
5. Musique traditionnelle interprétée par Gordon Lightfoot, Joan Baez, Pete Seeger et Alan Stivell.
6. Musique composée par Oscar Peterson, Duke Ellington et Stéphane Grappelli.
7. Musique d'origine antillaise interprétée par Bob Marley et The Mighty Sparrow.
8. Musique chantée par Elvis Presley, Michael Jackson et Robert Charlebois.
9. Musique de Marvin Gaye, Roberta Flack et Aretha Franklin.
10. Musique d'origine américaine interprétée par Willie Nelson, Lucille Starr et Hank Williams.

le jeu des mots

vive la différence!

les noms des personnes

masculin	féminin
un secrétaire	une secrétaire
un avocat	une avocate
un boulang**er**	une boulang**ère**
un mécanic**ien**	une mécanic**ienne**
un dans**eur**	une dans**euse**
un direc**teur***	une direc**trice**

*exceptions:

un chanteur	une chanteuse
un visiteur	une visiteuse

Quels noms féminins correspondent aux noms masculins suivants?

1. un artiste
2. un vendeur
3. un inventeur
4. un employé
5. un conseiller
6. un acteur
7. un coiffeur
8. un musicien
9. un conducteur
10. un bricoleur
11. un pharmacien
12. un cascadeur
13. un joueur
14. un électricien
15. un caissier

Quels noms masculins correspondent aux noms féminins suivants?

1. une programmatrice
2. une ouvrière
3. une étudiante
4. une sorcière
5. une élève
6. une épicière
7. une amie
8. une annonceuse
9. une serveuse
10. une chirurgienne
11. une collectionneuse
12. une fermière
13. une viticultrice
14. une mathématicienne
15. une scientifique

113

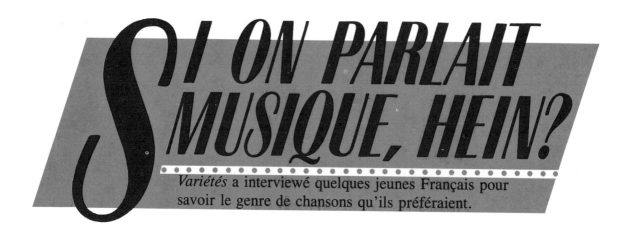

SI ON PARLAIT MUSIQUE, HEIN?

Variétés a interviewé quelques jeunes Français pour savoir le genre de chansons qu'ils préféraient.

Jacqueline Lemercier
18 ANS

J'aime danser, alors pour moi c'est la musique de danse que j'affectionne. J'aime bien le reggae … et le rock qui se danse … oh, et puis même certains slows, mais pas trop. Je n'aime pas danser serré, vous comprenez. Je ne vais pas souvent dans les boîtes, ça coûte trop cher. On est toute une bande et on s'organise des boums chez l'un ou l'autre. En plus, on danse sur la musique qu'on veut! Chouette, hein?

Jeanne Bohemic
17 ANS

Moi, je dois vous dire que j'ai une préférence très nette pour la chanson folklorique. D'abord, je suis Bretonne et chez nous il y a des traditions et un folklore qui nous sont très chers. Comme j'habite Paris, écouter les chansons et la musique de mon pays, ça me fait du bien. J'aime beaucoup Alan Stivell, par exemple. Et vous savez, il est très populaire partout en France. Certaines de ses chansons étaient même à la première place du hit-parade. Imaginez, un chanteur breton qui s'accompagne de la harpe et qui a tant de succès. C'est quelque chose, hein?

Paul Leblanc

17 ANS

Vous savez, moi, ce qui me plaît, ce sont les chansons avec une belle mélodie. Les paroles, je ne les écoute guère. Premièrement, parce que j'écoute la radio quand je fais autre chose — par exemple, quand je conduis, et mieux vaut se concentrer, hein? Deuxièmement, je trouve les paroles des chansons pop tout à fait banales. Il s'agit toujours d'amour: amour fou, amour défendu, amour perdu, amour retrouvé. Si vous saviez ce que ça me barbe, tout ça! Vous comprenez, hein?

Y'a pas de problème, je n'écoute que du rock! Jour et nuit, c'est ça qui me permet de supporter la vie. Et plus c'est bizarre, plus c'est dément, plus j'aime ça! Et je n'aime pas les groupes timides, hein, ça c'est sûr! Vous savez, les groupes qui essaient d'être populaires avec les vieux, les gens qui ont vingt-cinq, trente ans. Mon frère, vous voyez, il est prématurément vieux, le pauvre, et il n'a que vingt-deux ans! Il m'a dit l'autre jour qu'il était allergique au genre de musique que j'écoutais! Quelle tragédie, hein?

Martin Rémy

17 ANS

Beau Delair

18 ANS

Moi, j'aime toutes sortes de chansons. J'aime la musique, un point c'est tout! Mais quand même, je dois avouer que j'ai un petit faible pour la chanson poétique. Vous savez, les chansons de Georges Brassens, de Jacques Brel, de Léo Ferré. Toutes leurs chansons sont des joyaux et je ne me fatigue jamais de les écouter et de les réécouter. J'ai essayé d'intéresser un peu mon copain Martin Rémy mais je dois avouer que je n'y suis pas arrivé. Pour me consoler, j'ai composé ce petit proverbe: «Tout ce qui crie n'est pas sonore.» Pas mal, hein?

D'une génération à l'autre

Comme au Québec, les poètes-chanteurs ont en France une très grande popularité. Un des plus respectés, Georges Brassens, a battu tous les records de vente de disques. En effet, en 1976, il avait déjà écrit 135 chansons et vendu plus de 25 millions de disques 45 tours, sans compter les 11 albums qu'il avait enregistrés. Publié dans la collection *Poètes d'aujourd'hui*, il a représenté ce qu'il y avait de plus fin, de plus recherché dans cet art qu'est la poésie chantée. Ses chansons, qui font preuve d'amour, d'ironie, d'émotion et d'humour, témoignent d'une culture poétique sans égal. Lors de sa mort en 1981, ce grand auteur-compositeur-interprète a reçu les hommages de tous les média et de tous les Français.

Mais le meilleur hommage à rendre à Georges Brassens est de parler de ses héritiers. Et parmi eux on se doit de présenter Maxime Le Forestier, car c'est peut-être lui qui est le plus significatif de la nouvelle génération. Dans ses chansons, lui aussi parle d'amour. Cependant, il reprend aussi les thèmes de la vie contemporaine: la guerre, les institutions et leurs abus, la société de consommation, l'intolérance et la violence. Et malgré la grande célébrité dont il jouit, il a choisi de ne pas vivre comme une vedette. Il passe la majorité de son temps seul à écrire des chansons non seulement pour lui mais aussi pour d'autres chanteurs. Mais laissons-le parler à travers l'une de ses plus belles chansons qui s'intitule *Ça sert à quoi?*

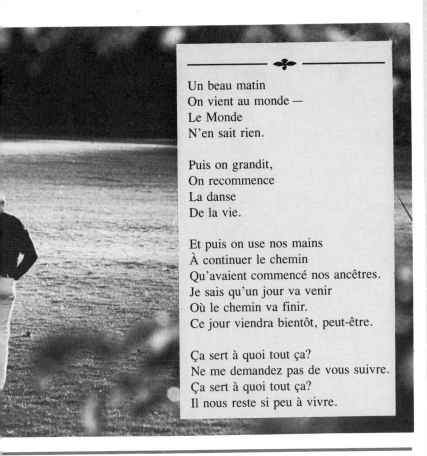

Un beau matin
On vient au monde —
Le Monde
N'en sait rien.

Puis on grandit,
On recommence
La danse
De la vie.

Et puis on use nos mains
À continuer le chemin
Qu'avaient commencé nos ancêtres.
Je sais qu'un jour va venir
Où le chemin va finir.
Ce jour viendra bientôt, peut-être.

Ça sert à quoi tout ça?
Ne me demandez pas de vous suivre.
Ça sert à quoi tout ça?
Il nous reste si peu à vivre.

On se connaît —
On dit, quand même
Je t'aime
Pour toujours.
L'éternité
N'est plus en siècles
Des siècles
Mais en jours.

Si tu me donnes un enfant,
Aura-t-il assez de temps
Pour arriver à l'âge d'homme?
S'il reste seul ici bas
Avec une fille à son bras,
Trouveront-ils encore des pommes?

Ça sert à quoi tout ça?
Ne me demandez pas de vous suivre.
Ça sert à quoi tout ça?
Il nous reste si peu à vivre.

Cette chanson,
Quand je la chante,
Je chante
Pour du vent.
C'est la chanson
Du glas qui sonne.
Personne
Ne l'entend.

Tu as beau me répéter
Qu'on n'a jamais rien changé
Avec des notes et des phrases.
Je continue de chanter,
Les doigts en forme de «V»,
En attendant que tout s'embrase.

Ça sert à quoi tout ça?
Ne me demandez pas de vous suivre.
Ça sert à quoi tout ça?
Il nous reste si peu à vivre.
Ça sert à quoi tout ça?
Pour le peu qu'il nous reste à vivre.

Maxime Le Forestier

le troubadour

jacques brel

Jacques Brel naquit à Bruxelles en 1929. Il est connu comme un des plus grands auteurs-compositeurs-chanteurs du 20ᵉ siècle. Réputé pour la qualité poétique de ses oeuvres, il chanta avec tendresse l'amour et la solitude et, des fois avec une certaine ironie, la vie de tous les jours. Jacques Brel mourut en 1978 à l'âge de 49 ans.

Je suis un vieux troubadour
Qui a conté beaucoup d'histoires
Histoires gaies, histoires d'amour
Et sans jamais beaucoup y croire

J'ai chanté comme un grand livre
Dont chaque page était un rire
J'ai chanté la joie de vivre
En attendant celle de mourir

J'ai chanté mes belles idées
Mais lorsque je dus les dire
Ce qui en chant était léger
En paroles vous fit rire

J'ai chanté l'idéal aux enfants
Pour leur donner un peu d'espoir
En me disant qu'en le chantant
Je pourrais bien un jour y croire

J'ai chanté un chant d'amitié
Qui était fait de mon coeur
Nous le criâmes souvent en choeur
Mais j'étais seul à le chanter

J'aurais voulu lever le monde
Rien que pour lui, par bonté
J'aurais voulu lever le monde
Mais c'est le monde qui m'a couché

Je suis un vieux troubadour
Qui chante encore pour chanter
Des histoires, histoires d'amour
Pour faire croire qu'il est gai

Un troubadour désenchanté
Qui par une habitude vaine
Chante encore l'amitié
Pour ne pas chanter la haine.

La Chanson Québécoise

Comme un peu partout dans le monde, les jeunes Québécois vivent intensément la musique de leur temps. Et au Québec cette musique prend souvent une grande importance — c'est à travers elle que l'on chante, que l'on crie non seulement son pays, ses racines, mais aussi son identité, ses joies et ses problèmes.

En fait, malgré le goût des jeunes Québécois pour toutes les variantes et tendances du rock et du jazz, il y a aussi ce goût pour la chanson traditionnelle. Ces chansons sont issues d'un Québec rural où une tradition musicale mêlait les vieilles chansons de France aux rythmes des gigues irlandaises.

Cette tradition est restée: encore aujourd'hui, jeunes et vieux chantent ces airs anciens lors des veillées de famille ou même dans les boîtes à chansons.

Cette tradition est aussi renouvelée grâce aux nombreux chansonniers-poètes comme Gilles Vigneault, Félix Leclerc, Robert Charlebois et tant d'autres. Ils ont tous compris l'influence et la portée que pouvaient avoir leurs paroles. Ils ont également compris leur époque. Lors d'une interview, Gilles Vigneault a remarqué: «La chanson, c'est un moyen vraiment moderne d'expression. On n'a plus le temps de lire et c'est sans doute dommage. Il faut s'adresser aux gens dans le temps dont ils disposent.»

Pendant les années cinquante et soixante, les jeunes Québécois ont beaucoup écouté la musique qui venait d'Angleterre et des États-Unis. Parmi leurs idoles, ils comptaient Elvis Presley, les Beatles et Janis Joplin.

Diane Dufresne, qui a gagné le prix de la meilleure chanteuse en 1982, a dédié cette chanson à Elvis Presley:

Si tu savais, Elvis,
tout ce que t'étais pour moé . . .

J'avais les shakes dans le corps
Quand j'entendais Hound-Dog
Dans le juke-box du snack-bar
Où je vendais des hot-dogs.

Avec ma crinoline
Pis mes cheveux blonds platine
Je me prenais pour Marilyn
Quand j'allais au drive-in.

Si tu savais, Elvis,
tout ce que t'étais pour moé.
T'étais ma vie, mon vice,
T'étais tout ce que j'aimais . . .

Ces dernières années ont vu l'arrivée de nombreux groupes québécois comme *Harmonium*, *Beau Dommage*, *Séguin-Fiori* et beaucoup d'autres. Ces musiciens ont non seulement maîtrisé tous les rythmes et les variantes du rock et du jazz, mais ils ont développé une musique originale où s'exprime merveilleusement leur identité de Québécois.

119

Maria Chapdelaine

LOUIS HÉMON

Louis Hémon naquit à Brest, France, en 1880. Il étudia le droit et obtint sa licence en 1901. Il habita à Londres entre 1903 et 1911. Pendant ce temps, il travailla comme secrétaire et commis de bureau. L'écriture était un passe-temps et Hémon remporta plusieurs prix littéraires. Au mois d'octobre 1911, il quitta l'Angleterre pour s'installer à Montréal où il travailla comme secrétaire à une compagnie d'assurance-vie. Le 19 juin 1912, il arriva à Péribonka dans la région du lac Saint-Jean. Il y travailla six mois dans une ferme comme homme engagé. C'est à la suite de cette expérience qu'il écrivit son célèbre roman, *Maria Chapdelaine*. En mars 1913, il retourna à Montréal où il tapa une double copie du manuscrit avant de partir pour Winnipeg. Tragiquement, il mourut en route, heurté par une locomotive près de Chapleau en Ontario du Nord.

Maria Chapdelaine fut publié pour la première fois en 1916 à Paris. Depuis ce temps, ce grand classique fut traduit en 18 langues et parut dans 25 pays.

Le Serment d'Amour

Cette scène se passe au Québec, dans la région du lac Saint-Jean, au commencement du 20e siècle. François Paradis, un jeune bûcheron, fait la cueillette des bleuets avec Maria Chapdelaine et sa famille. Enfin seul avec Maria, il trouve le courage de lui faire son serment d'amour.

François Paradis regarda Maria à la dérobée, puis détourna de nouveau les yeux en serrant très fort ses mains l'une contre l'autre. Qu'elle était donc plaisante à contempler! D'être assis auprès d'elle, d'entrevoir sa poitrine forte, son beau visage honnête et patient, la simplicité franche de ses gestes rares et de ses attitudes, une grande faim d'elle lui venait et en même temps un attendrissement émerveillé, parce qu'il avait vécu presque toute sa vie rien qu'avec d'autres hommes, durement, dans les grands bois sauvages ou les plaines de neige.

Il sentait qu'elle était de ces femmes qui, lorsqu'elles se donnent, donnent tout sans compter: l'amour de leur corps et de leur coeur, la force de leurs bras dans la besogne de chaque jour, la dévotion complète d'un esprit sans détours. Et le tout lui paraissait si précieux qu'il avait peur de le demander.

– Je vais descendre à Grand'Mère la semaine prochaine, dit-il à mi-voix, pour travailler sur l'écluse à bois. Mais je ne prendrai pas un coup, Maria, pas un seul!

Il hésita un peu et demanda abruptement, les yeux à terre:

– Peut-être ... vous a-t-on dit quelque chose contre moi?

– Non.

– C'est vrai que j'avais coutume de prendre un coup pas mal, quand je revenais des chantiers et de la drave; mais c'est fini. Voyez-vous, quand un garçon a passé six mois dans le bois à travailler fort et à avoir de la misère et jamais de plaisir, et qu'il arrive à La Tuque ou à Jonquière avec toute la paye de l'hiver dans sa poche, c'est quasiment toujours que la tête lui tourne un peu: il fait de la dépense et il se met chaud des fois ... Mais c'est fini.

Et c'est vrai aussi que je sacrais un peu. À vivre tout le temps avec des hommes rough dans le bois ou sur les rivières, on s'accoutume à ça. Il y a eu un temps que je sacrais pas mal, et M. le curé Tremblay m'a disputé une fois parce que j'avais dit devant lui que je n'avais pas peur du diable. Mais c'est fini, Maria. Je vais travailler tout l'été à deux piastres et demie par jour et je mettrai de l'argent de côté, certain. Et à l'automne je suis sûr de trouver une job comme foreman dans un chantier, avec de grosses gages. Au printemps prochain j'aurai plus de cinq cents piastres de sauvées, claires, et je reviendrai.

Il hésita encore, et la question qu'il allait poser changea sur ses lèvres.

– Vous serez encore icitte ... au printemps prochain?

– Oui.

Et après cette simple question et sa plus simple réponse, ils se turent et restèrent longtemps ainsi, muets et solennels, parce qu'ils avaient échangé leurs serments.

Les instruments de musique se divisent en cinq catégories:

les instruments à vent en cuivre

Pour en tirer le son, on souffle et on touche les clefs en même temps.

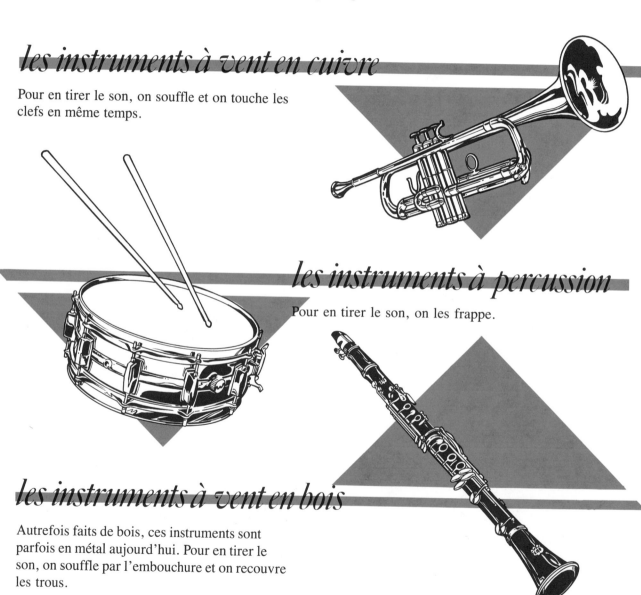

les instruments à percussion

Pour en tirer le son, on les frappe.

les instruments à vent en bois

Autrefois faits de bois, ces instruments sont parfois en métal aujourd'hui. Pour en tirer le son, on souffle par l'embouchure et on recouvre les trous.

les instruments à cordes

Pour en tirer le son, on touche les cordes de l'instrument.

D'après les descriptions, dans quelle catégorie d'instruments placeriez-vous les instruments suivants?

une guitare	une harpe
un harmonica	un triangle
des bongos	un saxophone
un xylophone	un tambour de basque
un tuba	un banjo
une flûte	un accordéon
un trombone	des maracas
	un orgue

les instruments à clavier

Pour en tirer le son, on appuie sur les touches.

petit vocabulaire

un clavier	*keyboard*
une clef	*key*
une corde	*string*
le cuivre	*brass*
une embouchure	*mouthpiece*
souffler	*to blow*
un tambour de basque	*tambourine*
une touche	*key (piano)*
un trou	*hole*

TRIVIA MUSIQUE

ariétés vous invite à tester vos connaissances en musique. Comptez un point pour chaque réponse correcte.

1. Grand compositeur de musique classique; malgré la surdité de ses dernières années, il a continué à composer des chefs-d'oeuvre.
2. Groupe rock anglais qui a fait fureur lors de ses débuts nord-américains en 1964.
3. Appelé le «roi du rock 'n roll», ce chanteur superstar, né dans l'état de Tennessee, est mort à l'âge de 43 ans.
4. Chanteuse parisienne renommée pour des chansons telles que «Milord» et «La Vie en rose».
5. Créateur et animateur de l'émission télévisée *American Bandstand*.
6. Danse frénétique des années quarante et cinquante, populaire chez les jeunes.
7. Chanteur-poète québécois connu surtout pour sa chanson «Mon Pays».
8. Grande vedette du music-hall parisien, ce chanteur a aussi joué un rôle dans *Gigi* et dans d'autres films populaires.
9. Ville des États-Unis surnommée «la capitale du jazz».
10. Chanteur français qui a battu le record de vente de disques en France.

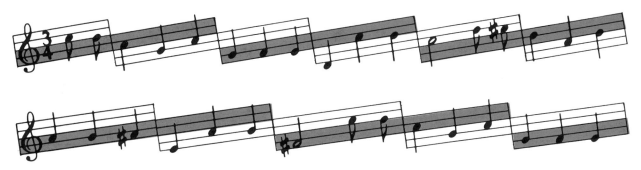

11. Célèbre chanteuse et actrice américaine qui a joué le rôle de *Dorothy* dans un film tourné en 1939.
12. Ce célèbre chanteur de rock et chef du groupe les *Crickets* est mort très jeune dans un accident d'avion.
13. Compositeur de l'hymne national du Canada.
14. Quartier de New York où sont situés la plupart des grands théâtres.
15. Interprète antillais de la célèbre chanson calypso «Deo».
16. Compositeur de la musique de plusieurs grands ballets tels que «La Belle au bois dormant» et «Le Lac des cygnes».
17. Situé aux États-Unis, ce music-hall est renommé comme centre de la musique country et western.
18. Première guitare du groupe les *Rolling Stones*.
19. Animateur de radio qui a été le premier à populariser le rock à la radio aux États-Unis.
20. Populaire dans les années quarante, cet orchestre est renommé pour son interprétation de «Tuxedo Junction» et de «Chattanooga Choo-Choo».

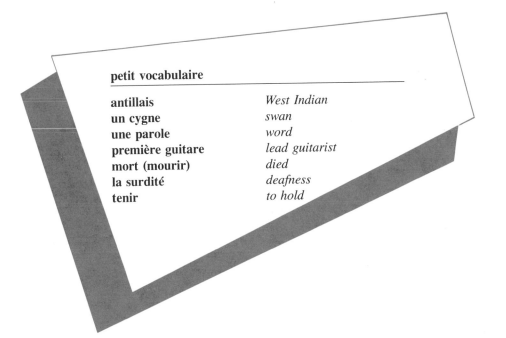

petit vocabulaire

antillais	*West Indian*
un cygne	*swan*
une parole	*word*
première guitare	*lead guitarist*
mort (mourir)	*died*
la surdité	*deafness*
tenir	*to hold*

MÉLO-manie

Variétés vous offre le sondage suivant pour déterminer vos goûts en musique. Quelles sont vos réponses et les réponses d'un groupe d'amis (par exemple, votre classe à l'école)? Faites un rapport au groupe entier et envoyez les résultats à l'éditeur de notre magazine.

1. Combien de temps par semaine passez-vous à écouter de la musique? (disques, cassettes, radio, vidéoclips)
2. Combien de disques et/ou de cassettes achetez-vous par mois?
3. Quel genre de musique préférez-vous?
4. Quel est votre instrument de musique favori?
5. Quelle est votre station de radio préférée?
6. Qui est votre chanteur favori?
7. Qui est votre chanteuse favorite?
8. Quel est votre groupe musical favori?
9. À combien de concerts de musique assistez-vous chaque année?
10. De toutes les chansons populaires des douze derniers mois, quelles cinq chansons étaient, d'après vous, les meilleures?

Cher éditeur,

J'ai beaucoup apprécié les articles que vous consacrez à la France car j'ai l'intention de faire une année d'études là-bas, non seulement pour perfectionner mon français mais aussi pour mieux connaître un pays qui me semble très intéressant. Vous auriez dû néanmoins donner quelques adresses utiles pour les étudiants ou les touristes, comme par exemple, les services d'accueil, les syndicats d'initiative, etc.

[*Chose faite! Ci-dessous quelques adresses utiles aux lecteurs qui ont l'intention de se rendre en France.*]

Office du Tourisme, 127, Champs-Élysées, 75008 PARIS, tél. 720.90.16

L'Organisation du Tourisme Universitaire, 137, boulevard Saint-Michel, 75005 PARIS, tél. 325.11.61

Le Guide de Paris Gault Millau, publié tous les deux ans par Gault Millau, 210, rue du Faubourg-Saint-Antoine, 75012 PARIS, tél. 367.85.00

Les guides touristiques *Michelin*, publiés par Michelin et Cie, le célèbre fabricant de pneus à Clermont-Ferrand. Dans cette collection, vous trouverez des renseignements sur Paris et sur toute la France.

Vous pouvez vous procurer des exemplaires de ces guides chez votre libraire.

D'UNE POCHE
Les Kangourous
À L'AUTRE!

Enregistré au moment de leur concert à Paris, le dernier microsillon du groupe rock australien, **Les Kangourous**, est maintenant en vente chez votre disquaire.

Sans exception, les critiques acclament ce mélange insolite de rock, de jazz et de reggae.

«Le dernier cri en rock!» — *B. Thovenne*
«Un grand bond pour la musique contemporaine!» — *I.L. Mencke-D'Oray*

Guitare électrique
VIRTUOSE!

Le dernier choc en électronique!
- manche renforcé d'acier
- 8 pick-up
- contrôles coulissants: tonalité, volume, trémolo, profondeur
- corps en bois de rose

C'est Sonsationnel!

je me souviens!

les verbes et l'infinitif

a) verbe + infinitif

adorer	espérer	pouvoir
aimer mieux	il faut	préférer
aller	il semble	savoir
croire	il vaut mieux	souhaiter
détester	laisser	voir
devoir	penser	vouloir
entendre		

J'adore danser.
Nous **aurions pu** le **faire.**
Il **faudrait partir** de bonne heure.

b) verbe + à + infinitif

aider à	avoir à	hésiter à	persister à
s'amuser à	commencer à	inviter à	recommencer à
apprendre à	continuer à*	se mettre à	réussir à
arriver à	demander à†	obliger à	servir à

Ils **se mettront** bientôt **à travailler.**
J'**ai hésité à** lui **parler.**
Cette clef **sert à ouvrir** la porte du garage.

c) verbe + de + infinitif

accepter de	avoir le temps de	se dépêcher de	oublier de
s'arrêter de	avoir peur de	essayer de	permettre de
attendre de	choisir de	être content de	refuser de
avoir besoin de	conseiller de	être en train de	regretter de
avoir l'air de	continuer de*	finir de	rêver de
avoir l'intention de	demander de†	il s'agit de	venir de

Ils **avaient l'intention d'**y **aller.**
Elle **a envie de faire** du ski cet après-midi.
As-tu oublié de leur **téléphoner?**

* Avec le verbe **continuer**, on a le choix entre **à** ou **de**.
† Je lui demande **à** sortir. = C'est moi qui veux sortir.
  Je lui demande **de** sortir. = C'est lui qui doit sortir.

d) verbe + à + nom + infinitif

conseiller à qqn de faire qqch.
demander à qqn de faire qqch.
dire à qqn de faire qqch.
permettre à qqn de faire qqch.

J'ai conseillé à Raymond de suivre ce cours.
Dites-leur de prendre du gâteau.

l'infinitif + pronom objet

Je voudrais **aller au concert**. ⟶ Je voudrais **y aller**.
Il est arrivé à **faire cet exercice** ⟶ Il est arrivé à **le faire**.
Il est en train de **manger des escargots**. ⟶ Il est en train d'**en manger**.
Permettez-moi de vous **montrer ces photos**. ⟶ Permettez-moi de vous **les montrer**.

la négation avec l'infinitif

Je préfère **ne jamais** te le **dire**.
Elle a réussi à **ne plus faire** de fautes.
Nous avons décidé de **ne rien faire**.
Il nous a dit de **ne pas commencer**.

A c'est votre choix!

Complétez chaque phrase avec **à** ou **de** si nécessaire.

1. Ils auront besoin/parler plus fort.
   ▶ **Ils auront besoin de parler plus fort.**
2. Nous voulons/écrire une chanson.
3. On lui a conseillé/ne pas prendre la voiture.
4. Se sont-ils amusés/jouer au tennis?
5. Elle aurait dû/prendre le train.
6. Je regrette/devoir/te dire une telle chose.
7. Il nous entendra/chanter.
8. Dites-leur/se dépêcher/finir ce travail.
9. J'irai/le voir/faire du ski.
10. Quand as-tu appris/parler allemand?

B les substitutions

Remplacez les mots **en caractères gras** par des pronoms.

1. Il espère faire **du canotage** au Québec.
   ▶ **Il espère en faire au Québec.**
2. Je n'ai pas le temps de regarder **ce film**.
3. Ils nous ont demandé de répondre **à ces questions**.
4. Je rêve d'aller **à Tahiti**.
5. Il vaut mieux considérer **les conseils de vos parents**.
6. A-t-il permis **aux enfants** d'inviter **leurs amis**?
7. Il avait oublié de demander **à son professeur** de lui donner **son bulletin**.
8. Il faut aider **Marianne** à écrire **cette lettre**.
9. Nous avons l'intention de faire **du bricolage** ce week-end.
10. Dites-lui de téléphoner **aux Bertrand**.

C pas, plus, jamais ou rien?

Mettez l'infinitif dans chaque phrase à la négative.

1. Elle a décidé d'y aller.
   ▶ **Elle a décidé de ne pas y aller.**
2. Il préférerait travailler tout le temps.
   ▶ **Il préférerait ne jamais travailler.**
3. Ils ont l'intention de tout manger.
4. Je leur ai dit de sortir encore.
5. Il s'agit de tout raconter.
6. Il m'a demandé de chanter encore.
7. Elle essaie de dépenser son argent.
8. Je leur ai conseillé de toujours faire la grasse matinée.
9. Nous avons appris à tout dire.
10. On a peur de réussir.

LE CLUB HÉRITAGE

présente...

UNE SOIRÉE DU BON VIEUX TEMPS

- chansonniers
- musique folklorique
- gigues
- danses carrées
- concours de violoneux

Hôtel Saint-Laurent, Salle Voyageur
vendredi 16 juin   20 h 00   entrée libre
Soyez des nôtres... fêtons notre patrimoine!

OBSERVATIONS

objectifs

- l'emploi du passé du subjonctif
- la formation du passé du subjonctif
- l'emploi du subjonctif avec les expressions négatives
  ne ... rien et **ne ... personne**
- le subjonctif/l'infinitif: contrastes et emplois

contexte A

Un patron parle à un de ses employés.

– Alors, Dupuis, ça avance votre travail?

– Oui, patron. J'ai fini l'inventaire hier soir à minuit.
  Je l'ai passé à Martine ce matin, mais je ne crois pas
  qu'elle ait terminé de le taper à la machine.

– Et le dossier Quillard, où en êtes-vous?

– C'est très délicat. Il n'y a rien qui plaise à ce client!
  C'est un peu décourageant.

– Allez, allez, Dupuis, je sais que vous êtes à la hauteur!
  J'ai de grands espoirs pour vous. Il n'y a personne dans
  cette compagnie qui ait votre avenir!

– Au fait, patron, vous savez, l'augmentation de salaire
  que vous m'aviez promise…

– Allons, allons, Dupuis, ne me dérangez pas avec de
  tels détails!

analyse 1 (contexte A)

■ l'emploi du passé du subjonctif

Comparez:

le passé composé de l'indicatif

Il est vrai qu'elle **a menti**.
Je suis sûr qu'il **est sorti** avec Paul.
Nous savons qu'ils **se sont levés** tard.

Le passé composé indique une **certitude**, une
probabilité. On l'utilise pour exprimer une action
complétée au passé.

le passé du subjonctif

Nous regrettons qu'elle **ait menti**.
Je doute qu'il **soit sorti** avec Paul.
Croyez-vous qu'ils **se soient levés** tard?

Le passé du subjonctif indique une **incertitude**, un
doute, une **possibilité**. On l'utilise pour exprimer une
action qui aurait pu se compléter au passé.

Le passé du subjonctif s'emploie après les mêmes verbes et les mêmes expressions que le présent du subjonctif.

J'aurais voulu qu'ils **aient accompli** ce travail la semaine passée.

Il est bon qu'elles **soient arrivées** de bonne heure.

Il n'était pas nécessaire que vous **vous soyez occupés** de tout ça.

Je doute que j'**aie reçu** la meilleure note en maths.

Crois-tu qu'il **ait** assez **dormi**?

Il est possible que vous n'**ayez** pas **considéré** toutes les options.

Il est surpris que nous ne **soyons** pas **sortis** hier soir.

Quoiqu'ils **se soient dépêchés**, ils ont manqué l'autobus.

■ la formation du passé du subjonctif

parler	**finir**	**vendre**	**aller**
que j'aie parlé	que j'aie fini	que j'aie vendu	que je sois allé(e)
que tu aies parlé	que tu aies fini	que tu aies vendu	que tu sois allé(e)
qu'il ait parlé	qu'il ait fini	qu'il ait vendu	qu'il soit allé
qu'elle ait parlé	qu'elle ait fini	qu'elle ait vendu	qu'elle soit allée
que nous ayons parlé	que nous ayons fini	que nous ayons vendu	que nous soyons allé(e)s
que vous ayez parlé	que vous ayez fini	que vous ayez vendu	que vous soyez allé(e)(s)
qu'ils aient parlé	qu'ils aient fini	qu'ils aient vendu	qu'ils soient allés
qu'elles aient parlé	qu'elles aient fini	qu'elles aient vendu	qu'elles soient allées

se laver

que je me sois lavé(e)

que tu te sois lavé(e)

qu'il se soit lavé

qu'elle se soit lavée

que nous nous soyons lavé(e)s

que vous vous soyez lavé(e)(s)

qu'ils se soient lavés

qu'elles se soient lavées

Pour former le passé du subjonctif, on utilise le présent du subjonctif du verbe auxiliaire (**avoir** ou **être**) et le participe passé.

l'accord du participe passé

Les Bolduc étaient ici? Je regrette que je ne **les** aie pas vus.

Il ne peut pas trouver ses lunettes. Nous avons peur qu'il **les** ait perdues.

Nous dînerons à six heures pourvu que **ta soeur** soit rentrée.

Nous sommes surpris qu'ils **se** soient réveillés de si bonne heure.

L'accord du participe passé est le même pour le passé du subjonctif que pour les temps composés de l'indicatif.

application

A d'un passé à l'autre

Mettez les verbes au passé du subjonctif.

1. j'ai lu ▶ **que j'aie lu**
2. nous avons fait
3. elle a mangé
4. vous avez accompli
5. j'ai répondu
6. nous avons reçu
7. tu as dit
8. ils ont disparu
9. elle est arrivée
10. je me suis habillé
11. vous vous êtes inscrit
12. nous nous sommes assis
13. ils se sont reconnus
14. tu es descendu
15. il est tombé

«De la musique avant toute chose.»
Paul Verlaine. *Jadis et naguère.*

B je sais le passé du subjonctif!

1. songer/il ▶ **qu'il ait songé**
2. considérer/je
3. divertir/nous
4. entendre/vous
5. sortir/tu
6. devenir/ils
7. écrire/elles
8. être/il
9. rester/elle
10. se servir/vous
11. recevoir/tu
12. s'ennuyer/je
13. avoir/tu
14. dormir/vous
15. se connaître/nous

C du présent au passé

Mettez le verbe de la proposition subordonnée au passé du subjonctif.

1. Je doute qu'elle parte aujourd'hui.
   ▶ **Je doute qu'elle soit partie hier**.
2. Ils auraient préféré que nous venions aujourd'hui.
3. Il est important que tu finisses ce travail aujourd'hui.
4. Il était nécessaire que vous m'attendiez aujourd'hui.
5. Êtes-vous certain qu'ils descendent en ville aujourd'hui?
6. On ne croit pas qu'elle s'arrête chez les Leclair aujourd'hui.
7. C'est dommage que vous ne vous voyiez pas aujourd'hui.
8. Je suis ravi que tu reçoives ton diplôme aujourd'hui.
9. Il était impossible qu'il écrive cette lettre aujourd'hui.
10. Il n'est pas probable qu'ils y aillent aujourd'hui.

D les réponses

Répondez à chaque question et remplacez les mots **en caractères gras** par un pronom. Utilisez l'expression **je ne pense pas que**.

1. Est-ce que tu as vu **mes livres**?
   ▶ **Non, je ne pense pas que je les aie vus.**
2. Sont-ils allés **au concert**?
   ▶ **Non, je ne pense pas qu'ils y soient allés.**
3. A-t-elle servi **la salade**?
4. Est-ce qu'ils se sont inscrits **aux cours**?
5. Est-ce qu'elle est restée **à la campagne**?
6. Avez-vous mangé **des escargots**?
7. Est-ce qu'il a écrit **cette chanson**?
8. Se sont-ils arrêtés **au café**?
9. Avez-vous lu **ces nouveaux magazines**?
10. Est-ce qu'elles se sont parlé **au match**?

analyse 2 (contexte A)

■ l'emploi du subjonctif avec les expressions négatives *ne ... rien* et *ne ... personnne*

ne ... rien

Il n'y a **rien que je puisse** faire.
Il n'y a **rien qui l'intéresse**.
Elle n'a **rien** dit **qu'on ait voulu** entendre.
Je n'ai **rien** vu **qui m'ait surpris**.

ne ... personne

Il **ne** voit **personne qu'il reconnaisse**.
Il n'y a **personne qui sache** me conseiller.
Il n'y avait **personne qui se soit amusé**.
Il n'y avait **personne** à la party **que j'aie reconnu**.

application

A alternatives

Reformulez les phrases suivantes. Suivez les modèles.

1. Rien ne l'a intéressé.
   ▶ **Il n'y a rien qui l'ait intéressé.**
2. Personne n'est en retard.
   ▶ **Il n'y a personne qui soit en retard.**
3. Je ne veux rien faire.
   ▶ **Il n'y a rien que je veuille faire.**
4. Il n'a attendu personne.
   ▶ **Il n'y a personne qu'il ait attendu.**
5. Je ne veux rien changer.
6. Personne n'est parti à l'heure.
7. Ils n'ont rien compris.
8. Je n'ai reconnu personne.
9. Rien n'est impossible.
10. Personne n'a fini cet exercice sans erreurs.

contexte B

Une directrice de service appelle son secrétaire.

– Oui, madame?

– Fernand, voulez-vous bien m'apporter le dossier
Lalippe, s'il vous plaît?

– Tout de suite, madame.

– Et Fernand, il faut aussi téléphoner à monsieur
Ailebeau pour annuler notre match de tennis.

– Madame préfère reporter le match à une autre date?

– Oui, à vendredi si c'est possible.

– Autre chose, madame? Je pars dans cinq minutes.

– Non, ce sera tout pour le moment… Oh, Fernand,
avant de partir, voudriez-vous bien m'apporter une
tasse de café?

– Je regrette de répéter à madame que ce n'est pas ma
fonction.

– Ah, oui, c'est vrai. Comme il est difficile de perdre nos
vieilles habitudes!

analyse 3 (contexte B)

■ le subjonctif/l'infinitif: contrastes et emplois

avec certains verbes de volonté et de doute

Contrastez:

le subjonctif (deux sujets)	l'infinitif (un sujet)
Je veux **qu'il sorte**.	Je veux **sortir**.
Il souhaite **que nous restions**.	Nous souhaitons **voyager** à la Côte d'Azur.
Ils aiment mieux **que je prenne** l'avion.	Ils aiment mieux **prendre** l'avion.
Je doute **qu'ils puissent** y aller.	Je doute **de*** **pouvoir** y aller.
	*douter **de** + l'infinitif

Là où il y a un seul sujet pour les deux verbes de la
phrase, on peut utiliser l'infinitif.

Contrastez:

le subjonctif	l'infinitif
Il défend **que nous sortions**.	Il **nous** défend **de sortir**.
Je demande **qu'il parte**.	Je **lui** demande **de partir**.
Vous exigez **que je réponde**?	Vous **m'**exigez **de répondre**?
Il ordonne **que tu y ailles**.	Il **t'**ordonne **d'y aller**.
Nous permettons **qu'ils viennent**.	Nous **leur** permettons **de venir**.

> **défendre, demander, exiger, ordonner, permettre** à qqn **de** faire qqch.
>
> Avec ces verbes, on utilise un objet indirect pour remplacer le sujet de la phrase au subjonctif. Devant l'infinitif, on utilise la préposition **de**.

application

A vous aussi!

Faites des phrases de deux façons.

1. vouloir/aller à la party
   ▶ **Je veux aller à la party.**
   ▶ **Je veux que vous alliez à la party aussi.**
2. préférer/sortir ce soir
3. souhaiter/accomplir beaucoup
4. aimer mieux/rester à la maison
5. vouloir/faire sa connaissance
6. souhaiter/voir ce concert
7. préférer/attendre l'autobus
8. vouloir/s'arrêter au restaurant
9. aimer mieux/venir en voiture
10. préférer/finir bientôt

B plus d'une façon!

Utilisez un infinitif pour exprimer les idées suivantes.

1. Il défend que nous regardions cette émission.
   ▶ **Il nous défend de regarder cette émission.**
2. Le prof demande qu'ils fassent plus de devoirs.
3. On exige que vous conserviez de l'énergie.
4. Je défends qu'il conduise ma voiture.
5. Elle ordonne que tu y ailles tout de suite.
6. Ils permettent que je prenne des leçons de guitare.
7. Je demande que vous parliez français.
8. Nous permettons qu'ils partent.

«Tout finit par des chansons.»
Beaumarchais. *Le mariage de Figaro.*

analyse 4 (contexte B)

■ **le subjonctif/l'infinitif: contrastes et emplois**

avec certaines expressions impersonnelles

Contrastez:

le subjonctif (se réfère à un sujet particulier)   **l'infinitif** (exprime une opinion générale)

Il est nécessaire **que tu partes.** ⎫
Il est nécessaire **que Jacques parte.** ⎭ ⟶ Il est nécessaire **de partir.**

Il vaut mieux **que vous attendiez.** ⟶ Il vaut mieux **attendre.** *

Il faudra **que je reste** ici. ⟶ Il faudra **rester** ici. *

Il semble **qu'il pleuve.** ⟶ Il semble **pleuvoir.** *

*Les expressions **il vaut mieux, il faut** et **il semble** sont suivies directement de l'infinitif. Les autres expressions impersonnelles sont suivies de la préposition **de** + un infinitif: **c'est dommage de, il est bon de, il est essentiel de, il est important de, il est impossible de, il est naturel de, il est possible de, il est préférable de** et **il est temps de.**

attention!
Pour exprimer la nécessité, on peut aussi utiliser le verbe **devoir** + l'infinitif.
Il faut que je parte. → **Je dois partir.**

application

A les généralisations

Utilisez un infinitif pour exprimer des opinions générales.

1. Il est essentiel que j'apprenne les maths.
   ▶ **Il est essentiel d'apprendre les maths.**
2. Il faut que nous sachions écrire des compositions.
3. Il est important que vous compreniez les faits.
4. Il est temps que tu finisses.
5. Il vaut mieux qu'elles ne fassent rien.

6. Il sera possible que nous y allions à bicyclette.
7. Il est nécessaire que vous songiez à l'avenir.
8. C'est dommage que tu attendes si longtemps.
9. Il sera préférable que vous ne lui parliez pas.
10. Il serait bon que j'évite le subjonctif.

B les devoirs

Utilisez le verbe **devoir** + l'infinitif pour exprimer les idées suivantes.

1. Il faut qu'il écrive des chansons légères.
   ▶ **Il doit écrire des chansons légères.**
2. Il faudra que tu t'occupes de tout ça.
3. Il fallait que je considère toutes mes priorités.
4. Il faut qu'ils aient le temps nécessaire.
5. Il faudrait qu'elles soient à l'heure.
6. Il ne faut pas que tu oublies ta raquette.
7. Faut-il que vous partiez si tôt?
8. Il faudra que nous nous dépêchions.
9. Il fallait que tu reviennes.
10. Il aurait fallu qu'on utilise le verbe «devoir».

— *Il ne sait pas encore que j'ai considérablement réduit son rôle.*

analyse 5 (contexte B)

■ le subjonctif/l'infinitif: contrastes et emplois

avec les expressions d'émotion

Contrastez:

le subjonctif (deux sujets)	l'infinitif (un sujet)
Il a peur **que nous tombions**. ⟶	Il a peur **de tomber**.
Je serai content **que vous** m'**invitiez**. ⟶	Je serai content **de t'inviter**.
Il regrette **que vous** ne **vous amusiez** pas ⟶	Il regrette **de** ne pas s'**amuser**.

Ces autres expressions d'émotion sont aussi suivies de la préposition **de** + un infinitif: **être désolé de, être étonné de, être fâché de, être fier de, être furieux de, être heureux de, être surpris de, être ravi de** et **être triste de**.

139

application

A moi aussi!

Utilisez l'infinitif pour exprimer chaque idée.

1. Il a peur que tu aies un accident.
   ▶ **Moi aussi, j'ai peur d'avoir un accident.**
2. Je suis surpris que tu ne saches pas la réponse.
   ▶ **Moi aussi, je suis surpris de ne pas savoir la réponse.**
3. Il est ravi que tu accomplisses tout.
4. Nous sommes désolés que tu ne viennes pas.
5. Elle est fâchée que tu ne suives pas ce cours.
6. Ils sont fiers que tu reçoives la meilleure note.

7. On est content que tu fasses sa connaissance.
8. Nous regrettons que tu n'ailles jamais à la campagne.
9. Je suis fâché que tu ne sortes plus avec les copains.
10. Elle est triste que tu partes demain.

analyse 6 (contexte B)

■ le subjonctif/l'infinitif: contrastes et emplois

conjonction versus préposition

Contrastez:

conjonction + le subjonctif (deux sujets)

Il me téléphone **afin que je puisse** lui parler. ——→ Il me téléphone **afin de** me **parler.**

Elle devrait vous visiter **avant que vous partiez** pour —→ Elle devrait vous visiter **avant de partir** pour l'Europe.
l'Europe.

Je conduis vite **pour qu'ils** ne **soient** pas en retard. ——→ Je conduis vite **pour** ne pas **être** en retard.

Elle ne le fera pas **sans que vous** le lui **demandiez.** ——→ Elle ne le fera pas **sans demander.**

préposition + l'infinitif (un sujet)

attention!

On utilise toujours le subjonctif avec les conjonctions **bien que, jusqu'à ce que, pourvu que** et **quoique.**

application

A les infinitifs

Exprimez chaque idée avec un infinitif.

1. J'attendrai au café afin que je puisse te parler.
   ▶ **J'attendrai au café afin de pouvoir te parler.**
2. Ils réfléchiront avant qu'ils répondent à la question.
3. Je prendrai un taxi afin que j'arrive à l'heure.
4. Ils ne visitent jamais Paris sans qu'ils passent par Montmartre.
5. J'étudie fort pour que j'aie de bonnes notes.

vérification

A c'est parfait!

Mettez les verbes indiqués au passé du subjonctif.

1. J'aurais voulu qu'ils me (téléphoner) avant de partir.
   ▶ **J'aurais voulu qu'ils m'aient téléphoné avant de partir.**
2. Regrettez-vous que les Marchand (partir) en vacances sans vous dire au revoir?
3. Puisque je ne le lui avais pas rappelé, j'étais étonné qu'elle (se souvenir) de mon nom.
4. J'aurais préféré que tu (ne pas réagir) comme ça sans savoir tous les faits.
5. À cause du mauvais temps, nous ne sommes pas surpris qu'ils (ne pas s'amuser) à la campagne.
6. Ses parents sont fâchés qu'elle (prendre) leur voiture sans leur demander.
7. Vous réussirez, pourvu que vous (faire) le travail nécessaire.
8. Quoique je (s'inscrire) à plusieurs cours, rien ne m'intéresse.

B c'est dommage!

Faites des phrases avec l'expression **c'est dommage que** et le passé du subjonctif. Attention à l'accord du participe passé.

1. cette chanson folklorique/vous/entendre
   ▶ **Cette chanson folklorique? C'est dommage que vous ne l'ayez pas entendue.**
2. les Morin/tu/connaître
3. cette langue/nous/apprendre
4. cette comédie/je/voir
5. la Corvette de son frère/il/conduire
6. des «designer jeans»/vous/acheter
7. Marie-Claire/nous/rencontrer
8. sa vieille moto/elle/vendre
9. ces cours/vous/suivre
10. *Les Kangourous*/ils/entendre

C tu parles!

Répondez aux questions avec **ne ... rien** ou **ne ... personne**.

1. Il veut tout faire?
   ▶ **Non, il n'y a rien qu'il veuille faire.**
2. Tout l'a ennuyé?
   ▶ **Non, il n'y a rien qui l'ait ennuyé.**
3. Vous connaissez tout le monde?
   ▶ **Non, il n'y a personne que je connaisse.**
4. Tout le monde est allé au concert?
   ▶ **Non, il n'y a personne qui soit allé au concert.**
5. Tu comprends tout?
6. Vous pouvez aider tout le monde?
7. Tout le monde s'est réveillé de bonne heure?
8. Tout est tombé dans l'eau?
9. Ils savent tout faire?
10. Tu veux rencontrer tout le monde?
11. Tout le monde est sorti?
12. Elle a tout apprécié?

D c'est votre choix!

Mettez le verbe indiqué au passé composé de l'indicatif ou au passé du subjonctif, selon le cas.

1. Je ne doute pas qu'elle (s'ennuyer) au concert.
   ▶ **Je ne doute pas qu'elle s'est ennuyée au concert.**

2. Il ira à l'université pourvu qu'il (recevoir) de meilleures notes.
   ▶ **Il ira à l'université pourvu qu'il ait reçu de meilleures notes.**

3. Je suis absolument certain que vous (dire) ça!

4. Ils peuvent sortir pourvu qu'ils (faire) la vaisselle.

5. Il est bon que nous (voir) ce film hier soir.

6. Nous croyons qu'elle (choisir) une excellente carrière.

7. Il nous permet d'y aller parce que nous (finir) le travail.

8. J'aurais préféré que nous (se téléphoner) avant.

9. Ils ne pensent plus que nous (se moquer) d'eux.

10. C'est dommage qu'ils (ne pas aller) à Paris.

11. Nous savons bien que vous (arriver) en train.

12. Je n'ai jamais rencontré personne qui (vouloir) apprendre le subjonctif.

E il y a deux options!

Reformulez les phrases suivantes à l'aide d'un infinitif.

1. Dans le Sahara, il est impossible qu'on fasse de la planche à voile.
   ▶ **Dans le Sahara, il est impossible de faire de la planche à voile.**

2. Il vaut mieux que nous nous dépêchions.

3. Il est important qu'on boive du lait.

4. Il défend que nous sortions.

5. Est-ce que tu demandes qu'ils sachent tout ça?

6. Il faudra qu'on conduise lentement.

7. Nous regrettons que nous apprenions si peu.

8. Il est bon qu'on ne travaille pas si fort.

9. Elle doit vous parler avant qu'elle parte.

10. Il est nécessaire qu'on le fasse tout de suite.

F le coin du traducteur

a) Dans les phrases suivantes, utilisez le subjonctif.

1. There isn't anyone here he knows.

2. Is there nothing that amuses you?

3. I would prefer you to stay here.

4. Do you want us to accompany you?

5. Don't you believe that they sold a million copies?

6. It's unlikely that that group will become popular.

7. We are delighted that rock music hasn't disappeared.

8. Although we like folk music, we are also interested in jazz.

b) Dans les phrases suivantes, utilisez un infinitif pour éviter le subjonctif.

1. I asked him to come with us.

2. They want to live in the countryside.

3. We allowed them to drive our car.

4. You will have to answer me.

5. It wouldn't be good to try.

6. It's impossible to remember everything.

7. He's afraid to lose.

8. We were sad to hear that.

9. I'll talk to him before I eat.

10. In order to buy this new record, I'll need more money.

Le coin des citations

«Chaque chanson nouvelle a son nouveau langage.»
André Chénier. *Élégies.*

SAVOIR COMMUNIQUER

répertoire 1

Encore deux jours!

quel dommage
c'est (vraiment)
  dommage
comme c'est dommage
que c'est dommage
	– *Quel dommage* qu'*on doive* rentrer au Canada
	  après-demain!
		on doive
		on soit obligé(s) de
		
		après-demain
		dans deux jours

	– Je sais, mais il est impossible de changer notre date de départ.	
	– Et il y a encore *tellement* de choses à voir et à faire!	*tellement* tant

je n'en doute pas
j'en suis certain
j'en suis sûr
j'en suis persuadé
	– *Je n'en doute pas* mais comme *tu le sais*, il est
	  impossible de changer les vols *charters*.
		tu le sais
		tu en es
		  consciente
		
		charters
		nolisés♣

	– Tu as raison. On a encore deux jours, alors profitons-en!	
au fait à propos	– *Au fait, tu voulais* aller à ce concert de musique folklorique demain?	*tu voulais* tu désirais tu avais envie d'
chouette sensass super formidable	– Oh, oui, ça serait *chouette*!	
	– Bon, mais il ne faut pas oublier *d'aller* chercher des billets.	*d'aller* de passer
je croyais je pensais	– Mais *je croyais* que le concert était gratuit!	
	– Oui, mais il faut quand même *obtenir* des billets.	*obtenir* se procurer
	– Où ça?	
	– À l'Alliance Française. Ce n'est pas loin. Et on pourrait s'arrêter pour *manger*. Moi, je commence à	

manger
bouffer
	avoir faim.	*qu'est-ce qui te*
		  fait envie?
		qu'est-ce qui te
		  dit?

	– Bonne idée! *Qu'est-ce qui te fait envie?*	
on mange en vitesse on mange sur le pouce	– Oh, *on mange en vitesse*, rien de spécial.	

	– OK. On s'arrête dans *un self*?	*un self*
		un (restaurant)
		  self-service
		un (restaurant)
		  libre-service

	– D'accord.	

143

enchaînement

Faites le dialogue suivant avec un partenaire.

– Comme c'est dommage qu'on soit obligé de rentrer au Canada dans deux jours!

– …

– Et il y a encore tant de choses à voir et à faire!

– …

– Tu as raison. On a encore deux jours; alors profitons-en!

– …?

– Oh, oui, ça serait sensass!

– …?

– Mais je pensais que le concert était gratuit!

– …

– Où ça?

– …

– Bonne idée! Qu'est-ce qui te dit?

– …

– OK. On s'arrête dans un self-service?

– …

débrouillez-vous!

Avec un partenaire, dramatisez les situations suivantes.

Vous n'avez que deux jours de plus à Paris avant de rentrer au Canada et vous voulez profiter du temps qui vous reste.

1. Vous faites des projets pour assister à un concert de musique folklorique.
2. Cette fois-ci, vous n'êtes pas d'accord sur les projets. Vous voulez assister à un concert de musique folklorique mais votre ami veut assister à un concert de musique rock.
3. Cette fois-ci, vous devez décider où dîner avant le concert. Vous voulez dîner à un petit restaurant intime, tandis que votre ami veut que vous vous arrêtiez dans un restaurant self-service.

répertoire 2

Allô, j'écoute!

	– Allô!	
	– Allô, *je suis bien au* 17-36-16?	*je suis bien au* c'est bien le
	– Oui, madame, je vous écoute.	
je voudrais parler au est-ce que je pourrais parler au vous pouvez me passer le	– *Je voudrais parler au* directeur commercial.	
	– Vous voulez parler à qui, madame?	
	– Au directeur commercial.	
	– Ah, monsieur Sylvain. *Ne quittez pas*, je vous le passe... Désolée, madame, mais il est occupé en ce	*ne quittez pas* un instant vous voulez patienter veuillez garder la ligne
vous avez un message à *transmettre* vous voulez laisser un message	moment. Est-ce que *vous avez un message à* *transmettre*?	
	– Oui, vous pouvez lui dire que madame Moisel a téléphoné.	
	– Mademoiselle...?	
exactement justement	– C'est ça, *exactement*!	
	– Mais c'est mademoiselle...?	
	– Précisément! Madame Moisel!	
	– Mais mademoiselle, ...votre nom?	
	– Mais c'est madame Moisel, voyons!	
	– Ah, mademoiselle Voyon! *Il fallait le dire* plus tôt!	*il fallait le dire* vous auriez dû le dire
	– Quoi?	
	– Mais monsieur Sylvain *attend votre appel*!	*attend votre appel* est prêt à prendre votre appel
comment? pardon? que dites-vous?	– *Comment?!?*	

enchaînement

Faites le dialogue suivant avec un partenaire.

–Allô!

–...?

–Oui, madame, je vous écoute.

–...

–Vous voulez parler à qui, madame?

–...

–Ah, monsieur Sylvain. Veuillez garder la ligne, je vous le passe... Désolée, madame, mais il est occupé en ce moment. Vous voulez laisser un message?

–...

–Mademoiselle ...?

–...

–Mais mademoiselle, ... votre nom?

–...!

–Ah, mademoiselle Voyon! Vous auriez dû le dire plus tôt!

–...?

–Mais monsieur Sylvain est prêt à prendre votre appel.

–...?!?

débrouillez-vous!

Avec un partenaire, dramatisez les situations suivantes.

Vous téléphonez à une compagnie de disques et vous voulez parler au directeur général.

1. La standardiste vous informe que le directeur général n'est pas là et vous demande de laisser un message.
2. Cette fois-ci, quand vous laissez un message, la standardiste comprend mal votre nom et vous devez le lui épeler. Elle a aussi de la difficulté à comprendre votre numéro de téléphone.
3. Cette fois-ci, le directeur général est dans son bureau. Vous essayez de le persuader d'enregistrer la musique de votre groupe rock.

SAVOIR~FAIRE

A parlons musique!

Exprimez vos opinions personnelles.

1. S'il est vrai que la musique reflète la société, quels sont les thèmes de la vie contemporaine qui se répètent dans la musique d'aujourd'hui?
2. Les jeunes d'aujourd'hui préfèrent écouter de la musique plutôt que de lire des journaux ou que de regarder les nouvelles à la télé.
3. Les jeunes d'aujourd'hui ne sont guère intéressés aux paroles d'une chanson, mais s'intéressent plutôt à la mélodie ou au rythme.
4. La plupart des groupes rock n'ont guère de talent, mais réussissent à captiver leurs spectateurs plutôt par leurs trucs, leurs costumes et leur apparence bizarre.
5. À part le fait que les vidéoclips à la télé rendent plus accessibles aux jeunes leurs idoles préférés, pourquoi ce genre de diffusion devient-il tellement populaire?
6. Il semble que la musique rock jouisse d'un nouveau regain de popularité depuis les années cinquante. Quelles en sont les raisons?
7. Il semble que les jeunes Nord-Américains aient choisi d'adopter certains groupes et certains chanteurs d'autres pays, surtout de la Grande-Bretagne. Pouvez-vous expliquer ce phénomène?
8. D'après les sociologues, la plupart des gens écoutent la musique pour se sentir mieux. Comment la musique a-t-elle la capacité d'améliorer notre humeur?
9. Pourquoi est-ce que la musique folklorique devient de plus en plus populaire dans tant de pays?
10. Il est évident que les jeunes d'aujourd'hui adorent la musique—pourvu qu'elle soit forte et démente! Qu'en pensez-vous?

B musique-mania!

Choisissez **vrai** ou **faux** pour chaque affirmation suivante pour déterminer l'influence de la musique sur votre vie. Après, la classe pourra discuter des résultats du questionnaire.

vrai ou faux?

1. Quand j'écoute une chanson, je n'écoute que la mélodie, le rythme.
2. Mes amis influencent mes préférences en musique.
3. Quand j'achète un disque, c'est parce que ce disque est populaire.
4. J'aime m'habiller (me coiffer, me maquiller) comme mes idoles.
5. Je juge une personne d'après ses goûts en musique.
6. Je ne vais pas à une boum pour danser, mais pour écouter la musique.
7. J'aime chanter sous la douche.
8. Je voudrais être une grande vedette musicale.
9. Mon choix en musique reflète ma personnalité.
10. Mon choix en musique irrite mes parents.

C «Québec by Night»

AVALANCHE. Trio de blues québécois. Bar Élite. Entrée libre.

BRUNO LEMAY. Guitariste et interprète de Brassens. Bar Univers.

CAMERATA BERN. Orchestre de chambre qui nous vient de Suisse et qui en est à sa première tournée en Amérique. Le hautboïste Maurice Bourque sera le soliste invité. Salle Octave-Crémazie du Grand Théâtre de Québec.

CLAUDE NOUGARO. Un des monstres de la chanson française… Une vraie légende. Nougaro, c'est le jazz, les blues, la samba chantés en français. Colisée de Québec.

DANIEL BIGRAS. Chanteur et guitariste folk interprétant Cat Stevens, Simon et Garfunkel, Neil Young, John Denver et Bob Dylan. Bar La Chapelle.

FERNAND GIGNAC. Il présente ses grands succès — des pièces du répertoire du *Ballroom Orchestra* — et des extraits de son dernier disque. Il est accompagné de dix musiciens et de trois choristes. Le Piano Bar, Château Frontenac.

FREEGAME. Rock commercial. Bar Privilège. Entrée libre.

GILLES GOSSELIN. Chansonnier folkloriste de la musique de chez nous qui affectionne particulièrement les boîtes à chansons. Bar La Relève.

JAZZART. Gilles Bernard au piano, Pierre Ménard au saxophone, Jean Cazes à la contrebasse. Agora du Cégep Limoilou.

JULIETTE GRÉCO. Cette grande dame de la chanson française revient à Québec après une longue absence. Accompagnée de cinq musiciens, elle vient nous interpréter Brel, Ferré et Prévert. Salle Louis-Fréchette du Grand Théâtre de Québec.

LINDA MORRISON. En plus de ses compositions, elle interprète des blues, du ragtime, du spiritual et du folk. Bar Les Nuits du Nord.

MOZART…, CHER MOZART. Des instrumentistes de Québec vous feront partager le merveilleux de l'univers mozartien. Au Grand Théâtre de Québec.

PROTÉUS. Groupe de jazz de l'université Laval. Bar Ainsi Soit-il.

ROBERT CHARLEBOIS. Grande vedette québécoise qui a brassé le Québec comme pas un artiste ne l'avait fait avant lui. Quatre nominations dans différentes catégories pour le Gala de l'ADISQ. Salle Albert-Rousseau.

SACRÉ BLUES. Bob Walsh vous interprète les blues sacrés. Bar le 1123.

1. Quel genre de musique présente le groupe *Camerata Bern*? Quelle sorte de groupe est-ce? D'où vient-il?
2. Quel chanteur est surnommé «un des monstres de la chanson française»? Pourquoi?
3. Quel chanteur interprète la musique de Georges Brassens? De quel instrument joue-t-il? Qui était Georges Brassens?
4. Comment s'appelle le chanteur québécois qui interprète la musique folklorique de plusieurs chanteurs célèbres américains?
5. Linda Morrison semble être une véritable virtuose de la chanson. Expliquez.
6. Si vous vouliez écouter du jazz, où pourriez-vous aller? Quels groupes écouteriez-vous?
7. Au Bar le 1123, Bob Walsh interprète les blues sacrés. Quel genre de musique est-ce?
8. Qui est Juliette Gréco? D'où vient-elle? Quels grands compositeurs-chanteurs interprète-t-elle?
9. Qui présente son répertoire du *Ballroom Orchestra*? De qui est-il accompagné?
10. Où iriez-vous pour écouter du rock? Comment s'appelle le groupe? Combien faut-il payer pour écouter ce groupe?
11. Quel chansonnier interprète la musique folklorique québécoise? D'habitude, où chante-t-il?
12. Quel groupe québécois interprète les blues?
13. Où iriez-vous pour assister à un concert de Mozart? Qui était Mozart? Qui interprète sa musique dans ce concert?
14. De quels instruments jouent les musiciens du groupe *Jazzart*?
15. Quelle grande vedette québécoise a quatre nominations dans différentes catégories pour le Gala de l'ADISQ? Qu'est-ce que c'est que l'ADISQ?

 je compose

Vous êtes publiciste pour un groupe musical qui donnera bientôt un concert dans une grande ville. Préparez une annonce publicitaire. N'oubliez pas de mentionner: le nom du groupe, le genre de musique, les derniers succès du groupe, la date, l'heure, le lieu du concert, le prix d'entrée et tout autre détail important.

E les situations

Avec un partenaire, faites des dialogues basés sur les situations suivantes.

1. Vous êtes animateur/animatrice à la station de radio CVLF et vous interviewez la célèbre vedette québécoise Diane Dufresne. Vous discutez de l'immense popularité d'Elvis Presley.
2. Vous discutez de la musique avec un de vos parents qui affirme que la musique d'autrefois était meilleure que la musique d'aujourd'hui.
3. Vous interviewez Paul McCartney au sujet de la popularité phénoménale des *Beatles*.
4. Mozart et Beethoven comparent leur musique à la musique d'aujourd'hui.

«Écoutez la chanson bien douce
Qui ne pleure que pour vous plaire.
Elle est discrète, elle est légère:
Un frisson d'eau sur de la mousse.»
Paul Verlaine. *Sagesse.*

QUE SAIS-JE ?

unités 3 et 4

- l'emploi du subjonctif avec les expressions de doute, d'émotion; avec certaines conjonctions; avec les expressions négatives **ne...rien, ne...personne**
- les verbes **boire** et **recevoir**
- la formation du passé du subjonctif
- le subjonctif/l'infinitif: contrastes et emplois

A les associations

Quelles idées vont ensemble?

1. **un salaire**
2. des classes
3. un téléviseur
4. un sport nautique
5. une usine
6. un château
7. une bicyclette
8. un cheval
9. un pique-nique
10. des voitures
11. un million
12. le jazz
13. un souvenir
14. le bricolage
15. une église

une émission
une habitation royale
un embouteillage
la campagne
un emploi du temps
la musique
le passé
l'argent
un passe-temps
des produits
l'équitation
la religion
la plongée sous-marine
un nombre
le cyclisme

B les équivalents

Donnez un synonyme pour chaque expression.

1. célèbre
2. une chanson
3. un embouteillage
4. le plus mauvais
5. commencer à
6. quand
7. content
8. pendant
9. de temps en temps
10. une sorte
11. aimer mieux
12. afin que
13. certain
14. surpris
15. bien que
16. il est nécessaire

C les listes

Faites une liste de mots pour chaque catégorie.

1. les sports nautiques: le canotage, la natation, ...
2. les sports en plein air
3. les bâtiments
4. les genres de musique
5. les distractions

voilà mon opinion!

Exprimez une opinion personnelle pour chacune des idées suivantes. Utilisez **je doute que, il n'est pas vrai que, il est possible que** ou **je suis content(e) que**.

1. Nous avons un test aujourd'hui.

   ▶ **Je doute que**
   ▶ **Il n'est pas vrai que** ⎱ **nous ayons un test**
   ▶ **Il est possible que** ⎰ **aujourd'hui.**
   ▶ **Je suis content(e) que**

2. Il fait beau aujourd'hui.
3. Les jeunes ont trop de temps libre.
4. On offre un cours de vol delta à mon école.
5. Le country et western devient très populaire parmi les jeunes.
6. Tous les étudiants veulent suivre un cours de langues.
7. Aucun étudiant ne reçoit zéro en français.
8. La plupart des jeunes savent ce qu'ils feront à l'avenir.
9. Le prof de français n'est jamais absent.
10. Tout le monde comprend le subjonctif.

les substitutions

Remplacez le verbe **en caractères gras** par les verbes entre parenthèses.

1. Je doute qu'il **finisse** tout ça. (comprendre, faire, recevoir, savoir)
2. Il est content qu'elles **rentrent** bientôt. (arriver, venir, sortir, partir)
3. On ne croit pas que vous **mangiez** trop. (parler, boire, acheter, vouloir)
4. Penses-tu qu'ils **aiment** parler français? (avoir envie de, être contents de, savoir, devoir)
5. Je ne partirai pas avant que tu **arrives**. (partir, finir, répondre, revenir)

6. Ils sont fâchés que nous ne nous **levions** pas. (se débrouiller, se réveiller, s'asseoir, se dépêcher)
7. N'y a-t-il personne que vous **aimiez**? (connaître, aider, croire, comprendre)
8. Ils attendent que j'y **pense**. (aller, s'inscrire, réussir, réfléchir)

c'est le passé!

Mettez les verbes indiqués au passé du subjonctif.

1. J'aurai voulu qu'ils m'(aider).
2. Il n'y a personne qui (rentrer) avant minuit.
3. Était-il nécessaire qu'on (s'occuper) de tout ça?
4. Je ne crois pas qu'elle (recevoir) une lettre de Marcel.
5. Nous regrettons que vous (ne pas pouvoir) nous accompagner.
6. Il ne pense pas qu'ils (considérer) tous les faits.
7. Êtes-vous surpris qu'elle (se mettre) à chanter?
8. Ils doutent que nous (faire) du vol delta.
9. C'est dommage que vous (tomber) du cheval.
10. Ils sont partis avant que nous (arriver).

G c'est regrettable!

Répondez à chaque question à la négative et remplacez les mots **en caractères gras** par le pronom convenable. Utilisez l'expression **je regrette que**.

1. Êtes-vous allés **à la campagne**?
   ▶ **Non, je regrette que nous n'y soyons pas allés.**
2. Ont-ils fait **des exercices aérobiques**?
3. A-t-elle vu **les châteaux de la Loire**?
4. As-tu reçu **la meilleure note en géographie**?
5. Sont-ils entrés **dans cette église**?
6. Se sont-ils inscrits **au cours d'informatique**?
7. Est-ce que l'émission a diverti **vos copains**?
8. Se sont-elles souvenues **de ton nom**?
9. A-t-il demandé **de l'argent à ses parents**?
10. S'est-elle intéressée **à l'haltérophilie**?
11. A-t-il donné **mon numéro à Claudine**?
12. Vous êtes-vous rencontrés **au café** hier?

H les grandes décisions

Mettez le verbe indiqué au passé composé de l'indicatif ou au passé du subjonctif, selon le cas.

1. Nous sommes désolés qu'ils (perdre) le match.
2. Est-il vrai que vous (s'ennuyer) au concert?
3. Il est probable qu'elles y (aller) avec Pierrette.
4. Elles sont arrivées après que nous (partir).
5. Pourvu que Roger (ne pas voir) ce film, nous irons le voir.
6. Je ne doute pas que tu (vouloir) faire de l'équitation.
7. Il est évident que vous (s'amuser).
8. J'aurais préféré que vous (téléphoner) avant de venir chez moi.
9. Nous espérons que ta soeur (se débrouiller) à l'école.
10. Je n'ai rien dit qu'ils (ne pas comprendre).

I les options

Utilisez un infinitif pour exprimer les idées suivantes.

1. Je souhaite que je le voie ce soir.
   ▶ **Je souhaite le voir ce soir.**
2. Il permet que nous sortions en voiture.
3. Il faut qu'on s'inscrive à au moins un cours de sciences.
4. Il est important qu'on soit les premiers à arriver.
5. Je suis content que j'aie tant d'amis.
6. Elles regrettent qu'elles n'y aillent pas.
7. Doutez-vous que vous sachiez toutes les réponses?
8. Je leur dirai au revoir avant que je sorte.
9. Crois-tu que tu aies raison?
10. C'est dommage qu'on parte si tôt.

J de l'anglais au français

1. Do you want to go windsurfing?
2. I'm not afraid of falling.
3. Is it true they went on a picnic yesterday?
4. There isn't anything he wants to do.
5. Are you surprised we like horseback riding?
6. Although we didn't like the movie, we had a good time.
7. It's very important to have a pastime.
8. Wait here until I return.
9. I doubt that he understands everything.
10. I'm not going to go there unless you come with me.
11. He's sorry that all the old songs are disappearing.
12. Did you ask them to sing my favourite song?
13. Do you believe you now know everything about the subjunctive?

LE MAGAZINE DES JEUNES

VARIÉTÉS

LE TOUR DE FRANCE

De Paris à la province **154**
La Bretagne: française ou bretonne? **160**
Reflets de la France **162**
«Made in France» **164**
France étonnante: une raison de vivre, *Georges Duhamel* **165**

NUMÉRO CINQ

DE PARIS
À LA
PROVINCE

Comment imagine-t-on la France? C'est Paris? La tour Eiffel peut-être? C'est cela bien sûr, mais ce n'est pas tout.

À vrai dire, c'est en province, loin du tohu-bohu de la capitale qu'on découvre souvent la vraie France. En effet, il y a deux Frances — Paris et la province. Paris, c'est le centre administratif et culturel, à l'avant-garde de tout. C'est la vedette du show, pour ainsi dire. Mais c'est la province qu'il faut examiner pour bien saisir la richesse et la variété de ce pays.

La France est un pays de contrastes géographiques. On y trouve cinq chaînes de montagnes — les Pyrénées, le Massif Central, les Alpes, le Jura et les Vosges. Il y a aussi de nombreuses rivières et cinq fleuves importants — la Seine, la Loire, le Rhin, le Rhône et la Garonne. De plus, la France est un pays maritime, bordé par la Manche, l'océan Atlantique et la mer Méditerranée. Mais, en fin de compte, ce sont les plaines fertiles qui constituent à peu près deux tiers de la superficie du pays.

La France est également un pays de contrastes climatiques, avec au nord un climat plus frais et pluvieux et au sud un climat plus chaud et sec. Donc, il y a non seulement ce contraste Paris/province, mais aussi le contraste entre la France du nord, où le climat, la campagne et le mode de vie nous rappellent l'Angleterre, et la France du sud, qui nous rappelle l'Italie ou l'Espagne.

Il est évident que cette diversité géographique et climatique devait produire des régions ou des provinces distinctes. Chaque province a, en effet, ses caractéristiques individuelles, bien évidentes au premier coup d'oeil dans l'architecture typique de ses villes et de ses villages. Les villages de Bretagne à l'ouest, par exemple, ne ressemblent pas du tout aux villages d'Alsace à l'est.

Le folklore change également de région en région; chacune a son costume, ses chansons, ses danses et ses traditions populaires. Les gens y sont différents aussi. Par exemple, ils ne parlent pas de la même façon. On reconnaît en effet un Breton ou un Alsacien à son accent. Et qu'il est bon d'entendre un Marseillais avec son accent du Midi! Mais le Parisien, bien sûr, insiste que lui, il n'a pas d'accent du tout!

154

On retrouve aussi des contrastes dans les spécialités gastronomiques — une diversité de produits si vaste qu'elle a inspiré Charles de Gaulle à dire: «Comment peut-on gouverner un pays qui produit 350 fromages différents?» Il faisait bien sûr allusion à l'individualisme extrême du Français qui se vante toujours du «petit vin» ou du fromage tout à fait unique «du pays», c'est-à-dire de sa région.

Et c'est de cette diversité, de cette variété que les Français ont formé leur personnalité. Ils sont en effet individualistes jusqu'au bout des ongles — ils aiment faire les choses à leur façon, selon leur goût particulier, selon leur méthode bien à eux. Et ce n'est pas à Paris qu'ils ont forgé ce trait de caractère, mais dans les provinces — dans les fins fonds des provinces.

vocabulaire

masculin

un climat	climate
l'est	east
un fleuve*	river
un goût	taste
le mode de vie	way of life
le Midi	south of France
le nord	north
un océan	ocean
l'ouest	west
le sud	south

féminin

la Belgique	Belgium
une chaîne de montagnes	mountain range
l'Espagne	Spain
une façon	way
une frontière	frontier
une mer	sea
une province	province
une rivière†	river
une spécialité	specialty

verbes

découvrir‡	to discover
produire§	to produce
se vanter (de qqch.)	to brag about

adjectifs

géographique	geographic, geographical
particulier, particulière	particular, specific
pluvieux, pluvieuse	rainy
sec, sèche	dry
typique	typical

pronoms

tout	all
chacun, chacune	each

préposition

à peu près	almost, nearly

expressions

à vrai dire	to tell the truth
au premier coup d'oeil	at first glance
c'est-à-dire	that is to say, for example
de plus	moreover
donc	therefore
pas du tout	not at all
tout à fait	completely

* Un fleuve se jette directement dans la mer.
† Une rivière se jette dans un fleuve, dans un lac ou dans une autre rivière.
‡ se conjugue comme **ouvrir**.
§ se conjugue comme **conduire**.

langue vivante

Jusqu'à la révolution, la France
était divisée en «provinces». Bien
que ces anciennes provinces ne soient
plus des divisions administratives, on
utilise toujours leurs noms pour
désigner les différentes régions du
pays.

1. Flandre
2. Artois
3. Picardie
4. Normandie
5. Île-de-France
6. Champagne
7. Lorraine
8. Alsace
9. Franche-Comté
10. Savoie
11. Orléanais
12. Maine
13. Bretagne
14. Anjou
15. Touraine
16. Poitou
17. Berry
18. Nivernais
19. Bourgogne
20. Bourbonnais
21. Marche
22. Limousin
23. Aunis
24. Saintonge
25. Angoumois
26. Guyenne et Gascogne
27. Béarn
28. C^{té} de Foix
29. Roussillon
30. Languedoc
31. Auvergne
32. Lyonnais
33. Comtat Venaissin
34. Provence
35. C^{té} de Nice
36. Dauphiné

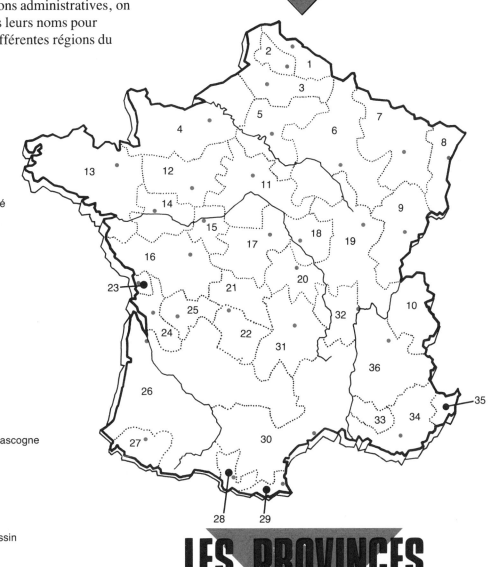

LES PROVINCES

le bon usage

EACH, ALL, EVERY

1. **chaque** (adjectif): *each, every*
   Chaque fois que je le vois, il est en train de faire du jogging.
   On a donné un prix à chaque participant.

2. **chacun(e)** (pronom): *each one, every one*
   Chacun son goût!
   Chacune des provinces de France a ses traditions.

3. **tout, toute, tous, toutes** (adjectifs): *all, every, whole, entire*
   Il mange tout le temps!
   Il a dansé toute la soirée.
   J'ai déjà lu tous ces livres.
   Toutes ces voitures coûtent cher.

attention!

tout le monde → *everyone*

4. **tout** (pronom): *all, everything*
   J'ai tout fini avant de partir.
   Il a tout compris.

5. **tous** (pronom): *all, everyone*
   Nous sommes tous contents de te revoir.
   Ils ont tous vu ce film.

attention!

pas du tout → *not at all*

en français, S.V.P.!

1. Every one of his records is a big success.
2. They are all late.
3. He sings all the time.
4. The entire family came to the party.
5. Did you finish everything?
6. I have seen all their concerts.
7. Are they all angry? Not at all!
8. We did the whole exercise.
9. Everyone likes him.
10. Did you all go out last night?

ABOUT

1. **de** (préposition)
   De quoi ont-ils parlé?
   Que penses-tu de ça?/Qu'en penses-tu?

2. **il s'agit de** (expression impersonnelle): *it's about …*
   – C'est un film sensass!
   – Ah oui? De quoi s'agit-il?
   – Il s'agit d'un type qui a volé un million de dollars.

3. **vers** (préposition) + une expression de temps
   Je suis rentré vers minuit.

4. **environ/à peu près** (adverbes) + un nombre:
   Il nous reste environ (à peu près) cinq minutes.
   Il y avait environ (à peu près) dix personnes à la party.

attention!

environ/à peu près dix
ou **une dizaine de** ⟶ *about 10*

environ/à peu près quinze
ou **une quinzaine de** ⟶ *about 15*

environ/à peu près vingt
ou **une vingtaine de** ⟶ *about 20*

environ/à peu près cent
ou **une centaine de** ⟶ *about 100*

en français, S.V.P.!

1. What's it about?
2. About how many records do you have?
3. He left about two o'clock.
4. What are you talking about?
5. There were about a hundred people at the game.
6. She lost about a thousand dollars.
7. What are they bragging about?
8. Let's leave about six o'clock.
9. What do you think about that?
10. What a great story! It's about a trip to Mars.

les mots-clefs

vocascope

Choisissez le terme qui correspond le mieux à la définition. Comptez un point pour chaque bonne réponse.

1. Cours d'eau qui se jette directement dans la mer:
   A une rivière   B un fleuve   C un lac
2. Le Sud de la France:
   A le Midi   B la Manche   C la Méditerranée
3. Ligne qui sépare un pays d'un autre pays:
   A une ligne Maginot   B une ligne aérienne
   C une frontière
4. Ensemble de conditions atmosphériques:
   A l'économie   B la topographie   C le climat
5. Chaîne de montagnes entre la France et l'Espagne:
   A les Vosges   B les Pyrénées   C les Alpes
6. Adjectif qui décrit le climat du désert:
   A pluvieux   B tropical   C sec
7. Pays qui n'a pas de frontière avec la France:
   A la Suisse   B la Grèce   C l'Italie
8. Masse d'eau située à l'ouest de la France:
   A l'océan Atlantique   B l'océan Pacifique
   C la Méditerranée
9. Action d'exagérer ses propres mérites:
   A se maquiller   B se débrouiller
   C se vanter
10. Un regard ou un examen rapide:
    A un coup d'oeil   B un coup de main
    C un coup de soleil

le jeu des mots

En français, les noms qui se terminent en **-té** sont féminins. Un groupe de ces noms qui se terminent en **-ité** correspond à un groupe de noms anglais qui se terminent en **-ity**.

la diver**sité** → diver**sity**

Quels noms français correspondent aux noms anglais suivants?

1. compatibility
2. curiosity
3. facility
4. frugality
5. capacity
6. inhumanity
7. nationality
8. originality
9. stupidity
10. validity
11. versatility
12. tranquillity
13. majority
14. vitality
15. quality

Un groupe d'adjectifs en **-e** est dérivé des noms en **-ité**.

l'énorm**ité** → énorm**e**

Quels adjectifs sont dérivés des noms suivants?

1. la férocité
2. la fragilité
3. la frivolité
4. l'humidité
5. l'immensité
6. la médiocrité
7. la perplexité
8. la fertilité
9. la rapidité
10. la rigidité
11. la versatilité
12. la frivolité
13. la sénilité
14. la timidité
15. la validité

LA BRETAGNE
française ou bretonne?

Quoique de nombreux développements aient changé son visage au cours des trois dernières décennies, la France reste toujours un pays très centralisé où Paris règne suprême. La radio et la télévision, par exemple, reflètent plutôt une France parisienne qu'une France multi-régionale. Néanmoins, certaines provinces restent marquées par leur passé; et de ce fait, elles gardent leur identité et leur personnalité.

C'est en particulier le cas de la Bretagne. Cette province, qui avait toujours été un duché autonome, est devenue française en 1491. Cependant, elle est restée une région isolée, traitée trop souvent par les autres Français en parent pauvre. Cet isolement géographique, politique et économique explique pourquoi l'identité bretonne a continué à s'affirmer aux cours des siècles. C'est aussi à cause de cet isolement qu'elle a gardé ses coutumes, son folklore et sa langue.

Un sentiment d'orgueil, allié souvent à un sentiment d'infériorité vis-à-vis des Parisiens, renforce le patriotisme que les Bretons ressentent envers leur province. Ces sentiments, d'ailleurs, ont donné naissance à un mouvement d'indépendance qui s'affirme par des protestations parfois pacifistes, parfois violentes contre le gouvernement central.

Mais cette fierté, ce désir de garder son identité, s'exprime surtout, il faut le dire, au niveau culturel. En effet, il y a en Bretagne un mouvement de plus en plus marqué parmi les gens en faveur de retrouver leur identité bretonne. Chaque année, par exemple, un nombre croissant de lycéens choisissent d'étudier le breton, une langue celtique apparentée au gallois et à l'irlandais.

En fait, ce sont ces jeunes qui permettent d'entrevoir une France nouvelle, moins centralisée. Une France où chaque région peut s'affirmer en faisant vivre sa culture, sa langue, sa littérature. Une France où le folklore n'est plus un spectacle à usage commercial et touristique, mais l'expression authentique de coutumes et de traditions.

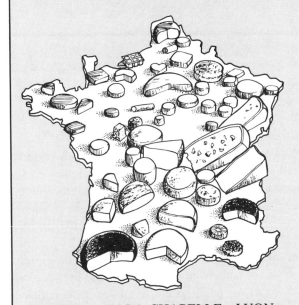
161

reflets
de la france

Variétés a interviewé des Français de différentes provinces pour savoir ce qu'ils considéraient être les qualités et les défauts des gens de leur région.

Paul Polka

19 ans, étudiant à Paris

Bof, les Parisiens, vous savez, ils sont tous râleurs. Toujours à se plaindre, toujours à critiquer. Ils ne sont jamais contents, jamais satisfaits. Et moi, franchement, ça m'exaspère! J'en ai marre de les entendre! Et jamais une bonne chose à dire sur les autres. Et ils ne sont pas aimables, hein? «Forget it!» comme disent les Anglais. Et puis, vous, avec votre interview, vous m'embêtez! J'ai autre chose à faire, moi! Vous pensez que je peux passer tout mon temps à vous parler? Mais vous n'y êtes pas! Et vous vous permettez d'embêter les gens comme ça? Mais, ça va pas la tête!

Paulette Pagnole

36 ans, propriétaire d'un café-restaurant à Marseille

Ah, les Marseillais, je les connais bien moi, monsieur. Écoutez-moi bien: ce sont les Français les plus sympathiques! Ils sont joyeux au possible — toujours à rire, toujours à raconter des blagues. Oh, ils exagèrent un peu de temps en temps, mais c'est inoffensif, vous savez. C'est surtout les autres Français qui disent que nous sommes vantards. Ils sont jaloux, bien sûr! Au fait, vous voulez goûter à ma bouillabaisse, monsieur? C'est la meilleure de tout Marseille, garanti!

Éloïse Lamartine

83 ans, veuve à Vichy

À Vichy, voyez-vous, nous sommes en Auvergne, en plein centre de la France. Et moi, je n'ai jamais quitté le pays. Et puis, je n'aurais jamais voulu, mais absolument jamais! Au fait, jeune homme, c'était quoi votre question? … Ah, oui, je m'en souviens maintenant: les qualités et les défauts des gens de mon pays. Ah! Il faut dire qu'ils sont têtus. Ce qu'on a dans la tête, on l'a pas ailleurs! Vous me comprenez, n'est-ce pas, jeune homme? Et on est économe; oui, ça on l'est! Et on en est fier! Tenez, est-ce que vous savez pourquoi je n'ai jamais quitté mon Auvergne? Vous ne savez pas? Vous n'avez pas inventé la poudre à canon, vous, en tout cas! Eh bien, je vais vous l'épeler. C'est parce que ça coûte trop cher. Voilà!

Germain Schmidt

43 ans, ingénieur à Strasbourg

Je zuis content de fous parler! Ah, je vous taquine, je parlais avec l'accent du pays. L'Alsace fait frontière avec l'Allemagne et la plupart des gens d'ici parlent alsacien, qui est un dialecte allemand. Mais pour répondre à votre question; je pense que les autres Français nous considèrent trop travailleurs. Je ne vois pas pourquoi. Vous voyez, moi, par exemple, je suis ingénieur. De jour, c'est mon travail. Le soir, je suis moniteur de natation au club athlétique. Le week-end, je travaille sur ma ferme. Et mon horaire, ce n'est rien à côté de l'horaire de ma femme, qui s'appelle, heu … heu … qui s'appelle, heu … Oui, enfin, elle, elle travaille encore plus que moi!

"MADE IN FRANCE"

Pendant des siècles, la France s'est contentée d'être surtout un pays agricole; elle était capable de subvenir à la plupart des besoins alimentaires de sa population. Assurée du nécessaire, elle produisait volontiers le superflu qu'elle pouvait exporter. Parmi ces produits, tout le monde a sans doute entendu parler des vins français, de la cuisine française et certainement de la mode française.

En effet, l'étiquette «Made in France» semble promettre une qualité supérieure, une individualité particulière, un certain «Je ne sais quoi». Voilà ce qui fait le charme des produits «de luxe», minutieusement perfectionnés par la main humaine — et ceci en dépit du progrès de l'industrialisation et de la modernisation.

L'artisan a encore sa place, les traditions artisanales demeurent. En fait, il est surprenant qu'aujourd'hui autant de travail, autant d'étapes précises et complexes soient essentiels à la préparation des produits de qualité. Et si les Français ont adopté parfois des méthodes plus modernes, ils ont gardé quand même le souci de la qualité.

La fabrication des parfums français, par exemple, illustre bien cette recherche de la qualité: ils sont probablement les seuls au monde qui soient encore à base d'essence naturelle de fleurs. Le centre de l'industrie des parfums se trouve à Grasse, en Provence. Cette petite ville est entourée de champs de roses, de lavande, de violettes et de jasmin. La récolte des pétales de rose doit se faire à l'aube, quand la rosée recouvre encore les fleurs.

Chaque matin, les fermiers apportent de grands paniers de pétales aux nombreuses distilleries de Grasse où va suivre un processus délicat pour obtenir des essences pures. Ces essences, bien sûr, sont trop concentrées; il faut donc les mélanger d'alcool pour en faire des eaux de Cologne, des eaux de toilette et des parfums.

La fabrication du fromage de Roquefort montre également cette recherche de la qualité. Pour obtenir ce fromage, on laisse agir un ferment, le *penicillium roqueforti*, sur du caillé de lait de brebis. Cette opération dure plus d'un mois et doit s'accomplir dans les grottes de la montagne qui domine le village de Roquefort. Ces grottes offrent les conditions essentielles: humidité, température et ventilation constantes. Aucun autre endroit au monde ne fournit les conditions exactes nécessaires à la production d'un Roquefort authentique.

On ne doit pas oublier non plus le goûteur de fromage. Lui aussi est indispensable à la fabrication d'un vrai Roquefort. Il faut que ce personnage au nez plein d'expérience examine chaque fromage pour en vérifier la couleur, la consistance, l'odeur et le goût. N'est-ce pas ici encore une preuve de la nécessité du contrôle humain sur la nature, même là où les conditions sont parfaites?

En fin de compte, les parfums et les fromages sont deux produits bien différents. Mais pour les Français, tous les deux nécessitent le même souci des traditions et le même souci de la qualité.

GEORGES DUHAMEL

Né à Paris en 1884, Georges Duhamel connut une carrière très variée. Devenu médecin en 1909, il s'intéressa aussi au théâtre et à la musique et il commença à écrire de la poésie, des pièces de théâtre et de la critique littéraire.

Après 1920, il décida de consacrer sa vie à la littérature et écrivit surtout des romans. Sa réputation repose surtout sur deux séries de romans, *Vie et aventures de Salavin* en cinq volumes (1920-1932) et *La chronique des Pasquier* en dix volumes (1933-1944). Membre de l'Académie française en 1935, il voyagea beaucoup et écrivit des livres sur le Japon, la Turquie et Israël. Il mourut à Valmondais, près de Paris, en 1966.

FRANCE ÉTONNANTE
UNE RAISON DE VIVRE

Il y a plusieurs façons de connaître un pays et les habitants de ce pays. Pendant les premières années du siècle, alors que la mécanique n'était pas encore la reine toute-puissante de nos sociétés, j'ai fait partie d'un petit groupe d'amis qui trouvaient leur plaisir à marcher, sac au dos et canne en main, à travers les monts et les plaines. J'ai parcouru de cette manière une grande partie de l'Europe, et j'ai d'abord visité ma patrie. Je l'ai trouvée magnifique et plaisante. Les joies que j'ai goûtées grâce à cette découverte, elles demeurent dans mon souvenir, comme un pur et miraculeux refuge, à l'heure de la tristesse ou de l'anxiété. N'est-il pas admirable de trouver, pour un territoire dont la traversée n'excède guère un millier de kilomètres, et non d'ailleurs dans tous les sens, de trouver la plaine et la montagne, la mer et les grands lacs, l'olivier et le sapin, le palmier et le hêtre, la vigne et le houblon? Quelle ivresse, pour de jeunes hommes, de saluer toutes ces merveilles et de leur rendre hommage!

J'ai poursuivi cette exploration par le chemin de fer, avec l'auto et même en avion, au hasard de mes voyages. C'est du haut du ciel que j'ai compris en quoi ma patrie est unique et irremplaçable. La géographie de la France, pour le voyageur aérien, est merveilleusement intelligible, ce que l'on ne saurait dire de beaucoup d'autres pays. Le caractère parcellaire des cultures fait apparaître, au regard de l'observateur, l'individualisme foncier du peuple. Les routes sont bien dessinées, doublées, en maintes régions, par les luisantes voies de fer. Les canaux relient des régions que les montagnes semblaient séparer sévèrement. Les aérodromes sont innombrables. Chaque bourg a son église, son château, ses monuments. Les villes anciennes ont une forme et, sous cette forme, on devine une âme. Tout l'extraordinaire tableau raconte une longue, longue histoire humaine qui se prolonge dans la quatrième dimension de l'univers, dans le temps, depuis au moins vingt siècles.

Telle est cette France étonnante, toujours admirée, toujours convoitée, toujours menacée, vingt fois en péril de mort et vingt fois sauvée par miracle. Telle est cette France paradoxale et raisonnable, sans laquelle, osons l'affirmer, le monde humain serait soudain très pauvre, soudain dessaisi d'une belle justification et, surtout, d'une raison de vivre.

VOYAGES EN PROVINCE

Chenonceaux

L'agence **TOURS DE FRANCE** vous invite à bord d'un autocar de luxe à la recherche de la vraie France —la province! Venez découvrir les diverses richesses du pays!

«TOUR MISTRAL»:
les délices de la Côte d'Azur — son climat ensoleillé, ses plages, ses festivals

«TOUR ARTISANAT»:
Limoges et ses porcelaines, Aubusson et ses tapisseries

«TOUR VENT DU LARGE»:
les ports de pêche et les plages de sable de la Normandie et de la Bretagne

«TOUR JARDIN DES ROIS»:
visite des plus magnifiques châteaux de la Loire

«TOUR BONNE CHÈRE»:
les vins et la gastronomie réputés de la Bourgogne

Pour de plus amples renseignements, adressez-vous à un de nos bureaux:
Paris • Lyon • Marseille • Montpellier • Lille • Nancy • Besançon.

Vous aussi, vous le direz: un tour de France, ça vaut un détour!

CONCOURS-FRANCE

Connaissez-vous la France?

Variétés annonce un concours littéraire pour les étudiants de 14 à 19 ans.

1er prix — trois semaines en France, tous frais payés

2e prix — magnétoscope, téléviseur, caméra

3e prix — vélo à dix vitesses

Tout étudiant doit soumettre une composition de 150 à 200 mots sur un des sujets suivants:

1. La France: pays de contrastes géographiques
2. La France: pays de tourisme par excellence
3. La France: pays de la gastronomie
4. Les provinces de France: individualisme et diversité

LE TOUR DE FRANCE

GUIDE FRANCE

Variétés vous demande de contribuer à un guide sur les diverses régions de la France. Choisissez une des régions sur la carte à la page 157. Faites des recherches, puis mentionnez quelques détails saillants sous les rubriques suivantes:

la situation géographique

la capitale

les villes principales

la topographie

le climat

la population

les attraits touristiques

produits agricoles principaux

produits industriels principaux

Snack-France!

Malgré l'invasion du hamburger américain partout dans le monde, la France, elle, semble rester fidèle à ses vieilles traditions. D'après un sondage récent, c'est le croque-monsieur qui domine, qui demeure toujours le roi du fast-food. Suite à de nombreuses demandes de nos lecteurs d'outre-mer, *Variétés* vous offre le secret du parfait croque-monsieur tel que révélé par Jean Bonpain, propriétaire du célèbre snack-bar *Au Croquodile*.

Un croque-monsieur

ingrédients

2 tranches de pain
1 tranche de jambon
3 tranches de fromage gruyère
1 cuillerée à soupe de beurre

1. Préchauffer le four à 180°C (350°F).
2. Mettre le jambon sur une tranche de pain.
3. Mettre une tranche de gruyère sur le jambon.
4. Recouvrir avec une seconde tranche de pain.
5. Faire fondre le beurre dans une poêle.
6. Mettre le croque-monsieur dans la poêle.
7. Faire cuire chaque côté 3 à 4 minutes.
8. Mettre le croque-monsieur sur un plat allant au four.
9. Mettre deux tranches de gruyère sur le croque-monsieur.
10. Faire cuire au four 5 minutes.

Bon appétit!

NOS LECTEURS NOUS écrivent

Cher éditeur,
Dites, votre numéro sur la chanson française et québécoise — pas mal! Mais vous n'avez pas assez parlé de la musique rock, qui est en fait la musique la plus vendue soit en France soit au Québec. Et ce n'est pas seulement de la musique rock importée d'Angleterre ou des É.-U., mais une musique et des chansons originales qui n'ont rien à envier au meilleur du rock anglo-américain. Voilà! Je voulais simplement vous signaler ça.

D. Générez

[Vous avez raison, mais notre numéro spécial était sur la chanson, pas seulement sur la musique pop contemporaine.]

Cuisine provençale authentique.

Dînez dans une de nos trois salles ou à la terrasse à
l'ombre des palmiers.

Nos spécialités:
Bouillabaisse «Les Palmiers»
Brochette de moules «BB»
Crevettes Monte-Carlo
Homard Sharif

Sur le quai du Vieux Port
propriétaire et chef de cuisine: Marius Gambetta
cartes de crédit: France-Express, Passepartout,
Clé d'or, Bancoroute

Le rendez-vous des gourmets à St-Tropez.

je me souviens!

les pronoms objets

a) l'ordre des pronoms

(1)	(2)	(3)	(4)	(5)
me (m')	le (l')	lui	y	en
te (t')	la (l')	leur		
se (s')	les			
nous				
vous				
se (s')				

à l'affirmative

Il **le lui** donne.

Il **le lui** a donné

à l'interrogatif

Le lui donne-t-il?

Le lui a-t-il donné?

à l'impératif
(à l'affirmative)

Donne-**le-lui**.*

Donne-**le-moi**.†

à la négative

Il ne **le lui** donne pas.

Il ne **le lui** a pas donné.

avec un infinitif

Il va **le lui** donner.

Il ne va pas **le lui** donner.

à l'impératif
(à la négative)

Ne **le lui** donne pas.

Ne **me le** donne pas.

* L'ordre des pronoms à l'impératif (à l'affirmative):

(1)	(2)	(3)	(4)
objet direct	objet indirect	y	en

† À la fin d'une phrase: me, te → moi, toi.

b) l'emploi des pronoms

On utilise un pronom si on ne veut pas répéter le nom.

Voilà le **numéro**! → **Le** voilà.

J'aurais invité **Luc**. → Je l'aurais invité.

Il avait donné le livre **à son ami** → Il **lui** avait donné le livre.

Aurais-tu parlé **à ces filles**? → **Leur** aurais-tu parlé?

Il va **à Paris**. → Il **y** va.

J'ai répondu **à la question**. → J'**y** ai répondu.

Il a mangé trop **de bonbons**. → Il **en** a trop mangé.

J'ai une **soeur**. → J'**en** ai une.

A les substitutions

Remplacez les mots **en caractères gras** par des pronoms.

1. Voici **les bureaux des fonctionnaires**.
2. Ils ne nous accompagneront pas **à Lyon**.
3. Nous nous servons souvent **de ces produits**.
4. Rappelez **les faits à Marc**.
5. Il faudra considérer **la meilleure option**.
6. Offre **des croissants à nos invités**.
7. Ils s'étaient bien amusés **chez les Meunier**.
8. Montre-moi **l'exemplaire de ce magazine**.
9. Avez-vous demandé **votre emploi du temps au conseiller**?
10. Ne pensez pas **à ses suggestions**.
11. Je vais acheter une douzaine **de petits pains à la boulangerie**.
12. Qui voudrait s'occuper **du dîner**?
13. Il raconte **son histoire aux professeurs**.
14. Je ne vous rapporterai pas **le journal**.
15. Il n'y avait pas **de miel** dans le frigo.
16. J'attendrai **mes amis devant le cinéma**.

OBSERVATIONS

objectifs

- les pronoms démonstratifs
- la formation du participe présent
- l'emploi du participe présent avec **en**
- **après** + l'infinitif passé
- **faire causatif**

contexte A

Deux amies font du shopping...

– Dis donc, elles sont jolies, ces blouses!

– Et pas chères, hein? Regarde celle-ci avec les manches courtes et le petit col carré. Que c'est mignon!

– Oh, et celle-là avec la dentelle devant! Je suis sûre que ton fiancé aimerait beaucoup ça!

– Oh, celui-là, ne m'en parle pas! Si je portais un sac de pommes de terre, il ne s'en apercevrait même pas!

– Ah, c'est dommage que parmi les hommes, ceux qui apprécient le goût des femmes ne soient pas toujours ceux qui apprécient les femmes de goût.

– Des fois, tu sais, tu me dépasses, tu me perds. Tu deviens trop philosophe.

– Oui, je le sais... Viens, allons t'acheter un sac de pommes de terre!

analyse 1 (contexte A)

■ les pronoms démonstratifs

Pour ne pas répéter un nom avec son adjectif démonstratif, on peut utiliser un pronom démonstratif.

	singulier	pluriel
masculin	celui *(the one)*	ceux *(the ones)*
	celui-ci *(this one)*	ceux-ci *(these)*
	celui-là *(that one)*	ceux-là *(those)*
féminin	celle *(the one)*	celles *(the ones)*
	celle-ci *(this one)*	celles-ci *(these)*
	celle-là *(that one)*	celles-là *(those)*

l'emploi des pronoms démonstratifs

a) avec **-ci** ou **-là**

– Achète-t-il ce parfum-ci ou ce parfum-là?

– Il achète **celui-ci**.

– Tu prends cette baguette-ci ou cette baguette-là?

– Je prends **celle-là**.

– Voulez-vous ces journaux-ci ou ces journaux-là?

– Nous voulons **ceux-ci**.

– Vous préférez ces fleurs-ci, madame?

– Non, monsieur, je préfère **celles-là**.

b) avec **de** pour exprimer la possession
   – C'est ton emploi du temps?
   – Non, c'est **celui de** Caroline.

   – Vous aimez votre nouvelle voiture?
   – Non, nous préférons **celle des** Levert.

   – Penses-tu que les villages du nord soient jolis?
   – Oui, mais pas aussi jolis que **ceux du** sud.

   – Est-ce que ses notes en français sont bonnes?
   – Oui, elles sont même meilleures que **celles de**
     l'étudiante française!

attention!
de + le → **du**
de + les → **des**

c) avec les pronoms relatifs **qui**, **que**, **dont**
   – Quel magazine as-tu choisi?
   – J'ai choisi **celui que** tu m'as recommandé.

   – Quelle usine ont-ils visitée?
   – Ils ont visité **celle qui** se trouve à Lyon.

   – Quels films a-t-il vus?
   – Il a vu **ceux dont** tu as parlé.

   – Quelles chansons a-t-elle aimées le plus?
   – Elle a aimé **celles que** Vigneault a interprétées.*

* attention à l'accord.

attention!
Celui, celle, ceux, celles sont toujours suivis de **-ci**, **-là**,
de la préposition **de** ou du pronom relatif **qui**, **que**, ou
dont. Si le pronom démonstratif n'a pas d'antécédent,
on utilise un pronom démonstratif neutre.

>   **ceci**   *this*
>   **cela (ça)** *that*

Je préfère **ceci** à **cela**.
Il ne comprend pas **ceci**.
Cela m'est égal.
Ça m'ennuie.

application

A le pronom démonstratif, S.V.P.!

1. cette banlieue-ci ▶ **celle-ci**
2. ce fait-ci
3. cet oeuf-là
4. ces téléviseurs-ci
5. ces parties-là
6. cet exemplaire-là
7. ces Parisiennes-ci
8. ces fonctionnaires-ci
9. cette rivière-là
10. ces océans-là

B un choix difficile!

1. un journal
   ▶ **Un journal, s'il vous plaît.**
   ▶ **Celui-ci ou celui-là?**
2. une bouteille de vin
3. des oeufs
4. des baguettes
5. une carte routière
6. un gâteau
7. une carte postale
8. des croissants
9. des pommes de terre
10. un magazine

C les possessions

1. C'est leur voiture? (les Dupont)
   ▶ **Non, c'est celle des Dupont.**
2. C'est le bureau de la sous-directrice? (le directeur)
3. Ce sont les photos de ta soeur? (mon frère)
4. Ce sont les motos des élèves? (les professeurs)
5. Ce sont les disques de Pierre? (Anne)
6. C'est ta guitare? (ma cousine)
7. C'est la Corvette du professeur? (l'étudiant)
8. C'est votre maison? (les Marchand)
9. C'est ton stéréo? (mes parents)
10. Ce sont vos livres? (nos copains)

D les préférences

1. Quels films préfères-tu? (drôles/sérieux)
   ▶ **Je préfère ceux qui sont drôles.**
   ou ▶ **Je préfère ceux qui sont sérieux.**
2. Quelle voiture préfères-tu? (rapide/économique)
3. Quelles villes préfères-tu? (historiques/industrielles)
4. Quel climat préfères-tu? (sec/pluvieux)
5. Quelle chanson préfères-tu? (populaire/traditionnelle)
6. Quels cours préfères-tu? (intéressants/pratiques)
7. Quel plat préfères-tu? (canadien/français)
8. Quelles langues préfères-tu? (utiles/faciles)

E les recommandations

Répondez à chaque question avec le pronom démonstratif convenable et le verbe **recommander**. Attention à l'accord.

1. Quelle spécialité a-t-elle choisie?
   ▶ **Celle que vous avez recommandée!**
2. Quels livres as-tu lus?
3. Quel parfum ont-elles acheté?
4. Quelles émissions avez-vous regardées?
5. Quels pays a-t-il visités?
6. Quels cours a-t-il suivis?
7. Quelle option a-t-elle considérée?
8. Quelles salades avez-vous servies?

F voilà!

Changez les mots **en caractères gras** à un pronom démonstratif.

1. De **quelle clef** se sert-on?
   ▶ **Voilà celle dont on se sert.**
2. De **quel livre** avez-vous besoin?
3. De **quels détails** s'occupe-t-elle?
4. De **quelles idées** profites-tu?
5. De **quel copain** se moque-t-il?
6. De **quelles adresses** vous souvenez-vous?
7. De **quelle composition** parlent-ils?
8. De **quel instrument de musique** joues-tu?

contexte B

Dans une salle de classe...

– Qu'est-ce qu'il a dit? Je n'ai pas compris.
– Il a dit que c'est en forgeant qu'on devient forgeron. C'est un proverbe.
– Et qu'est-ce que ça veut dire?
– Ça veut dire que c'est en travaillant, en pratiquant, qu'on maîtrise un métier ou une habileté.
– Ah, oui! On peut dire alors que c'est en écoutant bien qu'on arrive à mieux comprendre!
– C'est ça! Tu y es! Et c'est un bon conseil, ...surtout pour toi!

analyse 2 (contexte B)

■ la formation du participe présent

parler	nous parl**ons** → parl**ant**	*(speaking, talking)*
finir	nous finiss**ons** → finiss**ant**	*(finishing)*
vendre	nous vend**ons** → vend**ant**	*(selling)*

attention!

les verbes comme **manger**:

nous mang**eons** → mang**eant**

les verbes comme **commencer**:

nous commen**çons** → commen**çant**

attention!

Les verbes suivants ont un participe présent irrégulier.

avoir → **ayant**

être → **étant**

savoir → **sachant**

application

A je sais le participe présent!

Donnez le participe présent des verbes suivants.

1. considérer ▶ **considérant**

2. accomplir	9. annoncer
3. répondre	10. offrir
4. boire	11. faire
5. avoir	12. produire
6. songer	13. mettre
7. mentir	14. aller
8. être	15. savoir

analyse 3 (contexte B)

■ l'emploi du participe présent avec *en*

D'habitude, le participe présent s'emploie après la préposition **en** *(while, on, by)*.

Marcel chante **en prenant** sa douche.

C'est **en partant** qu'ils ont vu l'accident.

En écoutant le prof, vous apprendrez plus.

C'est **en travaillant** qu'on réussit.

attention!

descendre en courant	*to run down*
entrer en courant	*to run in(to)*
monter en courant	*to run up*
sortir en courant	*to run out*

Il **est descendu** de sa chambre **en courant**.

Nous **sommes entrés** dans la maison **en courant**.

Elle **était montée** au deuxième étage **en courant**.

Les élèves **sortent** de l'école **en courant**.

le participe présent et les pronoms objets

Comparez:

C'est en voyant **ses parents** qu'il s'est arrêté.	C'est en **les** voyant qu'il s'est arrêté.
J'ai appris une nouvelle merveilleuse en parlant **à Jacqueline**.	J'ai appris une nouvelle merveilleuse en **lui** parlant.

On place le pronom objet **devant** le participe présent.

le participe présent des verbes réfléchis

En **m'**inscrivant à ce cours, **j'**améliorerai mes maths.

En **nous** dépêchant, **nous** arriverons avant eux.

Vous pourrez discuter du film en **vous** téléphonant.

En **s'**asseyant ici, **ils** pourront mieux voir.

Le pronom réfléchi se réfère toujours au sujet du verbe. On le place **devant** le participe présent.

attention!

On verra mieux l'église } en **s'**arrêtant ici.
en **nous** arrêtant ici.

application

A voici le participe présent!

1. accompagner ▶ **en accompagnant**
2. divertir
3. entendre
4. arranger
5. prononcer
6. vouloir
7. croire
8. pouvoir
9. connaître
10. ouvrir
11. citer
12. choisir
13. écrire
14. conduire
15. prendre

B je réfléchis!

1. je me lève ▶ **en me levant**
2. ils se réveillent
3. tu t'habilles
4. nous nous dépêchons
5. elles s'ennuient
6. vous vous débrouillez
7. je me lave
8. elle se maquille
9. on s'arrête
10. il se rase

«Les grandes fortunes se commencent souvent en province, mais ce n'est qu'à Paris qu'elles s'achèvent et qu'on en jouit.»

Charles Pinot Duclos.
Les confessions du comte de …

C les substitutions

Remplacez les mots **en caractères gras** par un pronom objet.

1. J'ai fait mes devoirs en regardant **la télé**.
   ▶ **J'ai fait mes devoirs en la regardant.**
2. Il aura appris cela en demandant **à Pierre**.
3. En recevant **son diplôme**, il a perdu connaissance.
4. Tu apprendras tous les faits en parlant **aux étudiants**.
5. En allant **à Paris**, n'oubliez pas de passer par Tours.
6. C'est en réparant **les voitures** qu'il gagne un bon salaire.
7. En montant **au sommet de la colline**, je suis tombé.
8. En gardant **ses vieilles traditions**, la France reste un pays charmant.
9. En étudiant **à Nice**, il est possible que nous améliorions notre français.
10. C'est en donnant **de l'argent à Madeleine** que j'ai laissé tomber mon portefeuille.

D l'ensemble

Formez une seule phrase en mettant les deux idées ensemble.

1. Nous prenons le train. Nous voyons plus de choses.
   ▶ **En prenant le train, nous voyons plus de choses.**
2. Il mange. Il écoute la radio.
3. Elle s'inscrit à l'université. Elle a rencontré des amis.
4. On lit. On apprend du nouveau vocabulaire.
5. La France exporte beaucoup. La France améliore son économie.
6. Je sors. Je leur ai dit au revoir.
7. Nous nous dépêchons. Nous arriverons avant lui.
8. Ils considèrent tous les faits. Ils pourront prendre la bonne décision.
9. Tu reconnais la qualité. Tu sauras faire un bon choix.
10. Vous mangez bien. Vous resterez en bonne santé.

contexte C

Un jeune homme parle à sa petite amie au téléphone.

– Qu'est-ce que tu vas faire cet après-midi? Je veux absolument te voir!
– Oh, écoute, j'ai tellement à faire! Tout d'abord, je dois acheter du tissu pour ma robe.
– Mais je croyais que tu l'avais déjà acheté!
– Mais non, je n'ai pas pu l'autre jour! Donc, après avoir acheté le tissu, je dois l'apporter chez la couturière.
– Mais je croyais que c'était fait, tout ça!
– Mais non, je te dis, je n'ai pas pu l'autre jour! Tu me laisses continuer, oui ou non?
– Bon, alors, après avoir apporté le tissu chez la couturière, quoi?
– Je dois aller chez le coiffeur.
– Et après être allée chez le coiffeur?
– Pour avoir été si patient, tu pourras venir me chercher en voiture.
– Bon! Comme ça, on se verra ce soir!
– Enfin, quelques minutes, oui… Je voudrais que tu me conduises au cinéma *Rendezvous*.
– Chouette! On va voir un film ensemble!
– Euh,… pas exactement, je dois y rencontrer Jacques à six heures.

analyse 4 (contexte C)

■ *après* + l'infinitif passé

la formation de l'infinitif passé

parler → après **avoir parlé** (*after talking, after having talked*)
finir ⟶ après **avoir fini** (*after finishing, after having finished*)
vendre → après **avoir vendu** (*after selling, after having sold*)
aller ⟶ après **être allé** (*after going, after having gone*)
se laver → après **s'être lavé** (*after washing, after having washed*)

Pour former **l'infinitif passé**, on utilise l'infinitif de l'auxiliaire (**avoir** ou **être**) + le participe passé.

attention à l'accord!

J'ai mis la lettre dans le tiroir après l'avoir lu**e**.

Après être descendu**e**, **elle** a écouté de la musique.

Après **nous** être rencontrés, nous sommes allés au cinéma.

Après s'être parlé, ils sont rentrés.

application

je sais l'infinitif passé!

1. j'ai accompagné
   ▶ **après avoir accompagné**
2. il a commencé
3. nous avons choisi
4. elle a accompli
5. vous avez répondu
6. tu as entendu
7. j'ai fait
8. ils ont reçu
9. vous avez pris
10. elle a dit
11. je suis parti
12. il est allé
13. tu es revenu
14. elle est tombée
15. nous sommes entrés
16. vous êtes sortis
17. elles sont restées
18. je suis retourné
19. elle est montée
20. nous sommes descendus

B réfléchis bien!

1. je me suis levé
   ▶ **après m'être levé**
2. nous nous sommes réveillés
3. elle s'est fâchée
4. ils se sont reconnus
5. tu t'es dépêché
6. ils se sont regardés
7. nous nous sommes amusés
8. vous vous êtes arrêté
9. elles se sont téléphoné
10. je me suis débrouillé

C d'un infinitif à l'autre

1. servir ▶ **après avoir servi**
2. songer
3. réfléchir
4. attendre
5. boire
6. s'inscrire
7. disparaître
8. mettre
9. se vanter
10. être
11. vouloir
12. connaître
13. devenir
14. s'asseoir
15. produire
16. offrir
17. s'occuper
18. découvrir
19. apprendre
20. avoir

— *Je vis, Marthe! Je vis!...*

178

D ça va ensemble!

Formez une seule phrase en mettant les deux idées ensemble avec **après** + l'infinitif passé.

1. J'ai considéré plusieurs réponses, puis j'ai choisi celle-là.
   ▶ **Après avoir considéré plusieurs réponses, j'ai choisi celle-là.**
2. Il a pensé à toutes les options, puis il a pris sa décision.
3. Nous avons fait du canotage, puis nous avons fait de la varappe.
4. Ils sont descendus en ville, puis ils sont allés chez le coiffeur.
5. Elle s'est réveillée, puis elle est descendue prendre son petit déjeuner.
6. J'ai servi la salade, puis j'ai servi le plat principal.
7. Ils ont attendu une heure, puis ils sont partis.
8. Nous avons tout fini, puis nous sommes sortis.
9. Ils se sont lavés, puis ils ont dîné.
10. Il a reçu de bonnes notes, puis il s'est vanté.

«C'est une sorte de vie étrange que celle des provinces: on fait des affaires de tout.»

Marquise de Sévigné

E les substitutions

Remplacez les mots **en caractères gras** par le pronom convenable. Attention à l'accord.

1. Après avoir découvert **cette erreur**,…
   ▶ **Après l'avoir découverte**,…
2. Après être allés **au stade**,…
3. Après avoir produit **de tels articles de luxe**,…
4. Après avoir parlé **à ses parents**,…
5. Après s'être occupé **de tous les emplois du temps**,…
6. Après avoir répondu **à la lettre**,…
7. Après avoir visité **la Côte d'Azur**,…
8. Après avoir offert les cours **à l'étudiant**,…
9. Après m'être intéressé **au bricolage**,…
10. Après avoir vu **Monique et son frère**,…

contexte D

Un lundi matin à l'entrée du lycée…

– Mais Marie-France, qu'est-ce que tu as fait?
– Je me suis fait couper les cheveux. Ça te plaît?
– Oui, …euh, …mais…
– Mais quoi, mais quoi? Tu t'es bien fait pousser la moustache! Alors, j'ai bien le droit de me faire couper les cheveux, non?
– Oui, …euh, …mais…
– Oh,… la couleur? Eh, oui! Je me les suis aussi fait teindre! Ça te plaît?
– Oui, …euh, …mais…
– Bon, je suis contente que ça te plaise… Ça m'évite de me faire faire une perruque!

analyse 5 (contexte D)

■ *faire causatif (faire* + **l'infinitif)**

Comparez:

Le professeur chante.

Le professeur fait chanter les élèves.
(**Les élèves** chantent.)

Maman lira.

Maman fera lire les enfants.
(**Les enfants** liront.)

Ils sont venus.

Ils ont fait venir le docteur.
(**Le docteur** est venu.)

Nous avons réparé l'auto.

Nous avons fait réparer l'auto.
(**Un mécanicien** a réparé l'auto.)

Elle s'était lavé les cheveux.

Elle s'était fait laver les cheveux.
(**Un coiffeur** lui avait lavé les cheveux.)

Remarquez que le sujet du verbe **faire** ne fait pas
l'action exprimée par l'infinitif mais plutôt provoque
cette action.

Comparez:

J'ai fait réparer **ma voiture.**
Je l'ai fait* réparer.

J'ai fait réparer **ma voiture au mécanicien.**
Je **la lui** ai fait* réparer.

Le prof fait écrire **la composition.**
Le prof **la** fait écrire.

Le prof fait écrire **la composition à ses élèves.**
Le prof **la leur** fait écrire.

* Le participe passé du verbe **faire** suivi d'un infinitif est
invariable.

Quand l'infinitif après **faire** a un sujet et un objet direct,
on exprime le sujet par **à** + un nom. On emploie un
pronom objet indirect pour remplacer le sujet de
l'infinitif. On place les pronoms objets **devant** le verbe
faire, sauf à l'impératif.

Faites descendre **les enfants.** → Faites-**les** descendre.

attention!

Je ferai lire cet article à papa. (On ne peut pas savoir si c'est papa qui lira l'article **ou** si l'article sera lu à papa.)

Pour éviter cette ambiguïté et pour exprimer que c'est papa qui lira l'article, on utilise la préposition **par**.
Je ferai lire l'article **par** papa. → Je le ferai lire **par lui**.

Remarquez que la langue courante admet l'usage de **par**, même s'il n'y a pas d'ambiguïté.

J'ai fait réparer ma voiture **à** ce mécanicien.
J'ai fait réparer ma voiture **par** ce mécanicien.

---

expressions avec *se faire* + **un infinitif**

se faire faire qqch. = *to have something made/done (for oneself)*
se faire couper les cheveux = *to get a haircut*
se faire coiffer = *to have (one's) hair done*
se faire entendre = *to make (oneself) heard*
se faire comprendre = *to make (oneself) understood*
se faire opérer = *to have an operation*

Il **se fait couper** les cheveux une fois par mois.
Je **me ferai faire** une nouvelle robe pour le bal.
Nous avons toujours de la difficulté à **nous faire comprendre**.
Crie fort pour **te faire entendre**.
Après l'accident, il a dû **se faire opérer**.
Mon amie **s'est fait coiffer** chez Bruno.

application

A que faire?

Mettez le verbe **faire** au temps indiqué.

1. Elle nous (présent) considérer ses idées.
2. Est-ce qu'elle se (imparfait) couper les cheveux chaque mois?
3. Ils vous (futur) commencer tout de suite.

4. Je me (conditionnel présent) faire une blouse en soie si j'avais assez d'argent.
5. Il (passé composé) réparer sa bicyclette.
6. Elle se (passé composé) coiffer avant la party.
7. Est-ce qu'ils vous (plus-que-parfait) sortir?
8. Nous (conditionnel passé) descendre les bagages, si nous avions su que nous partions demain.
9. Aussitôt que je les (futur antérieur) savoir, je te téléphonerai.
10. Je suis fâché qu'ils me (subjonctif présent) ranger ma chambre.

B les remplacements

Remplacez les mots **en caractères gras** par un pronom.

1. Je ferai voir **ma collection de disques à Marcelle.**
   ▶ **Je la lui ferai voir.**
2. Nous ferons manger **des croissants aux touristes.**
3. Ne fais pas sonner **le réveil.**
4. Il m'aurait fait composer **la lettre.**
5. Aviez-vous fait expliquer **ces faits au directeur**?
6. Faites comprendre **aux Brunette** que je ne peux pas venir.
7. Aussitôt que vous aurez fait dessiner **le plan**, je l'examinerai.
8. Ils ont fait entrer les enfants **chez eux.**
9. Je me suis fait laver les cheveux **au salon de beauté.**
10. Il ne pouvait pas se faire entendre **dans cette grande salle.**

vérification

A l'embarras du choix

Faites des dialogues. Suivez le modèle.

1. **une guitare (électrique/acoustique)**
   - Vous désirez?
   - Je voudrais acheter **une guitare**.
   - Très bien, monsieur. Celle-là est **électrique** et celle-ci est **acoustique**. Vous avez une préférence?
   - Oui. Je préfère celle-là!
2. des «designer jeans» (par Calvin Klein/par Gloria Vanderbilt)
3. une bicyclette (à cinq vitesses/à dix vitesses)
4. des croissants (au fromage/au chocolat)
5. une raquette de tennis (en bois/en métal)
6. une moto (une Kawasaki/une Honda)
7. des valises (en cuir/en nylon)
8. un appareil-photo (un Nikon/un Pentax)

B chacun son goût!

Exprimez vos préférences personnelles. Répondez avec **souvent**, **quelquefois** et **jamais**. Utilisez un pronom démonstratif + **de**.

1. Quels livres lisez-vous?
   - ▶ **Je lis souvent ceux de Robertson Davies.**
   - ▶ **Je lis quelquefois ceux de Margaret Atwood.**
   - ▶ **Je ne lis jamais ceux de Marcel Proust.**
2. Quels films appréciez-vous?
3. Quelle musique écoutez-vous?
4. Quels matchs regardez-vous?
5. Quels disques achetez-vous?
6. Quelles pièces de théâtre aimez-vous?

C les opinions

Exprimez vos opinions personnelles. Utilisez un pronom démonstratif + **qui**.

1. les amis
   - ▶ **J'aime ceux qui sont compréhensifs.**
   - *ou* ▶ **Je n'aime pas ceux qui sont ennuyeux.**
2. la musique
3. les vêtements
4. les films
5. les livres
6. les émissions de télé
7. les vacances
8. les profs
9. les passe-temps
10. les cours

D la rencontre des phrases

Formez une seule phrase en utilisant le pronom démonstratif + **qui**, **que** ou **dont**.

1. J'ai parlé aux touristes. Un de ces touristes avait visité la Suisse.
   - ▶ **J'ai parlé à celui qui avait visité la Suisse.**
2. Il adore les pizzas. Je prépare les pizzas moi-même.
   - ▶ **Il adore celles que je prépare moi-même.**
3. J'ai écouté les chansons. Ils viennent de parler de ces chansons.
   - ▶ **J'ai écouté celles dont ils viennent de parler.**
4. Avez-vous vu les photos? J'ai pris ces photos en vacances.
5. Ils ont trouvé les billets. Ils avaient besoin de ces billets.
6. Je parlerai aux étudiants. Un de ces étudiants veut nous accompagner.
7. On m'a offert l'emploi. Je voulais cet emploi.
8. Qui a pris la règle? Ils se servaient de cette règle.
9. Avez-vous rencontré les chanteuses? Une de ces chanteuses vient de Marseille.
10. Il a acheté les pneus. Ces pneus coûtaient moins cher.

E les proverbes

Faites des proverbes avec **en** + le participe présent.

1. On écoute. On apprend.
   - ▶ **C'est en écoutant qu'on apprend.**
2. On donne. On reçoit.
3. On cherche. On trouve.
4. On voyage. On apprécie de diverses cultures.
5. On réfléchit. On fait des choix intelligents.
6. On travaille peu. On accomplit peu.
7. On fait de son mieux. On réussit.
8. On est un bon ami. On a de bons amis.
9. On se débrouille. On devient expert.
10. On sait ce qu'on veut. On obtient ce qu'on désire.
11. On se vante. On perd ses amis.
12. On commence de bonne heure. On finit à temps.
13. On connaît les autres. On se connaît.
14. On lit. On améliore son vocabulaire.
15. On compose des proverbes. On devient philosophe.

F après ça!

Faites des phrases avec **après** + l'infinitif passé.

1. recevoir son salaire/il/faire des achats
   - ▶ **Après avoir reçu son salaire, il a fait des achats.**
2. découvrir ce petit café/nous/y retourner
3. gagner le match/ils/s'en vanter
4. tomber de son cheval/elle/prendre rendez-vous chez le docteur
5. entrer dans l'école/nous/aller au bureau du directeur
6. se raser/nous/s'habiller
7. se lever/elle/me conduire en ville
8. prendre le petit déjeuner/elles/sortir
9. se rencontrer à la party/ils /danser
10. comprendre l'infinitif passé/nous/pouvoir faire cet exercice

G c'est fait!

Faites des phrases avec le verbe **(se) faire** + l'infinitif.

1. La couturière a fait une jupe pour Monique.
   - ▶ **Monique s'est fait faire une jupe.**
2. Le mécanicien a réparé la voiture des Thibert.
   - ▶ **Les Thibert ont fait réparer la voiture.**
3. Le coiffeur a coupé les cheveux d'André.
4. Je lirai cet article à Pierrette.
5. Le docteur est venu chez les Morin.
6. Les élèves chanteront pour le professeur.
7. J'ai brossé les cheveux de ma copine.
8. On a descendu les valises pour nos parents.
9. On comprend Richard quand il parle clairement.
10. On sert le dîner des Marceau.

H des pronoms, S.V.P.!

Remplacez les mots **en caractères gras** par un pronom. Faites accorder les verbes si nécessaire.

1. En voyant **mes amis**, je me suis arrêté.
   - ▶ **En les voyant, je me suis arrêté.**
2. Après être allés **en France**, ils sont allés en Italie.
3. Il m'a fait visiter **la ville**.
4. Faites entrer **les enfants**.
5. En parlant **au conseiller**, j'ai appris que j'avais de mauvaises notes.
6. Après avoir trouvé **mes lunettes dans ma chambre**, j'ai lu la lettre.
7. Il aura fait écrire **le test aux élèves**.
8. J'ai descendu **la rue** en courant.
9. Ne faites pas savoir **au directeur** que j'étais absent.
10. C'est en leur posant **des questions** qu'on apprend s'ils savent les réponses.
11. J'ai fait manger **de la soupe à mon frère**.
12. Après nous être arrêtés **au café**, nous sommes rentrés.

le coin du traducteur

Dear Roger,

While looking for a book that I had lost, I found these pictures. They are the ones that my sister took last summer during your visit. To tell the truth, I had completely forgotten that I had them. That's typical, isn't it? It's too bad that Marie-France is in the pictures because I don't go out with her anymore. That one really changed! One day, while we were having lunch together, I noticed that she had had her hair cut and when I asked her why, she became angry. Then, after hearing that I had gone out with Lola, she ran out of the restaurant. I'll never understand women!

Are you coming to visit me again in July? Let me know as soon as possible.

See you soon?
Roméo

Azay-le-Rideau

SAVOIR COMMUNIQUER

répertoire 1

Un petit service.

me rendre un petit
  service
me venir en aide
m'aider
me dépanner

comme
que

gentille
aimable
charmante
sympathique

garder les
surveiller les
prendre soin
  des

revenant
rentrant

ils aiment beaucoup ça
ils adorent ça
ça leur plaît beaucoup

ça tombe mal
c'est dommage
c'est malheureux

– Ah, madame Némarre, comme je suis *contente* de vous rencontrer! Vous ne pourriez pas *me rendre un petit service*?

– Mais volontiers, madame Gonflet! Vous savez bien que Jean et moi, on est toujours prêts à *aider* une voisine.

– Ah, *comme* vous êtes *gentille*! Eh bien, est-ce que vous pourriez garder les enfants? Mon mari m'emmène avec lui en voyage d'affaires.

– Euh, …c'est que…

– Ce ne sera pas long… une petite semaine.

– Il faudra *garder les* trois? *Toute une semaine*?

– Oui, oui, les trois. Alors, lundi, *il faut* leur faire pratiquer leur piano. Mardi, ils ont leur leçon. Mercredi, il faudra les *conduire* chez le médecin; et en *revenant*, vous pourriez vous arrêter chez McDonald's, *ils aiment beaucoup ça…* et…

– C'est que… heu…

– Oh, vous verrez, ils sont *gentils*, …des enfants modèles. Ah, j'oubliais notre chien; ça ne vous dérangerait pas trop?

– Ah, madame Gonflet, *ça tombe mal! J'aimerais bien* vous rendre service mais, je viens de *m'en souvenir*, …j'avais oublié,…mon mari et moi, nous partons en vacances, nous aussi, la semaine prochaine.

– Oh, c'est même mieux! Vous pouvez emmener les enfants avec vous! Ils adorent les vacances!

contente
heureuse
ravie

aider
rendre
  service à
donner un coup
  de main à

toute une semaine
une semaine entière

il faut
il est nécessaire de

conduire
emmener

gentils
sages
bien élevés

j'aimerais bien
ça me ferait plaisir de
je voudrais bien

m'en souvenir
me le rappeler

185

enchaînement

Faites le dialogue suivant avec un partenaire.

–…?

–Mais volontiers, monsieur/madame! Vous savez que je suis toujours prêt(e) à aider un(e) voisin(e).

–…?

–Euh, … c'est que …

–…

–Il faudra surveiller tous les trois? Une semaine entière?

–…

–C'est que… heu…

–…?

–Ah, monsieur/madame …, C'est dommage! Je voudrais bien vous rendre service, mais je viens de me le rappeler. Moi aussi, je pars en vacances la semaine prochaine.

–…!

débrouillez-vous!

Avec un partenaire, dramatisez les situations suivantes.

Votre voisin part en vacances et il vous demande de lui rendre un service. Vous lui faites des excuses.

1. Votre voisin a trois enfants pénibles qu'il vous demande de garder pendant trois semaines.
2. Cette fois-ci, votre voisin essaie de vous persuader de prendre soin de ses deux chiens. Ce sont des Saint-Bernard et vous avez une très petite maison.
3. Cette fois-ci, votre voisin part pour l'été. Il vous demande de surveiller sa maison: tondre le gazon, arroser les plantes, le jardin, etc. Quand vous refusez, il se fâche et il vous rappelle tout ce qu'il a déjà fait pour vous.

Le coin des citations

«L'on ne peut aller loin dans l'amitié, si l'on n'est pas disposé à se pardonner les uns aux autres les petits défauts.»

Jean de la Bruyère

répertoire 2

Dans le bureau du président-directeur général.

un assistant
un adjoint

– Pardon, monsieur le directeur, on *me dit* que vous cherchez *un assistant*.

me dit
m'apprend

c'est ça
c'est vrai
en effet
effectivement

– Oui, *c'est ça*. Je cherche *quelqu'un* avec de l'expérience, quelqu'un qui pourra vraiment *me soutenir*.

quelqu'un
une personne

me soutenir
m'aider
me seconder

content
satisfait

– Vous n'êtes pas *content* de votre adjoint actuel?

– Si, si, mais il a obtenu un meilleur *poste* à Strasbourg.

poste
emploi

– Ah, bon. Vous êtes donc *un peu embêté*.

un peu embêté
dans l'embarras

– Oui, parce qu'il était très *capable*. Mais, vous savez, pour lui, c'est *une promotion*.

capable
compétent

une promotion
un avancement

cherchez
avez en vue
espérez trouver

– Vous *cherchez* quelqu'un de jeune, quelqu'un qui a des diplômes?

– Pour moi, ce qui est le plus important, c'est l'expérience.

– Dans ce cas-là, je crois que j'ai quelqu'un *qui ferait l'affaire*.

qui ferait l'affaire
qui conviendrait

– Un candidat de l'extérieur?

actuellement
présentement

– Non, il est *actuellement* au service des ventes.

– Pas trop jeune pour le poste?

– Non, non! Il est avec nous depuis une dizaine d'années. Vous verrez, il est bien, et *il a un contact très facile*.

il a un contact très facile
il est sympathique
il est avenant

excellent!
parfait!
très bien!

– *Excellent!* Il semble avoir toutes les qualités *requises*. Je voudrais bien l'interviewer.

– Mais monsieur le directeur, vous venez de le faire!

requises
demandées
nécessaires

187

enchaînement

Faites le dialogue suivant avec un partenaire.

– Pardon, monsieur le directeur/madame la directrice, on m'apprend que vous cherchez un assistant.

– …

– Vous n'êtes pas satisfait(e) de votre adjoint actuel?

– …

– Ah, bon. Vous êtes donc dans l'embarras.

– …

– Vous avez en vue quelqu'un de jeune, quelqu'un qui a des diplômes?

– …

– Dans ce cas-là, je crois que j'ai quelqu'un qui conviendrait.

– …?

– Non, il/elle est actuellement au service des ventes.

– …?

– Non, non! Il/Elle est avec nous depuis une dizaine d'années. Vous verrez, il/elle est bien, et il/elle a un contact très facile.

– …

– Mais monsieur le directeur/madame la directrice, vous venez de le faire!

débrouillez-vous!

Avec un partenaire, dramatisez les situations suivantes.

Vous êtes le directeur des ventes pour une grosse compagnie.

1. Pour un certain poste, vous interviewez quelqu'un qui travaille déjà pour la compagnie mais qui n'est pas très compétent. Néanmoins, il ne cesse pas de se vanter.
2. Cette fois-ci, vous interviewez un candidat de l'extérieur qui a de l'expérience et qui est très compétent. Cependant, il demande un salaire et des conditions de travail que vous trouvez extravagants.
3. Cette fois-ci, vous parlez au directeur de personnel. Vous voulez vous débarrasser de votre adjoint qui est incompétent. Mais, comme c'est le fils du président de la compagnie, c'est une situation très délicate.

SAVOIR~FAIRE

A par habitude

1. Je mets mes souliers …
   ▶ **Je mets mes souliers après avoir mis mes chaussettes.**
2. Je m'habille …
3. Je me brosse les dents …
4. Je rentre chez moi …
5. Je regarde la télé …
6. Je fais mes devoirs …
7. Je fais la vaisselle …
8. J'entre dans le cinéma …
9. Je prends un dessert …
10. Je suis prêt(e) à passer un test …

B le coin des proverbes

Complétez chaque proverbe avec un participe présent logique.

1. C'est en … qu'on découvre.
2. C'est en … qu'on réussit.
3. C'est en … qu'on reçoit.
4. C'est en … qu'on trouve.
5. C'est en … qu'on apprend.
6. C'est en … qu'on gagne.
7. C'est en … qu'on entend.
8. C'est en … qu'on voit.

C les services

1. le coiffeur
   ▶ **Je me fais couper les cheveux.**
2. le garagiste
3. le photographe
4. le dentiste
5. le boulanger
6. l'oculiste
7. la couturière/le tailleur
8. le charpentier
9. le cordonnier
10. l'architecte

petit vocabulaire

un charpentier	*carpenter*
un cordonnier	*shoemaker*
un tailleur	*tailor*

D vivent les différences!

Quelle est la différence entre …

1. le Cheddar et le Camembert?
   ▶ **Celui-ci est français et celui-là est anglais.**
2. le Roquefort et le Brie?
3. le Beaujolais et le Champagne?
4. les Laurentides et les Alpes?
5. la tour Eiffel et la tour CN?
6. les sardines et les truites?
7. les spaghetti et les rigatoni?
8. le climat de la France du nord et le climat de la France du sud?

E les comparaisons

Faites une comparaison entre le Canada et la France en utilisant les rubriques ci-dessous.

continent
couleurs du drapeau
emblème national
hymne national
langue(s) officielle(s)
type de gouvernement
chef d'état
capitale
population
climat
pays voisins
superficie
divisions administratives

F je compose

Écrivez le scénario d'un documentaire télédiffusé qui portera le titre:

La vraie France: Paris ou la province?

G les situations

Avec un partenaire, faites des dialogues basés sur les situations suivantes.

1. Vous interviewez un goûteur de fromages dans le village de Roquefort pour apprendre ce qui est nécessaire à la production de ce célèbre fromage.
2. Vous préparez un documentaire sur la fabrication des parfums. Vous posez des questions à un fermier à Grasse, en Provence.
3. Un Breton et un Parisien se disputent en se vantant de leur propre région.
4. Comme guide touristique, vous faites un commentaire sur la Côte d'Azur. Un touriste vous pose beaucoup de questions.
5. Vous interviewez Charles de Gaulle au sujet de sa fameuse citation: «Comment peut-on gouverner un pays qui produit 350 fromages différents?»

LE MAGAZINE DES JEUNES

VARIÉTÉS

LA FRANCOPHONIE

France touristique hors de France **192**
La France et l'Afrique: un peu d'histoire **200**
Reflets du monde francophone **202**
La civilisation, ma mère!..., *Driss Chraïbi* **204**

NUMÉRO SIX

Saviez-vous qu'il est possible pour un Canadien de prendre des vacances en France sans jamais traverser l'océan Atlantique? En effet, à Halifax, on est à une heure et demie d'avion de Saint-Pierre-et-Miquelon. Ces deux petites îles, tout près de Terre-Neuve, sont en fait un département de la France. Malheureusement, le climat y est froid et brumeux, et ceci même en été. Donc, ce petit morceau de la France n'est pas exactement le coin idéal pour des vacances. Mais si vous tenez vraiment à y faire un séjour, vous aurez mis pied sur sol français. Le français qu'on y parle est bel et bien le français de France; les agents de police sont bien des gendarmes français munis de leurs képis caractéristiques; et les douaniers sont bien les douaniers de la République française. Et l'argent? Naturellement, c'est le franc français!

Également de notre côté de l'Atlantique, et à moins de cinq heures d'avion de Montréal, se trouvent deux autres départements français d'outre-mer: les îles de la Martinique et de la Guadeloupe. Si vous cherchez le soleil, il n'y a jamais de risque à prendre des vacances sur l'une ou l'autre de ces îles de fleurs situées en pleine mer des Caraïbes près d'autres îles antillaises telles que Dominique, Sainte-Lucie et Grenade.

Toutes ces îles, surnommées Îles du Vent, sont depuis belle lurette des oasis de vacances fort appréciées de nombreux Canadiens désireux d'échapper au long et rude hiver de leur pays. En effet, chaque année, de décembre à mars, des milliers de Canadiens s'envolent à 900 km à l'heure en direction des Antilles pour aller s'y faire cuire au soleil. Ils paient pour avoir chaud, ils mangent et ils dorment dans des hôtels modernes et ils en reviennent bronzés ou rôtis, selon le cas.

Certains ont peut-être même eu le temps d'apprécier ce qu'annonce la brochure touristique du gouvernement français sur la Martinique, notamment: «... chants, danses et traditions se combinent

FRANCE TOURISTIQUE HORS DE FRANCE

pour donner un folklore purement martiniquais à une population aux origines multiples ... Les belles plages, la végétation tropicale et les superbes forêts des sommets montagneux offrent une variété infinie de promenades et d'excursions.»

D'autres visiteurs, peut-être moins soucieux d'être le touriste sérieux, peuvent se réfugier au village du Club Méditerranée. Cette association de voyages, maintenant aussi populaire pour les Nord-Américains que pour les Français, permet au touriste de payer un seul prix où presque tout est compris: voyage, logement, nourriture, loisirs et sports. Donc, après paiement initial, pratiquement tout dans le village est gratuit et librement accessible. Les activités sont organisées et animées par des moniteurs/monitrices appelés G. O. (Gentils Organisateurs). Ils sont tous jeunes, beaux, athléti-

ques, souriants, patients et prêts à vous rendre tous les services possibles et imaginables. Ces vacances offrent une sorte de paradis sur terre, une sorte d'enfance retrouvée. Vous pouvez y être sauvage en paréo, grand sportif, boute-en-train, playboy ou femme fatale. Il s'agit, pendant une période privilégiée, de faire tout ce qu'on ne peut que rêver dans la vie ordinaire.

Fatigué des Antilles? Il existe un autre paradis touristique français, celui-ci en plein océan Pacifique. Il s'agit bien sûr de Tahiti, une île située au sud de Hawaii. C'est un territoire français d'outre-mer. La brochure touristique du gouvernement français vous répète à peu près le même bla-bla que pour la Martinique et, vous l'avez deviné, il s'y trouve également un village du Club Méditerranée. Bonnes vacances!

vocabulaire

masculin

un ballon	ball
un boute-en-train*	live wire, life of the party
un côté	side
un département	department, administrative division
un douanier	customs official
le logement	lodging
un maillot de bain	bathing suit
un matelas pneumatique	air mattress
un millier (de)	thousand
un moniteur	supervisor, counsellor
un prix	price
le sable	sand
un séjour	stay

féminin

les Antilles	West Indies
une boisson	drink
une chaise longue	deckchair
une forêt	forest
l'huile à bronzer	suntan oil
une île	island
des lunettes de soleil	sunglasses
la mer des Caraïbes	Caribbean
une monitrice	supervisor, counsellor
la nourriture	food
une plage	beach
une serviette	towel

verbes

revenir (de)	to return (from)
tenir (à)†	to be anxious (to)
traverser	to cross

adjectifs

animé	animated, lively
antillais	West Indian
bronzé	tanned
brumeux, brumeuse	misty, foggy
soucieux, soucieuse	worried

préposition

moins de	less than

expressions

à l'heure	per hour
bel et bien	really and truly
d'outre-mer	overseas
en plein(e)	in the middle of
selon le cas	as the case may be

*invariable
†se conjugue comme **venir**.

langue vivante

une serviette

un parasol

des lunettes
de soleil

un maillot de bain

un matelas pneumatique

une chaise longue

un ballon

un bikini

le sable

de l'huile à bronzer

Une journée à la plage

le bon usage

TO RETURN

1. **revenir:** *to return, to come back*
   Est-il revenu du supermarché?
   Ils sont revenus de Montréal hier.
2. **retourner:** *to return, to go back*
   Il est retourné en France aujourd'hui.
   Nous voulons retourner aux Antilles.
3. **rentrer:** *to return home, to come/go back home*
   Je suis rentré à minuit hier.
   Elle doit rentrer chercher ses lunettes.

en français, S.V.P.!

1. Why does he have to return home?
2. We will return to the beach tomorrow.
3. When did they return from their trip?
4. What time did you get home last night?
5. They say that they will never return to that store.
6. Did you come back from the game by bus?

MONEY

1. **dépenser de l'argent:** *to spend money*
   Combien d'argent as-tu dépensé hier?
   Tu es toujours fauché! Tu dépenses trop.
2. **payer:** *to pay (for) something*
   Combien avez-vous payé cette voiture?
   J'ai déjà payé l'addition.
3. **acheter:** *to buy something*
   Nous avons acheté un nouveau téléviseur.
   Qu'est-ce que tu as acheté au magasin de sports?

   attention!
   On achète quelque chose **à** quelqu'un.
   Qu'est-ce que tu as acheté **à** ton frère?
   Je **lui** ai acheté un disque.

4. **gagner de l'argent:** *to earn (make) money*
   Combien d'argent gagne-t-elle?
   J'ai gagné cent dollars la semaine passée.
5. **mettre de côté/faire des économies:** *to save (up) money*
   Je vais mettre de l'argent de côté pour m'acheter une voiture.
   Ils ont fait des économies pour leurs vacances.
6. **économiser:** *to save money (on) something*
   Ces jeans étaient en solde. J'ai économisé dix dollars.
   Je vais économiser deux dollars en utilisant ce bon de réduction.
7. **prêter de l'argent (à qqn):** *to lend money*
   Je lui ai prêté dix dollars.
   Pourrais-tu me prêter un peu d'argent?
8. **emprunter de l'argent (à qqn):** *to borrow money*
   Puis-je t'emprunter un dollar?
   Il leur a emprunté de l'argent.

en français, S.V.P.!

1. May I borrow five dollars?
2. He never lends money.
3. We saved a lot of money at that sale.
4. I'm saving up for a new motorcycle.
5. What did you buy her?
6. How much did they pay for their house?
7. You spend too much.
8. Did you earn enough money to buy a car?
9. How much money has he saved up?
10. I'm broke. You will have to borrow the money from Roger.

les mots-clefs

vocascope

Choisissez le terme qui correspond le mieux à la
définition. Comptez un point pour chaque bonne réponse.

1. Vêtement qu'on porte pour aller dans l'eau:
   A une serviette   B des lunettes de soleil
   C un maillot de bain
2. Petits grains minéraux qu'on trouve dans le désert et
   à la plage:
   A du maquillage   B du sable   C des céréales
3. Groupe d'îles dans la mer des Caraïbes:
   A les îles Falkland   B Saint-Pierre-et-Miquelon
   C les Antilles
4. Siège (parfois pliant) sur lequel on peut s'allonger:
   A une chaise longue   B un parasol
   C un accordéon
5. Grande étendue de terrain couverte d'arbres:
   A une plage   B une forêt   C un désert
6. Personne appréciée pour son sens de l'humour:
   A un sauvage en paréo   B un boute-en-train
   C un douanier
7. Étendue de terre entourée d'eau:
   A une île   B une plage   C une péninsule
8. Personne chargée de l'enseignement de certains
   sports:
   A un playboy   B une femme fatale
   C un moniteur
9. Montant qu'on doit payer pour acheter quelque
   chose:
   A un dollar   B un prix   C un achat
10. Étendue de sable au bord le la mer:
    A une chaîne de montagnes   B un bikini
    C une plage

le jeu des mots

En français, les noms qui se terminent en **-ment** sont
masculins:

   un départe**ment**

Il y a un groupe de verbes dont le nom de la même
famille se termine en **-ment**.

   commencer ▶ commencement

Quels sont les noms qui correspondent aux verbes
suivants?

1. gouverner	9. bombarder
2. arranger	10. commander
3. déménager	11. désappointer
4. remercier	12. développer
5. abonner	13. discerner
6. accompagner	14. envelopper
7. attacher	15. juger
8. avancer	

Quels sont les verbes qui correspondent aux noms
suivants?

1. un recommencement	9. un armement
2. un renforcement	10. un lancement
3. un remplacement	11. un emprisonnement
4. un traitement	12. un fonctionnement
5. un changement	13. un logement
6. un contentement	14. un rassemblement
7. un enchaînement	15. un perfectionnement
8. un dérangement	

Départements et Territoires d'outre-mer

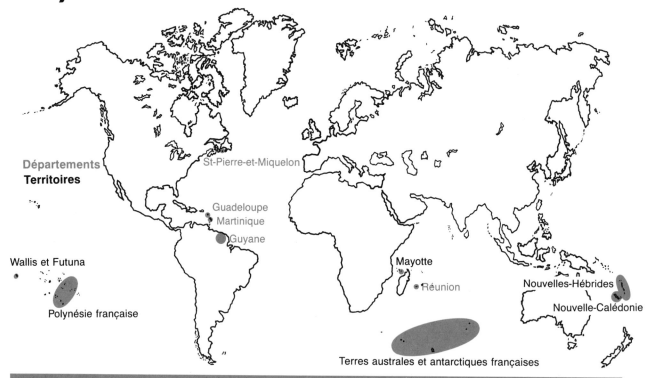

Départements
Territoires

St-Pierre-et-Miquelon

Guadeloupe
Martinique
Guyane

Wallis et Futuna

Polynésie française

Mayotte

Réunion

Nouvelles-Hébrides

Nouvelle-Calédonie

Terres australes et antarctiques françaises

Les Départements de France

01. Ain (Bourg-en-Bresse)
02. Aisne (Laon)
03. Allier (Moulins)
04. Alpes de Haute-Provence (Digne)
05. Hautes-Alpes (Gap)
06. Alpes-Maritimes (Nice)
07. Ardèche (Privas)
08. Ardennes (Charleville-Mézières)
09. Ariège (Foix)
10. Aube (Troyes)
11. Aude (Carcassonne)
12. Aveyron (Rodez)
13. Bouches-du-Rhône (Marseille)
14. Calvados (Caen)

15. Cantal (Aurillac)
16. Charente (Angoulême)
17. Charente-Maritime (La Rochelle)
18. Cher (Bourges)
19. Corrèze (Tulle)
20A. Corse-du-Sud (Ajaccio)
20B. Haute-Corse (Bastia)
21. Côte-d'Or (Dijon)
22. Côtes-du-Nord (Saint-Brieuc)
23. Creuse (Guéret)
24. Dordogne (Périgueux)
25. Doubs (Besançon)
26. Drôme (Valence)
27. Eure (Évreux)

28. Eure-et-Loire (Chartres)
29. Finistère (Quimper)
30. Gard (Nîmes)
31. Haute-Garonne (Toulouse)
32. Gers (Auch)
33. Gironde (Bordeaux)
34. Hérault (Montpellier)
35. Ille-et-Vilaine (Rennes)
36. Indre (Châteauroux)
37. Indre-et-Loire (Tours)
38. Isère (Grenoble)
39. Jura (Lons-le–Saunier)
40. Landes (Mont-de-Marsan)
41. Loir-et-Cher (Blois)

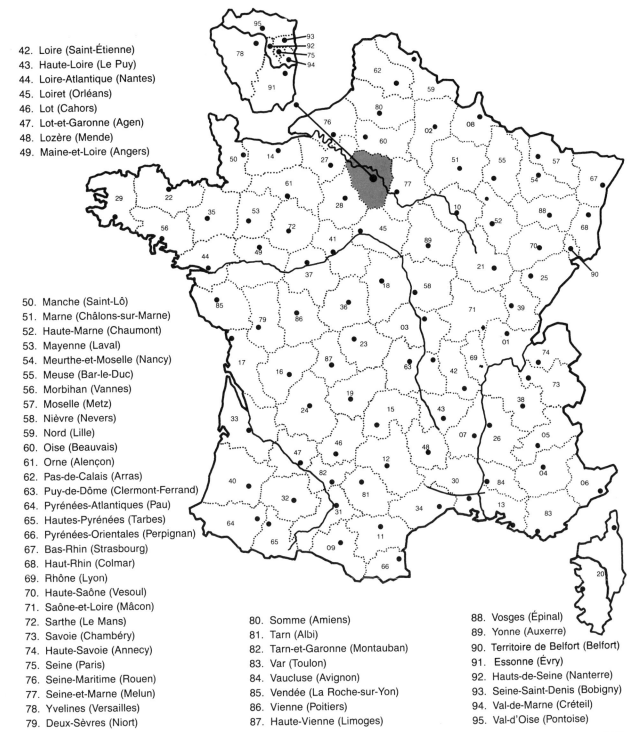

42. Loire (Saint-Étienne)
43. Haute-Loire (Le Puy)
44. Loire-Atlantique (Nantes)
45. Loiret (Orléans)
46. Lot (Cahors)
47. Lot-et-Garonne (Agen)
48. Lozère (Mende)
49. Maine-et-Loire (Angers)

50. Manche (Saint-Lô)
51. Marne (Châlons-sur-Marne)
52. Haute-Marne (Chaumont)
53. Mayenne (Laval)
54. Meurthe-et-Moselle (Nancy)
55. Meuse (Bar-le-Duc)
56. Morbihan (Vannes)
57. Moselle (Metz)
58. Nièvre (Nevers)
59. Nord (Lille)
60. Oise (Beauvais)
61. Orne (Alençon)
62. Pas-de-Calais (Arras)
63. Puy-de-Dôme (Clermont-Ferrand)
64. Pyrénées-Atlantiques (Pau)
65. Hautes-Pyrénées (Tarbes)
66. Pyrénées-Orientales (Perpignan)
67. Bas-Rhin (Strasbourg)
68. Haut-Rhin (Colmar)
69. Rhône (Lyon)
70. Haute-Saône (Vesoul)
71. Saône-et-Loire (Mâcon)
72. Sarthe (Le Mans)
73. Savoie (Chambéry)
74. Haute-Savoie (Annecy)
75. Seine (Paris)
76. Seine-Maritime (Rouen)
77. Seine-et-Marne (Melun)
78. Yvelines (Versailles)
79. Deux-Sèvres (Niort)

80. Somme (Amiens)
81. Tarn (Albi)
82. Tarn-et-Garonne (Montauban)
83. Var (Toulon)
84. Vaucluse (Avignon)
85. Vendée (La Roche-sur-Yon)
86. Vienne (Poitiers)
87. Haute-Vienne (Limoges)

88. Vosges (Épinal)
89. Yonne (Auxerre)
90. Territoire de Belfort (Belfort)
91. Essonne (Évry)
92. Hauts-de-Seine (Nanterre)
93. Seine-Saint-Denis (Bobigny)
94. Val-de-Marne (Créteil)
95. Val-d'Oise (Pontoise)

LA FRANCE ET L'AFRIQUE: un peu d'histoire

Plus d'une vingtaine de pays africains ont désigné le français comme langue officielle. En fait, le français et l'anglais sont les deux langues européennes les plus parlées en Afrique. Cette réalité est l'aboutissement d'une longue histoire qui ne fut pas toujours heureuse.

En effet, ces pays maintenant indépendants étaient autrefois des colonies que l'on exploitait impitoyablement. Or, il est intéressant de noter que cette histoire commence non pas en Afrique mais en Amérique, et il y a de cela plus de 300 ans. À cette époque-là, des colons français s'installèrent dans plusieurs îles des Antilles telles que Sainte-Lucie, la Guadeloupe, la Martinique et Saint-Domingue. Le système de plantation qu'on y développa nécessitait de nombreux travailleurs. Imitant leurs voisins européens, ces colons français instaurèrent l'esclavage en faisant venir des milliers de Noirs, surtout d'Afrique occidentale où se situent aujourd'hui des pays tels le Sénégal, la Guinée et la Côte d'Ivoire.

La France révolutionnaire, championne des libertés humaines et indignée par les abus de la colonisation, abolit l'esclavage en 1794. Mais ceci ne fut que de courte durée, car Napoléon le réinstaura en 1804. L'esclavage ne fut définitivement aboli dans les colonies françaises qu'en 1848.

Durant la seconde moitié du 19e siècle, la France décida d'élargir son empire colonial, et ceci surtout en Afrique, un continent qu'elle partagea avec l'Angleterre, l'Espagne, le Portugal, l'Allemagne et la Belgique. Cet empire, toutefois, ne dura pas longtemps. Effectivement, les aspirations nationalistes des peuples africains et les pressions internationales obligèrent la France à accorder l'indépendance à ses colonies. Cette décolonisation ne se fit ni sans heurt ni sans rancune, comme l'atteste la guerre d'Algérie durant les années cinquante.

Aujourd'hui, cependant, les relations franco-africaines sont très cordiales et de nombreux programmes d'assistance technique et culturelle, de nombreux échanges semblent souligner les bons rapports qui existent entre la France et ses anciennes colonies.

1. Bénin
2. Burundi
3. Cameroun
4. République centrafricaine
5. Congo
6. Côte d'Ivoire
7. Djibouti
8. Gabon
9. Guinée
10. Bourkina Fasso
    (Haute-Volta)
11. Mali
12. Niger
13. Réunion
14. Rwanda
15. Sénégal
16. Tchad
17. Togo
18. Zaïre
19. Algérie
20. Maroc
21. Mauritanie
22. Tunisie
23. République Malgache
    (Madagascar)
24. Maurice
25. Rodrigues
26. Seychelles

L'AFRIQUE FRANCOPHONE

Sylvie Bauer

Ousmane Ballada

Léon Calixte

Ahmed Haddad

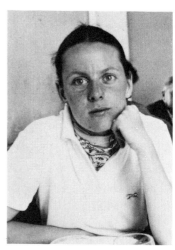

Isabelle Verhaeren

Reflets du Monde Francophone

Variétés a interviewé des jeunes de différents pays et régions francophones pour savoir ce que représente pour eux la langue française.

SYLVIE BAUER

17 ans, suisse

Eh bien vous savez, le français, c'est ma langue maternelle, bien que mon père soit d'origine suisse-allemande; c'est pour ça que j'ai ce nom allemand. Comme j'habite Genève, je fais mes études en français. Les Français disent que nous, les Suisses, on a un accent. Pas vrai du tout! Moi, je trouve que c'est plutôt eux qui ont un accent.

OUSMANE BALLADA

20 ans, sénégalaise

Chez nous, le français est la langue officielle. Moi, je suis étudiante à l'université de Dakar où tous les cours sont donnés en français. Vous savez que notre président, Léopold Senghor, est un poète célèbre dans tout le monde francophone. À part le français, les Sénégalais parlent aussi l'ouolof, leur langue indigène. Il est très usité dans cette région de l'Afrique occidentale.

LÉON CALIXTE

19 ans, haïtien

À Haïti, le français est la langue officielle, car à une époque notre pays était une colonie française. Cependant, en 1804, après avoir battu l'armée française, nous avons gagné notre indépendance pour devenir le premier État noir indépendant. Quoique nous ayons adopté le français, nous sommes toutefois très fiers d'avoir conservé le créole, notre langue à nous.

AHMED HADDAD

20 ans, algérien

Chez moi, on parle arabe. Ma mère, par exemple, ne sait que quelques mots de français. Je suis encore étudiant, mais cet été je fais un stage de formation dans une compagnie pétrolière. La langue de travail, c'est le français. Comme vous le savez, au Maghreb, c'est-à-dire dans cette région qui comprend l'Algérie, le Maroc et la Tunisie, l'usage du français est très répandu en éducation et dans les affaires. En fait, c'est le français qui relie le monde arabe au monde occidental.

ISABELLE VERHAEREN

18 ans, belge

Le français est une des deux langues officielles de la Belgique. L'autre langue, c'est le flamand, qui est le nom donné au hollandais parlé chez nous. Moi, je parle les deux parce que ma mère est wallonne — c'est-à-dire francophone — et mon père est flamand. En général, dans le sud et dans l'ouest du pays, on parle français, tandis que dans le nord et dans l'est, on parle flamand.

Nous, nous habitons Bruxelles, la capitale, qui est officiellement bilingue mais où on parle surtout le français.

Les Français disent que nous, les Belges, nous avons un accent. Tout à fait incorrect! C'est eux qui ont un accent! Avez-vous déjà entendu parler les Alsaciens? C'est carabiné, leur accent! Et les Marseillais? Bof! N'en parlons même pas!

LA CIVILISATION, MA MÈRE!...

Driss Chraïbi

Driss Chraïbi est né au Maroc le 15 juillet 1926. Après quelques années d'école coranique il entra, à l'âge de 10 ans, à l'école française. Le 21 septembre 1945, il quitta Casablanca pour faire des études de chimie à Paris. En 1950, il obtint son diplôme d'ingénieur-chimiste. Peu après, cependant, il abandonna cette profession, croyant alors que la science était la «faillite de l'humanité».

Pendant les années suivantes, Driss Chraïbi fit beaucoup de voyages et exerça beaucoup de métiers. Il est actuellement producteur à l'Office de la radiodiffusion-télévision française à Paris.

L'oeuvre littéraire de Chraïbi consiste en plusieurs romans et pièces de théâtre, ainsi que d'un recueil de récits. *La Civilisation, ma Mère!...* est son chef-d'oeuvre, une chronique autobiographique dans laquelle il chante l'émancipation joyeuse de sa mère et, à travers elle, plus généralement, la libération des pays du tiers monde.

CHAPITRE 9

Dans les chapitres qui précèdent celui-ci, l'auteur et son frère Nagib avaient, à l'insu de leur père, fait sortir leur mère de sa «prison», de la maison où, en bonne femme marocaine, elle était enfermée. Ils l'avaient, en fait, «libérée» en l'introduisant à la vie moderne.

Dans ce chapitre l'auteur dit au revoir à sa mère avant de partir faire des études de médecine en France.

LE DÉPART

– Non, je ne peux pas le lui dire.[1] Il ne comprendra pas.

Nous sommes assis en haut de la falaise, sous l'ombre d'un cèdre hérissé. Repoussant l'horizon à coups de vagues déferlantes, la mer. Deux mouettes s'enlacent dans le ciel. Tout en bas, sur la plage, un cheval blanc court en liberté, boit des franges d'écume, s'ébroue. Mon cheval. Mon père me l'avait donné en récompense. Un de ses chevaux sauvages. Un mois durant, je m'étais approché de lui, pas à pas. Jusqu'à ce qu'il m'eût *senti*. Le jour où je l'avais caressé est le plus beau de ma vie. Je l'appelais Blanco.

– Non, répète maman, je ne le lui dirai pas.

Elle est là, assise, souriante, avec un arrière-plan d'inquiétude dans les yeux: elle est la dernière image de mon passé.

– Je garde cela pour moi, pour nous. Un jour, il se rendra compte.

– Oui, maman … Tu sais, je pars demain.

– Ne me parle pas de cela tout de suite. Plus tard, plus tard …

Je lui prends la main et je l'embrasse.

– Je reviendrai te voir: à Noël, aux fêtes de Pâques et pendant les grandes vacances.

Elle ne répond pas. Elle regarde au loin, le vent balaie sa chevelure, son chagrin.

– Maman, prends soin de Blanco. Je te le donne.

– Oui. Oui.

– Nagib restera avec toi, il s'occupera de toi. Il a abandonné ses études, il ne peut pas venir avec moi en France.

– Combien d'années dureront tes études de médecine?

– Je ne sais pas. Cinq, six ans. Peut-être davantage. Mais je reviendrai tous les trois mois. Et puis, je t'écrirai tous les jours. Et tu me répondras tous les jours, dis?

– Oui. Oui.

Elle arrache un brin d'herbe et le mâchonne. Projetée vers un avenir qu'elle essaie de deviner, d'aplanir.

– La liberté est poignante, dit-elle à mi-voix. Elle fait parfois souffrir.

– Comment ça?

– Elle ne résout pas le problème de la solitude. Tu vois, je vais te dire: je me demande si vous avez bien fait, Nagib et toi, d'ouvrir la porte de ma prison.

– Je ne comprends pas, maman.

– Mais si! Réfléchis. Cette prison, je suis obligée d'y rentrer le soir. Comme avant … comme avant …

– Maman, tu l'aimes, ton mari? Dis, tu l'aimes?

Elle me saisit par les épaules, me secoue, crispée, le visage hagard et la voix âpre:

– Qu'est-ce que c'est, aimer? Qu'est-ce que ça veut dire? … Quand je suis entrée dans cette maison, j'étais une enfant. Devant un homme qui me faisait peur. Seule avec lui, comprends-tu? … Et puis, je me suis habituée au cours des années. L'habitude est un sentiment. Je ne me posais pas de questions, je ne savais pas qui j'étais. Tandis que maintenant!…

– Maman, maman … Calme-toi, ne pleure pas, je t'en prie!

– Je ne me rendais compte de rien.

Elle a pleuré un peu, s'est mouchée d'un geste de défi, a relevé la tête, m'a souri. Elle m'a consolé, m'a supplié de ne pas avoir la nostalgie de la terre natale, et surtout pas d'elle.

– Je suis grande maintenant …

Et, tant qu'il y eut une lueur à l'horizon, elle m'a raconté des histoires abracadabrantes pour m'empêcher de penser. Sur la plage, mon cheval dansait au bord de l'eau. La nuit tomba d'un noir fondamental sur nous tous – et ce fut la fin de mon passé.

[1] Je ne peux pas dire à mon mari que je ne suis plus la même personne.

205

Questionnaire

Connaissez-vous la France? Êtes-vous au courant du fait français dans le monde? Pour chaque question, choisissez **A**, **B** ou **C**. Comptez un point pour chaque bonne réponse.

1. Quel est le titre du chef d'état français?
   A le premier ministre   B le président
   C le roi

2. Lequel de ces hommes n'a jamais été chef d'état de la Vᵉ République?
   A Napoléon Bonaparte   B François Mitterrand   C Valéry Giscard d'Estaing

3. Combien de francophones environ y a-t-il dans le monde?
   A 50 millions   B 20 millions   C 90 millions

4. Aux Nations-Unies (l'O.N.U.), combien de délégations utilisent le français?
   A 30   B 10   C 20

5. En combien de départements la France métropolitaine est-elle divisée?
   A 90   B 75   C 95

6. Combien de départements d'outre-mer sont administrés par la France?
   A 4   B 3   C 2

7. Lequel de ces départements de France se trouve dans l'océan Indien?
   A la Martinique   B la Réunion
   C la Guadeloupe

8. Où se trouve Saint-Pierre-et-Miquelon?
   A en Afrique du Nord   B aux Antilles
   C près du Canada

9. Où sont situées les Antilles?
   A dans l'océan Pacifique   B dans la mer des Caraïbes   C dans la Méditerranée

10. Sur quel continent se trouve le département français de la Guyane?
    A en Amérique du Sud   B en Asie
    C en Afrique

11. Dans quel pays d'Amérique le français est-il une langue officielle?
    A aux États-Unis   B au Canada
    C au Mexique

12. Où se trouve le Maghreb?
    A en Afrique du Nord   B en Amérique du Sud   C en Europe

13. Quel était le premier État noir à gagner son indépendance de la France?
    A le Sénégal   B la Côte d'Ivoire   C Haïti

14. Quelle est la langue indigène des Sénégalais?
    A le créole   B l'ouolof   C le flamand

15. Dans lesquels des pays suivants le français est-il une langue officielle?
    A en Suisse et en Belgique   B en Grèce et en Hollande   C en Finlande et en Norvège

16. Combien de pays africains ont désigné le français comme langue officielle?
    A environ 5   B environ 10   C environ 20

17. Où entend-on parler le «joual»?
    A en Afrique   B au Canada   C en Suisse

18. Quelle colonie française en Afrique a gagné son indépendance en 1962?
    A le Tchad   B l'Algérie   C le Sénégal

19. Quel territoire français est situé au sud de Hawaii?
    A Tahiti   B Mayotte
    C la Nouvelle-Calédonie

20. Qui sont Sembène Ousmane, Léopold Senghor et Aimé Césaire?
    A des explorateurs   B des acteurs
    C des écrivains

concours
MER ET SOLEIL

Variétés annonce son concours «Mer et Soleil». Le lecteur gagnant aura le choix d'une semaine inoubliable à Tahiti ou à la Martinique. Les lecteurs intéressés sont priés de soumettre à *Variétés* un texte d'au moins 200 mots sur un des sujets suivants:

Tahiti — paradis sur terre

La Martinique — île de l'éternel été

Notre jury d'experts choisira ce qui fera pour nous le meilleur article. Celui-ci sera publié dans notre prochain numéro.

Les membres du jury:
B. Deschaleurs
Auger Choisy
Mazo Chiste

Président du jury:
Jean D. Chéné, auteur du célèbre exposé sur les clubs Med, *La Plage aux folles.*

NOS LECTEURS NOUS écrivent

Cher éditeur,
Dans votre dernier numéro, vous avez noté combien la province est différente de Paris. Il y a beaucoup de contrastes en effet, mais il faut aussi remarquer que ces contrastes sont de moins en moins marqués. Les jeunes en province s'habillent comme les jeunes à Paris; on regarde les mêmes programmes de télé. Certaines maisons de la culture en province produisent maintenant des pièces de théâtre ou des spectacles plus cotés que ceux de Paris. Vous savez, franchement, la France devient un grand Paris. Enfin, c'est ce que je pense.

Gilbert Blanchard

[Votre théorie est bien intéressante. Nous pensons néanmoins que Paris va rester Paris et que la province restera bien la province.]

je me souviens!

les pronoms relatifs

proposition principale	proposition subordonnée
Voilà la monitrice	**qui** m'a parlé
	à qui j'ai parlé.
	que j'ai rencontrée hier.*
	dont je t'ai parlé.
Voilà l'hôtel	**où** j'ai passé mes vacances.
Je ne sais pas	**ce qui** les intéresse.
	ce que vous voulez.
	ce dont vous avez besoin.

Un pronom relatif introduit une proposition subordonnée et lie cette proposition à la proposition principale.

*Aux temps composés avec **avoir**, le participe passé s'accorde avec le pronom relatif **que** qui représente l'objet direct.

pronom relatif	fonction
qui: *that, which; who, whom*	• se réfère au sujet (personne ou chose) • représente le nom d'une personne après une préposition
que: *that, which; whom*	• se réfère à l'objet direct (personne ou chose)
dont: *of what, of which, of whom; whose*	• représente la préposition **de** + le nom d'une personne ou d'une chose
où: *where; in which, to which*	• représente une préposition de lieu + le nom d'une chose
ce qui: *what; that which*	• annonce ou résume une idée • se réfère au sujet
ce que: *what; that which*	• annonce ou résume une idée • se réfère à l'objet direct
ce dont: *what; that (of) which*	• annonce ou résume une idée • représente la préposition **de** + le nom d'une chose

A à compléter

Complétez chaque phrase avec le pronom relatif correct.

1. La Martinique est une île … il fait presque toujours soleil.
2. Ce sont eux … s'occupent de la nourriture pour le pique-nique.
3. Dites-moi … vous voudriez faire.
4. As-tu vu les lunettes de soleil … j'ai laissées sur la plage?
5. C'est ma soeur Aline … est allée à Tahiti.
6. Connais-tu la monitrice avec … j'ai joué au tennis?
7. Où est la serviette … je me servais?
8. … m'intéresse, c'est la géographie de la France.
9. Un séjour à Tahiti? Voilà … je rêve souvent!
10. Le lait est une boisson … on devrait boire tous les jours.

B le monde francophone

Complétez avec le pronom relatif convenable.

Saviez-vous que dans presque tous les coins du monde, il y a des gens … la première langue est le français? … surprend souvent le voyageur, c'est qu'on parle français hors de France. Cependant, … on ne réalise pas toujours, c'est qu'il y a plus de vingt-quatre pays … le français est une langue officielle.

… on ne se souvient pas, c'est que la République française comprend, outre la France métropolitaine, cinq départements … sont situés en Afrique, en Amérique du Sud, dans l'océan Indien, dans la mer des Caraïbes et même au large du Canada — donc cinq endroits … on parle français; cinq régions … quelques-unes telles que la Martinique et la Guadeloupe représentent dans l'esprit de certains la France touristique hors de France. En plus, il y a six territoires d'outre-mer … la France administre. La Suisse, la Belgique et le Luxembourg sont également des pays … comptent le français parmi leurs langues officielles. Le français est aussi la langue … on parle dans la petite principauté de Monaco. En fin de compte, on trouve le français un peu partout dans le monde.

OBSERVATIONS

objectifs

- les pronoms possessifs
- le pronom interrogatif **lequel**
- le pronom relatif **lequel**
- la voix passive

contexte A

Deux amis se rencontrent dans la rue…

– Tiens, tu t'es acheté un nouvel imperméable… Mais il ressemble drôlement au mien!

– Enfin, il est beige comme le tien; mais le mien est quand même un peu différent!

– Tu sais, j'aurais parié que c'était exactement le même manteau.

– Le mien a une doublure.

– Une doublure, ça ne se voit pas. Moi, je te dis que c'est le même manteau!

– Enfin, si tu insistes! Tu sais, l'imitation est une forme de compliment.

– C'est gentil, mais tu aurais pu choisir une autre couleur, non?

– Laquelle?

– Bleu marine, brun, je ne sais pas, moi. Et le style, tu aurais pu choisir un autre style.

– Lequel?

– Bof!… Style «James Bond», par exemple. Ça t'irait bien!

– Si j'ai bien compris, tu n'es pas tellement content que j'aie le même manteau que toi.

– Des fois, tu sais, tu me surprends—tu comprends si vite les choses!

analyse 1 (contexte A)

■ les pronoms possessifs

Pour ne pas répéter un nom avec son adjectif possessif,
on peut utiliser un pronom possessif.

Comparez:

l'adjectif possessif	**le pronom possessif**
C'est **mon ballon**. ──────→	C'est **le mien**.
Voilà **ta serviette**. ──────→	Voilà **la tienne**.
Voilà **ses disques**. ──────→	Voilà **les siens**.
C'est **notre appartement**. ──────→	C'est **le nôtre**.
C'est **votre voiture**? ──────→	C'est **la vôtre**?
Je préfère **leurs** ──────→	Je préfère **les leurs**.
suggestions.	

singulier		**pluriel**		
masculin	**féminin**	**masculin**	**féminin**	
le mien	la mienne	les miens	les miennes	*(mine)*
le tien	la tienne	les tiens	les tiennes	*(yours)*
le sien	la sienne	les siens	les siennes	*(his/hers/its)*
le nôtre	la nôtre	les nôtres	les nôtres	*(ours)*
le vôtre	la vôtre	les vôtres	les vôtres	*(yours)*
le leur	la leur	les leurs	les leurs	*(theirs)*

Puis-je emprunter ton magnétophone? **Le mien** est
cassé.

Il a ses propres cassettes, alors il n'aura pas besoin **des
tiennes**.

Je voudrais m'acheter des patins comme **les siens**.

Leur maison est belle mais **la nôtre** est plus moderne.

Je préfère nos idées **aux vôtres**.

Ils ont emprunté la voiture de leur fils parce qu'ils font
réparer **la leur**.

les pronoms possessifs avec *à* ou *de*

– J'emprunte toujours de l'argent **à mon père**.

– Sans blague! Moi, je n'en emprunte jamais **au mien**!

– Ont-ils téléphoné **à mes parents**?

– Non, ils ont téléphoné **aux leurs**.

– Est-ce que Marc se vante **de son bulletin** de notes?

– Mais oui! Et Jeannine se vante aussi **du sien**.

– Parlent-ils toujours **de leurs amis**?

– Oui, ... et **des nôtres** aussi!

à + le → **au**	de + le → **du**
à + les → **aux**	de + les → **des**

application

A de l'adjectif au pronom

1. mon maillot de bain ▶ **le mien**
2. ta boisson
3. ses lunettes de soleil
4. notre séjour
5. vos serviettes
6. leur monitrice
7. ma chaise longue
8. son logement
9. à notre moniteur
10. à leurs parents
11. de ton copain
12. de mes opinions

B les possessions

Répondez aux questions en utilisant un pronom possessif.

1. À qui est cette bicyclette? (à moi)
   ▶ **C'est la mienne.**
2. À qui sont ces lunettes? (à elle)
   ▶ **Ce sont les siennes.**
3. À qui est ce billet? (à toi)
4. À qui est cette huile à bronzer? (à vous)
5. À qui sont ces skis? (à nous)
6. À qui sont ces raquettes? (à eux)
7. À qui est cet emploi du temps? (à lui)
8. À qui est cette maison? (à eux)
9. À qui sont ces boissons? (à elle)
10. À qui sont ces posters? (à moi)

C les comparaisons

Remplacez les mots **en caractères gras** par un pronom possessif.

1. J'aime mieux **mon téléviseur** que **ton téléviseur**.
   ▶ **J'aime mieux le mien que le tien.**
2. **Tes lunettes** ont coûté plus cher que **ses lunettes**.
3. **Leur voiture** est moins rapide que **notre voiture**.
4. **Mon emploi** n'est pas si intéressant que **votre emploi**.
5. **Tes parents** sont compréhensifs mais **mes parents** sont très stricts.
6. **Nos devoirs** sont toujours plus difficiles que **leurs devoirs**.
7. **Notre monitrice** était plus sympa que **votre monitrice**.
8. **Votre séjour** était agréable mais **notre séjour** était ennuyant.
9. Il pose plus de questions **à son professeur** que j'en pose **à mon professeur**.
10. Elle sera contente **de ses notes**, mais tu ne seras pas content **de tes notes**.

sempé

analyse 2 (contexte A)

■ le pronom interrogatif *lequel*

Pour ne pas répéter un nom avec son adjectif
interrogatif, on peut utiliser un pronom interrogatif.

Comparez:

l'adjectif interrogatif	le pronom interrogatif
Quel film as-tu-vu? ————————→	**Lequel** as tu vu?
Quelle question a-t-il posée? ————→	**Laquelle** a-t-il posée?
Quels souliers allez-vous acheter? →	**Lesquels** allez-vous acheter?
Quelles voitures préfèrent-ils? ———→	**Lesquelles** préfèrent-ils?

	masculin	féminin	
singulier	lequel	laquelle	*(which one)*
pluriel	lesquels	lesquelles	*(which ones)*

attention!

Laquelle de ces robes as-tu achet**é**e?
Lesquels de ces livres avait-il lu**s**?

Le participe passé s'accorde avec l'objet direct, **lequel**,
laquelle, **lesquels** ou **lesquelles**.

le pronom interrogatif et la préposition *à*

À **quel ami** a-t-elle parlé? ————————→	**Auquel** a-t-elle parlé?
À **quelle école** vas-tu? ————————→	**À laquelle** vas-tu?
À **quels matchs** assistera-t-elle? ————→	**Auxquels** assistera-t-elle?
À **quelles villes** voudrais-tu aller? ——→	**Auxquelles** voudrais-tu aller?

> à + lequel → **auquel**
> à + lesquels → **auxquels**
> à + lesquelles → **auxquelles**

le pronom interrogatif et la préposition *de*

De **quel livre** parles-tu? ————————→	**Duquel** parles-tu?
De **quelle adresse** avez-vous besoin? →	**De laquelle** avez-vous besoin?
De **quels films** discutera-t-on? ————→	**Desquels** discutera-t-on?
De **quelles notes** êtes-vous contents? →	**Desquelles** êtes-vous contents?

> de + lequel → **duquel**
> de + lesquels → **desquels**
> de + lesquelles → **desquelles**

application

A de l'adjectif au pronom

1. Quel moniteur?
   ▶ **Lequel?**
2. Quelle boisson?
3. Quelles amies?
4. Quelle mer?
5. Quels prix?
6. Quel bikini?
7. À quel pays?
8. À quelle île?
9. À quels appartements?
10. De quel douanier?
11. De quelle plage?
12. De quelles régions?

B les substitutions

Remplacez les mots **en caractères gras** par la forme correcte du pronom **lequel**.

1. **Quel film** as-tu vu?
   ▶ **Lequel as-tu vu?**
2. **Quelle voiture** auriez-vous choisie?
3. **Quels disques** avait-il vendus?
4. **Quelles lettres** as-tu mises à la poste?
5. **À quel ami** écris-tu?
6. **De quelles émissions** a-t-elle parlé?
7. **De quelles classes** ont-ils profité?
8. **À quels cours** vas-tu t'inscrire?
9. **À quel prof** va-t-il téléphoner?
10. **De quel travail** t'occupes-tu?

C ah non!

Posez des questions avec la forme correcte du pronom **lequel**.

1. J'ai cassé une de tes assiettes.
   ▶ **Ah non! Laquelle?**
2. Madeleine a emprunté une de tes nouvelles robes.
3. Il a perdu deux de tes livres.
4. Nous devons faire quelques-uns de ces exercices.
5. Marcel a pris plusieurs de tes disques.
6. Papa va vendre un de nos téléviseurs.
7. J'ai prêté ta guitare à un de mes amis.
8. Maman a téléphoné à trois de tes profs.
9. Le conseiller n'était pas content de quelques-unes de tes notes.
10. Ils se sont servis d'un de vos ordinateurs.

contexte B

Entre père et fils.

– Tu voulais me voir, Jean-Paul?

– Eh bien, oui. La raison pour laquelle je veux te parler, c'est que… heu… je veux t'emprunter un peu d'argent.

– Ah bon! Tu veux me dire pourquoi?

– Oui, j'ai besoin d'acheter un truc avec lequel je peux réparer ma voiture.

– Un truc, un truc, c'est bien vague, …et ça peut coûter cher!

– Non, non, un petit truc, je te dis!

– Bon, tu veux combien?

– Si tu me donnais ta carte de crédit MOTOMONDE…

– Tiens, voilà, mais ne dépense pas trop.

– Merci, papa.

– Au fait, c'est quoi ton *petit truc*?

– Un moteur!

– Jean-Paul! Reviens ici. JEAN-PAUL!!!

analyse 3 (contexte B)

■ le pronom relatif *lequel*

Comme tous les pronoms relatifs, **lequel** permet de former une seule phrase joignant deux idées et évitant la répétition. La plupart du temps, il s'emploie avec une préposition.

Comparez:

Il a des opinions.
Je ne suis pas toujours d'accord avec ces opinions.
} Il a des opinions avec **lesquelles** je ne suis pas toujours d'accord.

Voilà une vieille église.
On passait devant cette vieille église en allant à la gare.
} Voilà une vieille église devant **laquelle** on passait en allant à la gare.

Nous avons des devoirs.
Nous n'avons pas assez de temps pour ces devoirs.
} Nous avons des devoirs pour **lesquels** nous n'avons pas assez de temps.

Voici un pronom relatif.
On doit faire attention à ce pronom relatif.
} Voici un pronom relatif **auquel** on doit faire attention.

Elle suivait des cours.
Elle ne s'intéressait pas à ces cours.
} Elle suivait des cours **auxquels** elle ne s'intéressait pas.

Quand il s'agit d'une personne, on peut utiliser le pronom relatif **lequel** ou le pronom relatif **qui**.

C'est **un prof** } avec lequel / avec qui } je suis toujours d'accord.

Quand il s'agit d'un endroit, on peut utiliser le pronom relatif **lequel** ou le pronom relatif **où**.

Voici **la boutique** } dans laquelle / où } j'achète mes jeans.

Quand il s'agit de la préposition **de** + un nom, on utilise d'habitude le pronom relatif **dont**.

Voilà le livre.
J'ai besoin de ce livre.
} Voilà le livre **dont** j'ai besoin.

Voilà les filles.
Je t'ai parlé de ces filles.
} Voilà les filles **dont** je t'ai parlé.

attention!

Quand il s'agit de prépositions formées de plusieurs mots se terminant par **de**, on utilise toujours le pronom relatif **lequel**.

près **de**   à cause **de**   à côté **de**
au milieu **de**   autour **de**

J'habitais un chalet **près duquel** il y avait un grand lac. Nous allons visiter une île **au milieu de laquelle** il y a un volcan.

Sempé

application

A le pronom relatif,... mais lequel?

1. ▶ la porte derrière **laquelle**
2. des serviettes avec ...
3. le bureau devant ...
4. les pays dans ...
5. la fenêtre par ...
6. des réponses sans ...
7. la plage sur ...
8. la compagnie pour ...
9. le magasin à côté de ...
10. des jardins au milieu de ...

B à compléter

Complétez chaque phrase avec la forme correcte du pronom relatif **lequel**.

1. J'ai trouvé de vieilles photos parmi ... il y avait des photos de Pierrette.
2. Où est la clef avec ... il a ouvert la porte?
3. Il y avait un grand mur derrière ... se trouvait un joli parc.
4. Comprends-tu les raisons pour ... il a dit cela?
5. Il y a une petite église à côté de ... il y a un grand immeuble.
6. Voilà le café dans ... j'ai travaillé l'été passé.
7. Avez-vous pris le papier sur ... il a écrit son adresse?
8. Il avait trouvé les réponses sans ... il n'aurait pas pu m'aider.
9. Ce sont des questions à ... je m'intéresse.
10. Je n'ai pas aimé le dernier concert à ... j'ai assisté.

C les options

Faites des phrases avec les pronoms relatifs **où** et **lequel**.

1. Je déjeunais dans ce café.
   ▶ **Voilà le café où je déjeunais.**
   ▶ **Voilà le café dans lequel je déjeunais.**
2. Nous vivions dans cette ville.
3. Elles ont voyagé dans ces pays.
4. Il ira à cette université.
5. Elle s'assoit sur cette chaise longue.
6. Ils ont passé leurs vacances sur cette île.

contexte C

Chez les Tartempion...

– Dis donc, la facture du téléphone est payée?
– Oui, elle a été payée la semaine dernière.
– Et les fleurs pour ma mère, elles ont été commandées?
– Oui, oui, ç'a été fait,... comme tu me l'avais demandé!
– Et le frigo, on l'a réparé?
– Oui, oui, le monsieur est venu ce matin!
– Et le ...?
– Dis donc, ça suffit, les questions! Comme directeur des travaux finis, tu es vraiment la vedette!

analyse 4 (contexte C)

■ la voix passive

Comparez:

la voix active	**la voix passive**
Anne **chante** la chanson.	La chanson **est chantée** par Anne. *(is [being] sung)*
Anne **chantait** la chanson.	La chanson **était chantée** par Anne. *(was [being] sung)*
Anne **chantera** la chanson.	La chanson **sera chantée** par Anne. *(will be sung)*
Anne **chanterait** la chanson.	La chanson **serait chantée** par Anne. *(would be sung)*
Anne **a chanté** la chanson.	La chanson **a été chantée** par Anne. *(has been sung, was sung [completed action])*
Anne **avait chanté** la chanson.	La chanson **avait été chantée** par Anne. *(had been sung)*
Anne **aura chanté** la chanson.	La chanson **aura été chantée** par Anne. *(will have been sung)*
Anne **aurait chanté** la chanson.	La chanson **aurait été chantée** par Anne. *(would have been sung)*

la voix active ⟶ Le sujet de la phrase fait l'action exprimée par le verbe.

la voix passive ⟶ Le sujet de la phrase subit l'action exprimée par le verbe.

Pour former la voix passive d'un verbe, on utilise le temps correct du verbe **être** + le participe passé.

Ces croissants **ont été préparés** par un boulanger parisien.

Le participe passé s'accorde toujours avec le sujet de la phrase. Remarquez que le participe passé du verbe **être (été)** est invariable. On introduit le nom de la personne ou de la chose qui fait l'action par la préposition **par**.

l'emploi du pronom *on* + la voix active

Comparez:

Le dîner **est servi**. ⟶	On **sert** le dîner.
Le travail **était fini**. ⟶	On **finissait** le travail.
Les photos **seront prises**. ⟶	On **prendra** les photos.
La lettre **serait envoyée**. ⟶	On **enverrait** la lettre.
Tu **as été invité**? ⟶	On t'**a invité**?
Nous **avions été vus**. ⟶	On nous **avait vus**.
Ils n'**auront** pas **été reconnus**. ⟶	On ne les **aura** pas **reconnus**.
L'erreur n'**aurait** jamais **été découverte**. ⟶	On n'**aurait** jamais **découvert** l'erreur.

Quand on ne sait pas qui fait l'action, on peut éviter la voix passive en utilisant **on** + la voix active.

Le sujet dans la phrase au passif devient l'objet direct de la phrase à l'actif. Si le sujet est un pronom, on utilise un pronom objet direct.

je   ⟶   me(m')
tu   ⟶   te(t')
il   ⟶   le(l')
elle   ⟶   la(l')
nous   ⟶   nous
vous   ⟶   vous
ils, elles ⟶ les

attention!

Anne a chanté **la chanson** (objet direct).

La chanson (sujet) a été chantée par Anne.

Puisque l'objet direct de la phrase à l'actif devient le sujet de la phrase au passif, seulement les verbes suivis d'un objet direct peuvent être employés à la voix passive.

Les verbes suivants ne sont pas utilisés à la voix passive. On utilise **on** + la voix active.

conseiller à quelqu'un
demander à quelqu'un
dire à quelqu'un
parler à quelqu'un
permettre à quelqu'un
répondre à quelqu'un
téléphoner à quelqu'un

On a dit aux élèves de partir.
On lui **aura répondu.**
On nous **avait conseillé** de rester ici.
On leur **a demandé** de répondre.
On me **permettra** d'y aller.

application

A de l'actif au passif

Mettez chaque phrase à la voix passive.

1. Pierre vend ces billets.
   ▶ **Ces billets sont vendus par Pierre.**
2. Ma copine raconte cette histoire.
3. Madeleine a préparé ce repas.
4. Alain racontait l'histoire.
5. Monique réveillera les enfants.
6. Le prof écrirait les articles.
7. Ses amis ont pris ces photos.
8. Mon frère avait conduit ma voiture.
9. Le metteur en scène aura choisi les acteurs.
10. Cette pièce aurait diverti tes copines.

B du passif à l'actif!

Employez **on** + la voix active.

1. Le cadeau est offert.
   ▶ **On offre le cadeau.**
2. La confiture est faite.
3. Les saucisses ont été mangées.
4. Les problèmes avaient été reconnus.
5. L'économie sera étudiée.
6. Le téléviseur était réparé.
7. Les salaires auraient été payés.
8. La lettre a été reçue.

encore une fois!

Employez **on** + la voix active.

1. Je serai accompagné.
   ▶ **On m'accompagnera.**
2. Elle a été appelée.
3. Nous serions amusés.
4. Ils étaient servis.
5. Vous avez été choisis.
6. Elles auront été diverties.
7. Tu aurais été payé.
8. J'ai été invité.

 c'est le pronom _on_!

Faites des phrases avec **on** + le futur du verbe à la voix active.

1. demander à Charles de partir
   ▶ **On demandera à Charles de partir.**
2. conseiller aux étudiants de se débrouiller
3. parler à papa de notre voyage
4. téléphoner à Marie-Claire demain
5. dire au garçon de servir la salade
6. répondre aux enfants ce soir
7. permettre aux touristes d'entrer
8. demander au moniteur de nous aider

de l'actif au passif

Employez la voix passive du verbe.

1. On fait la pizza.
   ▶ **La pizza est faite.**
2. On écrira la lettre.
3. On ne vendrait pas la voiture.
4. On choisissait les cadeaux.
5. On a réveillé les enfants.
6. On n'a pas envoyé le paquet.
7. On nous a vus.
8. On m'avait entendu.

vérification

dites-moi!

Répondez à chaque question avec le pronom possessif correct.

1. Lequel de ces disques est à toi?
   ▶ **Voilà le mien!**
2. Lequel de ces emplois du temps est à moi?
3. Laquelle de ces raquettes est à lui?
4. Lesquelles de ces lettres sont à vous?
5. Laquelle de ces serviettes est à toi?
6. Lesquels de ces bikinis sont à eux?
7. Laquelle de ces motos est à elle?
8. Lesquels de ces livres sont à nous?
9. Lesquelles de ces photos sont à elles?
10. Lequel de ces journaux est à toi?

 la réciprocité

Complétez chaque phrase avec le conditionnel présent du verbe et le pronom possessif correct.

1. Si nous achetions leurs produits, ils …
   ▶ **Si nous achetions leurs produits, ils achèteraient les nôtres.**
2. Si je considérais ses opinions, il …
3. Si nous gardions leurs enfants, ils …
4. Si vous discutiez de leurs problèmes, ils …
5. Si elle écoutait mes chansons, j' …
6. Si nous aidions leur frère, ils …
7. Si tu invitais nos amis, nous …
8. Si vous empruntiez sa voiture, elle …
9. Si tu téléphonais à ses parents, il …
10. Si j'assistais à leurs matchs, ils …
11. Si nous profitions de vos idées, vous …
12. Si vous étiez content de notre participation, nous …

pardon?

Posez des questions avec la forme correcte du pronom **lequel**.

1. J'ai acheté un disque hier.
   ▶ **Ah oui? Lequel?**
2. J'ai vu une de tes soeurs ce matin.
3. Nous attendons des copains.
4. Elle a lu des livres français.
5. Ils avaient regardé trois émissions.
6. Je viens de visiter deux pays européens.
7. Ils vont assister à un concert ce soir.
8. Nous voudrions voyager à une île antillaise.
9. Le prof va discuter d'une chanteuse canadienne.
10. Il nous a parlé de quelques-uns de ses projets.
11. Il faudra répondre à ses questions.
12. J'aurai besoin d'un dictionnaire.

 les questions

Posez des questions avec la forme correcte du pronom **lequel**. Attention à l'accord du participe passé.

1. J'ai lu des magazines français.
   ▶ **Lesquels as-tu lus?**
2. Ils ont exporté des articles de luxe.
3. Ils ont vu un film d'horreur.
4. J'ai emprunté des disques pour la party.
5. J'ai considéré une de ces options.
6. Nous sommes allés à une plage près de Vancouver.
7. Elle s'est inscrite à un cours de maths.
8. Nous avons parlé à des fonctionnaires américains.
9. Je me suis servi de ces serviettes.
10. Ils sont retournés d'une île antillaise.
11. Nous avons répondu à des questions.
12. On a discuté d'un de ces problèmes.

combinons!

Formez une seule phrase un utilisant la forme correcte du pronom relatif **lequel**.

1. Voilà une usine. Dans cette usine on produit des pneus.
   ▶ **Voilà une usine dans laquelle on produit des pneus.**
2. J'ai passé un séjour à la Martinique. Durant ce séjour, j'ai fait de la plongée sous-marine.
3. Il a perdu sa bicyclette. Sans sa bicyclette, il ne peut pas arriver à l'école à l'heure.
4. Dans ma chambre il y avait une grande fenêtre. Par cette fenêtre, je pouvais voir la mer.
5. Le bricolage est un passe-temps. Beaucoup de gens s'intéressent à ce passe-temps.
6. Nous avons visité un château. Derrière le château, il y avait une rivière.
7. Le patinage et l'équitation sont des sports. Nous n'avons pas le temps pour ces sports.
8. Il y avait deux petites maisons. Entre ces maisons se trouvait une église.
9. Nous sommes descendus dans un grand hôtel. Près de l'hôtel, il y avait un très bon restaurant.
10. Tahiti est une île. Nous nous sommes promenés en bateau autour de cette île.

F quel choix!

Complétez avec **qui**, **où**, **dont** ou la forme correcte du pronom relatif **lequel**.

1. La Guadeloupe est une île … on pourra passer un séjour merveilleux.
2. Connaissez-vous le moniteur à … votre copain parle?
3. Est-ce que je t'ai montré le livre dans … l'auteur a écrit son nom?
4. Je viens d'écrire un poème … je suis vraiment content.
5. Ce sont des questions … je ne veux pas répondre.
6. Dites-nous les raisons pour … vous avez refusé d'y aller.
7. Avez-vous vu les photos de la ville … j'habitais?
8. Tu verras un café à côté … il y a une boulangerie.
9. J'ai rencontré le jeune homme avec … vous jouez au tennis.
10. Prenez tous les livres … vous aurez besoin.

G c'est fait!

Répondez aux questions en utilisant le passé composé du verbe à la voix passive.

1. As-tu payé la facture?
   ▶ **Oui, elle a été payée.**
2. As-tu réparé le frigo?
3. As-tu acheté les cadeaux?
4. As-tu envoyé les lettres?
5. As-tu rangé la cuisine?
6. As-tu monté les valises?
7. As-tu fait la vaisselle?
8. As-tu lavé la voiture?
9. As-tu mis la table?
10. As-tu servi la soupe?

H ça change!

Remplacez la voix passive par **on** + la voix active.

1. Le travail est fini.
   ▶ **On finit le travail.**
2. Le petit déjeuner a été préparé.
3. La porte était fermée à onze heures.
4. Les adresses avaient été perdues.
5. La voiture sera réparée.
6. Ces produits auraient été exportés.
7. Le match aura été gagné.
8. Le but est accompli.
9. Le ménage sera fait.
10. Tous les exemplaires ont été vendus.

le coin du traducteur

1. Did he put his deckchair next to hers?
2. Here's my towel; I won't need yours.
3. The climate in the West Indies is much better than ours.
4. To which one of the customs officials did you speak?
5. Which of these drinks are theirs?
6. On which of these islands is French spoken?
7. There's the restaurant we went to last night.
8. They have a big house behind which there's a pool.
9. Our dinner will be served in an hour.
10. They have been asked to work at the Club Med.
11. Which ones of your ideas will be considered?
12. That actress was discovered on a beach in Martinique.

SAVOIR COMMUNIQUER

répertoire 1

Dans la salle d'attente d'un bureau de placement, deux copains se parlent.

pensif
préoccupé

mon fort
ma spécialité

calme-toi!
du calme!
ne t'en fais pas!

ça ne me fait ni chaud ni froid
ça ne me dérange pas plus que ça

sensationnel
formidable
fantastique

boulot
travail

tu parles!
et comment!

complet
total

il faudrait que je me déplace
il serait nécessaire que je me déplace
je serais obligé de me déplacer

– Tiens! Tu as l'air bien *pensif*!

– Je suis un peu nerveux. Les *entrevues*, ce n'est pas *mon fort*.

– *Calme-toi*! Tu verras, c'est *du gâteau*!

– Et toi, tu n'es pas *nerveux*?

– Bof, moi, *ça ne me fait ni chaud ni froid*. Et puis, cette grosse *boîte*, je ne sais pas si ça m'intéresse.

– Qu'est-ce qu'ils t'offrent comme *salaire*?

– Oh, c'est *sensationnel*: cent mille *balles* par année pour commencer!

– Possibilité d'*avancement*?

– Sans égal!

– *Boulot* intéressant?

– *Tu parles*! Dans une équipe de recherches, l'une des meilleurs au monde!

– Avantages sociaux?

– Tout le paquet: assurances, indemnités, etc.

– Degré d'indépendance?

– *Complet*!

– Mais alors, pourquoi ne sautes-tu pas sur *l'occasion*?

– *Il faudrait que je me déplace*.

– Où ça?

– Au Pôle Nord!

– Oh, ne te laisse pas décourager par un petit obstacle comme ça!

entrevues
interviews

du gâteau
très facile

nerveux
énervé
agité
anxieux

boîte
compagnie

salaire
traitement

balles
francs

avancement
promotion

l'occasion
l'opportunité

223

enchaînement

Faites le dialogue suivant avec un partenaire.

–Tiens! Tu as l'air bien préoccupé!

–…

–Ne t'en fais pas! Tu verras, c'est du gâteau!

–… ?

–Bof, moi, ça ne me dérange pas plus que ça. Et puis, cette grosse compagnie, je ne sais pas si ça m'intéresse.

–… ?

–Oh, c'est sensationnel: cent mille francs par année pour commencer!

–… ?

–Sans égal!

–… ?

–Et comment! Dans une équipe de recherches, l'une des meilleures au monde!

–… ?

–Tout le paquet: assurances, indemnités, etc.

–… ?

–Total!

–… ?

–Je serais obligé de me déplacer.

–… ?

–Au Pôle Nord!

–… !

débrouillez-vous!

Dramatisez les situations suivantes avec un partenaire.

Vous vous présentez au bureau de placement d'une grande compagnie.

1. Vous êtes un peu nerveux en attendant votre entrevue avec le directeur du personnel. Un autre candidat vient de terminer son entrevue. Vous lui posez des questions sur le poste qui est offert et il vous explique les raisons pour lesquelles il l'a refusé.
2. Cette fois-ci, vous quittez l'entrevue exaspéré puisqu'on vient de vous offrir un emploi dont les conditions de travail sont absurdes. Le prochain candidat vous pose des questions sur ces conditions.

répertoire 2

Aux griffes d'une concierge.

excusez-moi
je vous demande
  pardon

*vous vous payez de
  ma tête!*
vous vous moquez
  de moi!
vous vous fichez de
  moi!

*je vous demande mille
  fois pardon*
je vous offre mes excuses
je me confonds en excuses

qu'est-ce qui vous arrive?
qu'est-ce que vous avez?
qu'est-ce qui vous prend?

*vous y allez un
  peu fort*
vous exagérez un
  peu

chahut
bruit
tapage
tintamarre

je paie
je règle

quelle impertinence
quelle arrogance
quel toupet

—*Excusez-moi*, madame Revêche. *Je ne sais pas ce que j'ai fait de* mes clefs. Puis-je emprunter votre passe-partout?

—*Vous vous payez de ma tête!* Me déranger à cette heure-ci? Mais *vous avez perdu les pédales!*

—*Je vous demande mille fois pardon*, mais *il est à peine* dix heures!

—Ah! *Ça, c'est du culot!* Est-ce que vous oseriez frapper à ma porte plus tard que ça peut-être?

—Non, mais ...heu...enfin...

—*Qu'est-ce qui vous arrive?* Vous ne savez plus parler français?

—C'est que ...heu...

—Ça va de mieux en mieux! *Vous en faites des progrès en français!* Tenez, le voici votre passe-partout. N'oubliez pas de me le rapporter. *Avec votre tête de linotte*, on ne sait jamais.

—*Vous y allez un peu fort!* Après tout, c'est la première fois que ça m'arrive.

—Tiens! Il a retrouvé *sa langue*. Oh, vous savez, si ce n'est pas vous, c'est un autre. Les jeunes n'ont *aucun* respect pour leur concierge.

—Comment ça?

—Avec toutes ces boums et tout ce *chahut* que vous faites là-haut, vous m'empêchez de dormir!

—Après tout, *je paie* mon loyer, *j'ai le droit de* faire ce qui me plaît!

—Soyez poli, jeune homme! Et je vous le répète, *vous ne devez pas* amener de jeunes filles chez vous!

—BON-SOIR, madame Revêche! Et au plaisir de vous revoir...!

—*Quelle impertinence*, ces jeunes! Et moi, avec mon dos qui me fait mal...

*je ne sais pas ce que
  j'ai fait de*
j'ai égaré
j'ai perdu

*vous avez perdu les
  pédales!*
vous êtes devenu fou!
vous êtes toqué!

il est à peine
il n'est que
il est seulement

ça, c'est du culot!
quelle audace!
quelle impertinence!

*vous en faites des
  progrès en français!*
votre français s'améliore!

avec votre tête de linotte
vous êtes tellement
  distrait

sa langue
la parole

aucun
pas de
point de

j'ai le droit de
je peux

vous ne devez pas
il est interdit d'
il ne faut pas
il est défendu d'

enchaînement

Faites le dialogue suivant avec un partenaire.

–Excusez-moi, madame/monsieur. J'ai perdu mes clefs.
  Puis-je emprunter votre passe-partout?

–… !

–Je vous offre mes excuses, mais il est seulement dix
  heures!

–… ?

–Non, mais …heu …enfin…

–… ?

–C'est que …heu…

–…

–Vous exagérez un peu. Après tout, c'est la première
  fois que ça m'arrive.

–…

–Comment ça?

–… !

–Après tout, je paie mon loyer, je peux faire ce qui me
  plaît!

–… !

–BON-SOIR, madame/monsieur. Et au plaisir de vous
  revoir!

–…

débrouillez-vous!

Dramatisez les situations suivantes avec un partenaire.

Vous habitez un appartement dans une maison à Paris.

1. Un soir, vous rentrez vers neuf heures. Vous avez
   perdu votre clef pour la première fois et vous
   demandez un passe-partout au/à la concierge qui est
   très fâché(e) que vous l'ayez dérangé(e).

2. Cette fois-ci, vous avez invité des amis chez vous.
   Vous êtes en train de parler et d'écouter de la
   musique quand le/la concierge frappe à la porte pour
   vous dire que le bruit le/la dérange.

Le coin des citations

«Se vouloir libre, c'est aussi vouloir les autres libres.»

Simone de Beauvoir

SAVOIR-FAIRE

A au Club Méditerranée

Pendant votre séjour à la Martinique, vous posez des questions au moniteur qui vous explique les activités de la semaine.

1. Nous irons à une plage.
   ▶ **À laquelle?**
2. Nous ferons du sport.
3. Nous participerons à toutes sortes d'activités.
4. Nous nous promènerons dans un petit village.
5. Nous ferons le tour des magasins.
6. Nous visiterons de vieilles, petites églises.
7. Nous sortirons à un restaurant.
8. Nous mangerons des plats typiquement antillais.
9. Nous irons à une discothèque.
10. Nous boirons des boissons exotiques.

B qui suis-je?

Identifiez les personnes suivantes.

1. «J'étais le premier président de la Ve République.»
2. «Je suis le président actuel de la Ve République.»
3. «J'étais le premier gouverneur de la Nouvelle-France.»
4. «J'étais le premier premier ministre français du Canada.»
5. «Je suis le père de la poésie noire d'expression française.»
6. «Né en Corse, je suis devenu empereur de France.»
7. «Je suis le prince de Monaco.»
8. «Je me suis réfugié à Tahiti où j'ai continué mon métier de peintre.»

C les travaux

De la liste suivante, déterminez les travaux qui ont été faits et ceux qui n'ont pas été faits.

réparer la machine à laver ✓
commander des fleurs
faire la lessive ✓
laver la voiture
acheter des timbres
écrire des lettres ✓
faire des réservations
　　au restaurant ✓
vérifier l'huile de la voiture
envoyer des paquets
sortir les poubelles ✓

▶ **1. La machine à laver a été réparée.**
▶ **2. Les fleurs n'ont pas été commandées.**

petit vocabulaire

faire la lessive	*to do the laundry*
une poubelle	*garbage can*

D les plaques d'immatriculation

En France, le numéro sur une plaque d'immatriculation se termine par le numéro du département où la voiture a été immatriculée. Par exemple, le numéro sur une plaque à Angers, dans le département de **Maine-et-Loire** (49), pourrait être 207 RT 49.

En vous référant à la carte des départements de la France métropolitaine, page 199, trouvez les noms des départements où les voitures suivantes ont été immatriculées.

1. 75273 SJ 57	6. 3183 TT 28
2. 4679 RB 02	7. 60728 GW 74
3. 30211 AF 95	8. 9849 JK 37
4. 2310 BM 17	9. 502 BC 66
5. 47625 AY 48	10. 87930 RD 80

E l'Afrique française

Il y a 20 pays franco-africains. (Voir la carte, page 201.) Choisissez un de ces pays, faites des recherches, puis faites un rapport oral à la classe. Dans votre rapport, mentionnez les faits suivants:

1. situation géographique et pays voisins
2. population
3. composition ethnique
4. langues parlées
5. coutumes et traditions
6. climat
7. colonisation et décolonisation du pays
8. relations avec la France

F je compose

Vous venez de passer un séjour à la Martinique. L'éditeur du journal français à votre école vous demande d'écrire un article sur vos impressions.

G les situations

Avec un partenaire, faites des dialogues basés sur les situations suivantes.

1. Vous interviewez l'attaché culturel d'un consulat de France sur la France d'outre-mer.
2. Vous êtes un employé dans une agence de voyages. Vous expliquez les avantages d'un séjour à la Martinique à un client qui vous pose beaucoup de questions.
3. Vous êtes moniteur au Club Méditerranée de la Guadeloupe. Vous répondez aux questions d'un client au sujet des activités offertes par le club.
4. Vous interviewez le célèbre peintre Paul Gauguin concernant sa décision de quitter la France pour aller vivre à Tahiti.

QUE SAIS-JE ?

unités 5 et 6

- les pronoms démonstratifs
- la formation du participe présent
- **en** + le participe présent
- **après** + l'infinitif passé
- **faire causatif**
- les pronoms possessifs
- le pronom interrogatif **lequel**
- le pronom relatif **lequel**
- la voix passive

A les associations

Quelles idées vont ensemble?

1. **le sud**	l'Atlantique
2. un océan	une île
3. la Méditerranée	pluvieux
4. une chaîne de montagnes	un douanier
5. la Loire	une chambre d'hôtel
6. humide	nord, sud, est, ouest
7. un territoire français	**le Midi**
8. un passeport	un bikini
9. les directions	le jus d'orange
10. un logement	une mer
11. un maillot de bain	des arbres
12. une plage	les Alpes
13. une boisson	Tahiti
14. une forêt	le sable
15. Terre-Neuve	un fleuve

B soyez logique!

Choisissez la bonne expression pour compléter chaque phrase.

1. Le climat de la France du sud est plutôt (froid, pluvieux, sec).
2. Un fleuve se jette directement dans (une rivière, la mer, un lac).
3. Pour voyager de Calais à Douvres, on doit traverser (la Manche, les Alpes, l'Angleterre).
4. Les Pyrénées sont (un géant, une chaîne de montagnes, un chemin de fer).
5. La Martinique et la Guadeloupe sont des (provinces, territoires, départements) de la France d'outre-mer.
6. Les Antilles sont situées dans la mer (Rouge, Méditerranée, des Caraïbes).
7. Pour éviter les coups de soleil, on met d'habitude (du miel, de l'huile à bronzer, du beurre d'arachides).
8. Un triangle a trois (cercles, côtés, instruments).
9. Pour jouer au volley-ball, on a besoin d'un (boute-en-train, ballon, matelas pneumatique).
10. Celui qui organise des activités et des sports est appelé (un moniteur, un activiste, un organe).

C les précisions

1. Apportez-moi un journal!
   - ▶ **Lequel? Celui-ci ou celui-là?**
2. Demandez des renseignements à un douanier!
   - ▶ **Auquel? À celui-ci ou à celui-là?**
3. Discutons d'une de ces pièces!
   - ▶ **De laquelle? De celle-ci ou de celle-là?**
4. Montrez-nous des photos de votre voyage!
5. Écoutons des disques de jazz!
6. Parlez-en à un conseiller!
7. Passez le pain!
8. Achetons des saucisses!
9. Servez-vous d'une fourchette!
10. Téléphonez à un hôpital!

D questions et réponses

1. la bicyclette/à toi/bleue
   - ▶ — **Laquelle de ces bicyclettes est la tienne?**
   - ▶ — **Celle qui est bleue.**
2. la raquette/à lui/en métal
3. la maison/à eux/à côté de l'école
4. les oeufs/à nous/brouillés
5. les livres/à elle/sur l'informatique
6. le téléviseur/à toi/portatif
7. les croissants/à moi/sur le comptoir
8. les voitures/à elles/dans le parking
9. le chalet/à vous/au bord du lac
10. la chambre/à toi/au troisième étage

E c'est vrai!

1. chanteur
   - ▶ **C'est en chantant qu'on devient chanteur.**
2. vendeur
3. nageur
4. danseur
5. joueur
6. annonceur
7. inventeur
8. voyageur
9. collectionneur
10. conducteur

F quand et comment?

Répondez à chaque question en utilisant **en** + le participe présent.

1. Quand faites-vous des exercices aérobiques? (se lever)
   - ▶ **Je fais des exercices aérobiques en me levant.**
2. Comment apprend-il à parler français? (écouter des cassettes)
3. Quand lis-tu le journal? (prendre le petit déjeuner)
4. Comment améliorera-t-on l'économie? (exporter plus de produits)
5. Quand avez-vous vu les Marchand? (aller au bureau)
6. Comment irritent-ils leurs copains? (se vanter trop)
7. Comment allez-vous économiser de l'argent? (ne plus utiliser de cartes de crédit)
8. Quand a-t-il appris la mauvaise nouvelle? (recevoir ma lettre)

G le moulin à phrases

Formez une phrase avec **après** + l'infinitif passé.

1. elle/aller au centre d'achats/s'arrêter chez le coiffeur
   - ▶ **Après être allée au centre d'achats, elle s'est arrêtée chez le coiffeur.**
2. nous/descendre à la plage/faire de la planche à voile
3. ils/s'habiller/sortir
4. je/traverser la Manche/arriver en Angleterre
5. elles/monter au sommet de la tour/pouvoir voir toute la ville
6. nous/voir le film/en discuter avec nos copains
7. ils/manger/faire la vaisselle
8. elles/se parler/se quitter
9. je/réparer la voiture/la vendre
10. nous/se rencontrer/prendre un café au bistro

H à compléter

Complétez chaque phrase avec la forme correcte du pronom relatif **lequel**.

1. Je n'ai jamais entendu parler de la compagnie pour … il travaille.
2. Derrière la maison, il y avait un petit jardin au milieu … il y avait un grand arbre.
3. Connaissez-vous la monitrice avec … je suis allé en Europe?
4. C'est un hôtel devant … il y a une grande statue.
5. Ils viennent de visiter la ville dans … j'ai passé mon enfance.
6. J'ai beaucoup aimé les matchs … j'ai assisté.
7. As-tu entendu les questions … il a répondu?
8. Il y a deux petits lacs entre … est situé un grand parc.
9. Elle n'a aimé aucun cours … elle s'était inscrite.
10. J'espère que tu as commandé la spécialité à cause de … ce restaurant est devenu si célèbre.

I causons des faits!

Faites des phrases avec **(se) faire** + l'infinitif au temps indiqué.

1. Marcel/couper les cheveux (présent)
   ▶ **Marcel se fait couper les cheveux.**
2. Les Garneau/réparer le frigo (futur)
   ▶ **Les Garneau feront réparer le frigo.**
3. Céline/coiffer (passé composé)
4. nous/venir un taxi (conditionnel présent)
5. elles/servir le dîner (plus-que-parfait)
6. elle/faire une robe (présent)
7. le professeur/chanter les élèves (futur)
8. ils/garder les enfants (conditionnel passé)
9. je/lire les articles (futur antérieur)
10. il/comprendre (passé composé)

J les options

Répondez aux questions suivantes en utilisant d'abord la voix passive, puis **on** + la voix active.

1. Ont-ils descendu les bagages?
   ▶ **Oui, les bagages ont été descendus.**
   ▶ **Oui, on a descendu les bagages.**
2. Serviront-ils la salade?
3. Avaient-ils réparé la moto?
4. Finiraient-ils le travail?
5. Auront-ils envoyé les paquets?
6. Avaient-ils lavé la voiture?
7. Auraient-ils monté les valises?
8. Ont-ils rangé la maison?
9. Prépareront-ils la pizza?
10. Avaient-ils pris les photos?

K de l'anglais au français

1. Which one of those bathing suits did you buy? I hope it was the one I liked.
2. Did he speak to this counsellor or that one?
3. I prefer the hotels in Europe to the ones in Canada.
4. He was happy about his stay in Tahiti; we weren't happy about ours.
5. To tell the truth, your opinions are better than his.
6. After going swimming we had our hair done.
7. While walking on the beach, she lost her sunglasses.
8. We discovered an island on which there were no tourists!
9. – When are you going to have your television set repaired?
   – It was repaired last week!
10. After doing all these exercises, you can brag a little.

TOUT ENSEMBLE!

A les descriptions

Quelle idée correspond à quelle définition?

1. **un pique-nique**
2. des oeufs
3. le pétrole
4. des lunettes
5. des exportations
6. le pain
7. une rivière
8. un douanier
9. le sable
10. un fonctionnaire
11. une monitrice
12. la Côte d'Azur
13. les Antilles
14. le parfum
15. un maillot de bain

On en fait de l'essence.
On les envoie dans d'autres pays.
Il vérifie les passeports.
Elle est située sur la Méditerranée.
Elle organise des sports et des activités.
Il travaille dans les bureaux du gouvernement.
On le fait en plein air.
On le porte quand on fait de la natation.
On le fait des pétales de certaines fleurs.
On les porte pour mieux voir.
Ça recouvre une plage.
Elle se jette dans un lac.
On les sert pour le petit déjeuner.
On le vend dans une boulangerie.
Elles se trouvent dans la mer des Caraïbes.

B les mots de la même famille

Trouvez un nom qui correspond à chaque verbe.

1. servir
   ▶ **un serveur**
2. produire
3. exporter
4. bricoler
5. patiner
6. boire
7. chanter
8. se souvenir
9. goûter
10. plonger
11. nourrir
12. retourner
13. téléviser
14. se loger
15. économiser

C l'élimination des mots!

Quel mot ne va pas?

1. baguette, croissant, pain, chocolat
2. beurre, oeuf, confiture, miel
3. cadre, fonctionnaire, jambon, commerçant
4. dormir, mentir, servir, finir
5. bricolage, canotage, natation, plongée sous-marine
6. passe-temps, bouchon, loisir, distraction
7. château, usine, église, varappe
8. île, fleuve, rivière, océan
9. boisson, café, saucisse, jus
10. plage, soleil, sable, diffusion

D les deux présents

1. considérer/nous
   - ▶ **nous considérons**
   - ▶ **que nous considérions**
2. accomplir/tu
3. entendre/je
4. prendre/vous
5. faire/ils
6. reconnaître/elle
7. pouvoir/il
8. se sentir/je
9. boire/nous
10. offrir/vous
11. recevoir/ils
12. acheter/nous
13. découvrir/vous
14. produire/tu
15. se vanter/nous
16. mettre/je
17. aller/elle
18. avoir/ils
19. être/elle
20. voir/vous

E les deux passés

1. croire/je
   - ▶ **j'ai cru**
   - ▶ **que j'aie cru**
2. traverser/tu
3. finir/vous
4. répondre/elles
5. venir/nous
6. se réveiller/ils
7. rester/elle
8. disparaître/nous
9. arriver/je
10. se lever/vous
11. écrire/je
12. recevoir/tu
13. ouvrir/elles
14. mettre/on
15. lire/nous
16. se débrouiller/ils
17. dormir/tu
18. boire/nous
19. rentrer/elles
20. vouloir/je

F faites votre choix!

Mettez le verbe indiqué au présent de l'indicatif ou au présent du subjonctif, selon le cas.

1. Croyez-vous que nous (pouvoir) nous asseoir à cette table?
2. Je ne voudrais pas que vous (s'occuper) de tout ça.
3. Nous souhaitons que vous (venir) nous visiter cet été.
4. Ils ne font jamais de bruit pendant que nous (dormir).
5. Il sera nécessaire que tu (descendre) les valises.
6. Je ne doute pas qu'ils (avoir) envie de voyager aux Antilles.
7. Il est possible que je (s'inscrire) à ce cours de bricolage.
8. Nous regrettons que vous ne nous (accompagner) pas.
9. On espère que votre père (se sentir) mieux.
10. Il n'y a personne ici que je (reconnaître).

G encore des choix!

Mettez le verbe indiqué au passé composé de l'indicatif ou au passé du subjonctif, selon le cas.

1. Il semble qu'ils (ne jamais monter) au sommet de cette tour.
2. Tu peux sortir pourvu que tu (faire) la vaisselle.
3. Je doute qu'il (recevoir) son permis de conduire.
4. Est-il vrai qu'ils (sortir) sans nous le dire?
5. Il est évident que le film (divertir) tout le monde.
6. Je ne suis pas certain qu'ils (arriver) hier.
7. J'ai raconté la nouvelle à Marc quand je le (voir).
8. Ils n'ont pas pu faire de camping parce qu'il (pleuvoir).
9. Elle n'a pas dit qu'elle (prendre) l'avion.
10. N'y avait-il rien que tu (comprendre)?

H les alternatives

Reformulez les phrases suivantes à l'aide d'un infinitif.

1. Il vaudrait mieux qu'on parte de bonne heure.
   ▶ **Il vaudrait mieux partir de bonne heure.**
2. Est-il temps qu'on serve le café?
3. Il permet que nous sortions.
4. Il est important qu'on sache conduire.
5. Il faudra qu'on reçoive de bonnes notes.
6. Nous regrettons que nous soyons en retard.
7. Elle ne fait jamais de varappe de peur qu'elle ne tombe.
8. Je défends qu'ils prennent ma voiture.
9. Doutes-tu que tu t'en souviennes?
10. Je veux te parler avant que je parte.

I les deux participes

1. donner
   ▶ **donnant**
   ▶ **donné**
2. accomplir
3. descendre
4. songer
5. avancer
6. faire
7. mentir
8. avoir
9. découvrir
10. s'inscrire
11. savoir
12. aller
13. être
14. produire
15. venir

J les ensembles

Mettez les deux idées ensemble, d'abord avec **en** + le participe présent, puis avec **après** + l'infinitif passé.

1. il/lire le journal/boire son café
   ▶ **Il a lu le journal en buvant son café.**
   ▶ **Il a lu le journal après avoir bu son café.**
2. je/regarder la télé/prendre le déjeuner
3. elle/faire ses devoirs/écouter la radio
4. elles/entrer/se parler
5. il/casser ses lunettes/rentrer
6. ils/se rencontrer/jouer au tennis
7. elles/se voir/traverser la rue
8. je/mettre mon chandail/descendre
9. nous/apprendre la nouvelle/parler au moniteur
10. ils/recevoir un bon salaire/travailler fort

K les conditions

Mettez les verbes au futur et au futur antérieur.

1. Ils font sortir les valises. Le taxi arrive. (quand)
   ▶ **Ils feront sortir les valises quand le taxi sera arrivé.**
2. Ils prennent le petit déjeuner. Ils descendent. (lorsque)
3. J'achète une voiture de sport. J'économise assez d'argent. (aussitôt que)
4. Elle leur écrit. Elle trouve leur nouvelle adresse. (dès que)
5. Il s'habille. Il se rase. (après que)
6. Nous allons en Europe. Nous finissons nos études secondaires. (quand)
7. Tu peux servir la soupe. Tu sers la salade. (après que)
8. Je sais me décider. Je considère les options. (aussitôt que)
9. Tu me repaies l'argent que tu m'as emprunté. Tu reçois ton salaire. (dès que)
10. Elles ont beaucoup à nous raconter. Elles reviennent de Paris. (lorsque)

L c'est le pronom démonstratif!

Remplacez les mots **en caractères gras** par le pronom démonstratif correct.

1. Je n'ai jamais visité ce pays-ci, mais j'ai souvent visité **ce pays-là**.
   ▶ **Je n'ai jamais visité ce pays-ci, mais j'ai souvent visité celui-là.**
2. Notre maison est plus grande que **la maison** des Bertrand.
3. Nous préférons cette plage-là à **cette plage-ci**.
4. Le climat du Canada est plus froid que **le climat** des Antilles.
5. J'aime les profs qui sont sympa; je n'aime pas **les profs** qui sont trop sérieux.
6. Avez-vous choisi la spécialité de la maison ou **la spécialité** que Margot a recommandée.
7. On est allé voir le film tourné par Fellini, pas **le film** de Bergman.
8. Aimes-tu les cours qui sont intéressants ou **les cours** qui sont pratiques?
9. Ont-ils besoin de cette clef ou de **la clef** qui est sur le bureau?
10. Avez-vous fait réparer la voiture par ce mécanicien ou par **le mécanicien** dont je vous ai parlé?

M les possessions

Complétez chaque phrase à la négative en utilisant le pronom possessif correct.

1. J'ai bu mon jus d'orange, mais Hélène …
   ▶ **J'ai bu mon jus d'orange, mais Hélène n'a pas bu le sien.**
2. René a corrigé ses erreurs, mais je …
3. Nous avons reçu notre salaire, mais ils …
4. Je suis content de mes notes, mais Gabriel …
5. Ils ont réussi à leurs cours, mais nous …
6. Il s'est servi de son dictionnaire, mais je …
7. Nous nous sommes souvenus de son nom, mais il …
8. Elle a répondu à leur lettre, mais ils …
9. Nous avons fini nos exercices, mais tu …
10. Vous vous êtes occupés de vos chats, mais je …

N pardon?

Posez une question en utilisant la forme correcte du pronom interrogatif **lequel**. Attention à l'accord.

1. Il a raconté une histoire amusante.
   ▶ **Laquelle a-t-il racontée?**
2. Il a considéré plusieurs candidats pour le poste.
3. Nous avons descendu les valises.
4. Je me suis inscrit à des cours.
5. Elle a accepté une invitation.
6. Je me suis servi d'un de tes stylos.
7. Nous avons pensé à une solution.
8. Ils se sont vantés de trois de leurs enfants.
9. Vous ressemblez à un de mes amis.
10. Elle vient de revenir d'un pays francophone.

O tout est relatif!

Complétez chaque phrase en ajoutant le pronom relatif convenable.

1. As-tu déjà vu le film … on vient de présenter?
2. Il y a une pièce au théâtre … je voudrais voir.
3. Ont-ils parlé au douanier … a vérifié leurs passeports?
4. Je viens de recevoir une note … je suis très content.
5. Il n'y a rien … l'intéresse.
6. Elle a reconnu la chanteuse à … tu parlais.
7. Est-ce la nouvelle moto … tu nous as parlé?
8. Le bricolage? Voilà … l'intéresse!
9. Sais-tu … Marianne a donné à Henriette pour son anniversaire?
10. Ils ne connaissent pas le monsieur avec … j'ai joué au golf.
11. Nous sommes entrés dans le magasin … j'avais travaillé.
12. C'était la boulangerie près de … il y avait une vieille église.
13. C'est le client … j'ai vendu une bouteille de parfum.
14. Leur avez-vous expliqué … ils doivent s'occuper?
15. Aux Antilles il y a plusieurs plages … on pourra se faire bronzer.

P faites-le donc!

Reformulez les phrases suivantes avec (se) faire + l'infinitif.

1. Ce mécanicien a réparé la voiture des Lalonde.
   ▶ **Les Lalonde ont fait réparer la voiture par ce mécanicien.**
2. Ce médecin opérera mon père.
   ▶ **Mon père se fera opérer par ce médecin.**
3. Monsieur Paul avait coiffé les soeurs.
4. Le coiffeur coupera les cheveux de Martine.
5. Ce couturier fait une robe pour Mme Angers.
6. Les enfants ont monté les valises pour leurs parents.
7. Les élèves écrivent des compositions pour le professeur.
8. Le mécanicien a réparé la moto de Jean-Paul.
9. Le garçon sert le dîner de M. Marceau.
10. Son petit frère lavera la voiture de Sophie.

Q de l'actif au passif

1. Le metteur en scène tourne cette comédie.
   ▶ **Cette comédie est tournée par le metteur en scène.**
2. La France produit des articles de luxe.
3. La secrétaire écrivait les lettres.
4. Les acteurs divertiront les spectateurs.
5. Le boulanger préparerait les croissants.
6. Les moniteurs ont amusé les enfants.
7. Mon frère avait servi le dessert.
8. Les élèves auront ouvert les fenêtres.
9. Le chien aurait mangé ton sandwich.
10. Les enfants ont bu le lait.

R du passif à l'actif

1. La solution a été découverte.
   ▶ **On a découvert la solution.**
2. La lettre a été reçue.
3. Le fromage sera acheté.
4. Le travail était fait.
5. Les cadeaux seraient offerts.
6. Le problème est reconnu.
7. Les idées ont été considérées.
8. Les articles auront été lus.
9. La leçon avait été comprise.
10. L'océan aurait été traversé.

S l'accord, c'est important!

Remplacez les mots **en caractères gras** par le pronom convenable. Attention à l'accord.

1. On a fait expliquer **l'emploi du temps aux élèves**.
2. Après être arrivés **chez eux**, ils ont pris un goûter.
3. C'est en aidant **les autres** qu'on se sent bien.
4. Faites montrer **les photos aux voisins**.
5. Personne n'aurait monté **ces valises**, si je n'y avais pas insisté.
6. C'est dommage que tu n'aies pas rencontré **les Lecomte**.
7. Combien **de ces croissants** voudraient-ils?
8. Nous avons descendu **la rue** en courant.
9. S'étaient-ils servis **de mon stéréo**?
10. Nous n'avons pas parlé **à Angèle** hier.

T de l'anglais au français

1. I'll phone you as soon as I have eaten.
2. It would be better that you leave before they come.
3. We doubt that they will recognize us.
4. Although we're tired, it's time we started to study.
5. Do you believe that's true?
6. There isn't anything he can do.
7. We were happy they received so many presents.
8. Which one of my teachers did you talk to?
9. They ran out of the house.
10. I prefer my record collection to yours.
11. Don't take that book. It's the one I need.
12. After going to the West Indies, they went to Tahiti.
13. Did she have her hair done this morning?
14. The car will be repaired tomorrow.
15. Finally! All these exercises are finished! I don't think I'll want to do any others!

GRAMMAIRE

1 l'accord du participe passé

A verbes conjugués avec *avoir*

Aux temps composés et avec l'infinitif passé, le participe passé s'accorde avec l'objet direct qui précède le verbe:

La lettre? Il l'a déjà mise à la poste.
La robe qu'elle a achetée est très jolie.
Quelles émissions avais-tu regardées?
Après les avoir vus, nous sommes partis.

B verbes conjugués avec *être*

Le participe passé s'accorde avec le sujet de la phrase.

Monique est arrivée en retard.
Mes frères étaient déjà partis quand je suis rentré.
Ma soeur et son amie sont allées à Québec pour le week-end.
Après être rentrée, elle a téléphoné à sa copine.

C verbes réfléchis et verbes réfléchis réciproques

Marie s'est lavée.
Nous nous étions bien amusés.
Anne et Louise se sont rencontrées à dix heures.
Après s'être levés, ils se sont habillés.

! attention

Marie s'est lavé les mains.
Elles se sont parlé.

238

2 les adjectifs

A formation et placement

singulier		**pluriel**	
masculin	**féminin**	**masculin**	**féminin**
amusant	amusante	amusants	amusantes
beau (bel•)*	belle	beaux	belles
blanc	blanche	blancs	blanches
bon*	bonne	bons	bonnes
canadien	canadienne	canadiens	canadiennes
ce (cet•)*	cette	ces	ces
cher†	chère	chers	chères
compétitif	compétitive	compétitifs	compétitives
complet	complète	complets	complètes
dégoûté	dégoûtée	dégoûtés	dégoûtées
dingue	dingue	dingues	dingues
doux	douce	doux	douces
européen	européenne	européens	européennes
épais	épaisse	épais	épaisses
favori	favorite	favoris	favorites
fou (fol•)	folle	fous	folles
gentil	gentille	gentils	gentilles
gros*	grosse	gros	grosses
habituel	habituelle	habituels	habituelles
heureux	heureuse	heureux	heureuses
long*	longue	longs	longues
mauvais*	mauvaise	mauvais	mauvaises
meilleur*	meilleure	meilleurs	meilleures
nouveau (nouvel•)*	nouvelle	nouveaux	nouvelles
premier*	première	premiers	premières
quel*	quelle	quels	quelles
tel*	telle	tels	telles
tout*	toute	tous	toutes
vieux (vieil•)*	vieille	vieux	vieilles

*Ces adjectifs précèdent le nom. On met aussi devant
le nom:
**aucun, autre, dernier, excellent, grand, haut, jeune, joli,
même, nombreux, pauvre, petit, plusieurs, propre,
quelque** et **seul**.
• On utilise ces formes devant une voyelle.
†attention!
Mes **chers parents** ont acheté une **voiture chère**.

! attention
Les adjectifs **chic, extra, sensass, sympa** et **snob** sont
invariables.

! attention
Le mot **des** devient **de** ou **d'** devant un adjectif pluriel qui
précède le nom:
Il nous a donné **de** mauvaises nouvelles.
D'autres amis sont venus très tard à la party.

Je suis **grand**.
Mon père est **plus grand** que moi.
Ma mère est **aussi grande** que moi.
Mes frères sont **moins grands** que moi.
De toute la famille, mon père est **le plus grand**.
Ma petite soeur est **la moins grande** de toute la famille.

! attention

Suzanne est **ma plus chère** amie.
C'est le plat le plus cher **du** restaurant.
Il est plus jeune que **moi**.

l'adjectif *bon*

	singulier	pluriel
masculin	C'est un **bon** film.	Ce sont de **bons** films.
	C'est un **meilleur** film.	Ce sont de **meilleurs** films.
	C'est **le meilleur** film.	Ce sont **les meilleurs** films.
féminin	C'est une **bonne** actrice.	Ce sont de **bonnes** actrices.
	C'est une **meilleure** actrice.	Ce sont de **meilleures** actrices.
	C'est **la meilleure** actrice.	Ce sont **les meilleures** actrices.

l'adjectif *mauvais*

mauvais
plus mauvais ou **pire**
le plus mauvais ou **le pire**

Sa maladie devient **plus mauvaise/pire**.
Ces deux garçons sont **les plus mauvais/les pires** de toute la
   classe.

3 les adverbes

ailleurs	bientôt	enfin	mal*	plutôt	tard
alors	cependant	ensemble	même*	pourquoi	toujours*
après	combien	fort	mieux*	presque	très
assez*	comment	hier	moins	puis	trop*
aujourd'hui	déjà*	ici	où	quand	vite
aussi*	demain	là	partout	quelquefois	
autrefois	donc*	loin	peu	si	
beaucoup*	dur	longtemps	peut-être	souvent*	
bien*	encore*	maintenant	plus	surtout	

*Ces adverbes précèdent le participe passé.

Le professeur a **assez** parlé.

A les adverbes en -*ment*

adjectifs	**adverbes**	**! attention**
certain, certaine	certainement	absolument
sérieux, sérieuse	sérieusement	gentilment
continuel, continuelle	continuellement	vraiment
complet, complète	complètement	
actif, active	activement	
doux, douce	doucement	
premier, première	premièrement	

B comparaison

Jacques s'ennuie **souvent**.
Chantal s'ennuie **plus souvent que** Jacques.
Raymond s'ennuie **moins souvent que** Chantal.
Sylvie s'ennuie **aussi souvent que** lui.
C'est Chantal qui s'ennuie **le plus souvent**.

bien

Marcel chante **bien**.
Pierre chante **mieux**.
Louise chante **le mieux**.

peu

Marie étudie **peu**.
Hélène étudie **moins**.
Jean-Marc étudie **le moins**.

beaucoup

Yves mange **beaucoup**.
Lise mange **plus**.
Jean-Pierre mange **le plus**.

4 les articles

A l'article défini

	singulier	pluriel
masculin	le salaire	les salaires
	l'exercice	les exercices
féminin	la chanson	les chansons
	l'île	les îles

B l'article indéfini

	singulier	pluriel
masculin	un café	des cafés
	un oeuf	des oeufs
féminin	une mer	des mers
	une église	des églises

! attention

Lucia Volcano est actrice.
Lucia Volcano est **une** bonne actrice.

C l'article partitif

masculin
Voulez-vous **du** café?
Pierre a trouvé **de l**'argent.

féminin
Mon père achète **de la** viande.
Elle voulait **de l**'orangeade.

5 le conditionnel

A la concordance des temps dans les phrases conditionnelles

proposition subordonnée la proposition qui commence avec «si»	proposition principale	exemples
présent	présent	S'il **est** content, elle **est** contente.
	futur	Si tu **veux**, je t'**aiderai**.
	impératif	Si vous le **voyez**, **dites**-lui de me téléphoner.
imparfait	conditionnel présent	Si je n'**étais** pas si pressé, je t'**aiderais**.
plus-que-parfait	conditionnel passé	Si tu m'**avais demandé**, je l'**aurais fait**.

6 les conjonctions

suivies de l'indicatif	suivies du subjonctif
après que	afin que/pour que
alors que	avant que
aussitôt que/dès que	bien que/quoique
pendant que	jusqu'à ce que
quand/lorsque	pourvu que
si	sans que
	à moins que ... ne*
	de peur que ... ne*

*Notez qu'avec ces expressions, le mot **ne** n'est pas une négation. On le retouve aussi parfois après **avant que**, **sans que** et **avoir peur que**.

Après que j'aurai fini mes devoirs, je me coucherai.
Paul est entré **pendant que** nous parlions de lui.
Quand viendra-t-il?
S'il fait beau demain, nous irons à la plage.
Fermez la radio **afin que** papa puisse dormir.
Quoiqu'ils soient riches, ils ne sont pas heureux.
Ils ne viendront pas à la party **à moins que** nous **ne** les invitions.

7 les démonstratifs

(Voir pages 172–73.)

A les adjectifs démonstratifs

	singulier	pluriel
masculin	ce, cet	ces
féminin	cette	ces

B les pronoms démonstratifs

	singulier	pluriel
masculin	celui	ceux
	celui-ci	ceux-ci
	celui-là	ceux-là
féminin	celle	celles
	celle-ci	celles-ci
	celle-là	celles-là
neutre	ceci	
	cela (ça)	

Cet argent est à moi.
Prenez **ce livre-ci**; donnez-moi **celui-là**.
Notre voiture est meilleure que **celle de** nos voisins.
Mon livre est moins intéressant que **celui que** tu lis.
Celui qui hésite est perdu.
Prenez **ceci**; donnez-moi **cela**.

8 les expressions de quantité

Avez-vous **assez d'**argent?
Marie dit que Paul a **beaucoup de** problèmes.
Combien de soeurs as-tu?
Jean-Marc a **pas mal de** difficultés en maths.
Il a **peu d'**argent.
Il y avait **tant de** gens dans la salle que je ne pouvais pas y entrer.
J'ai bu **trop de** café.
Voulez-vous **une tasse de** thé?
J'ai acheté **deux bouteilles de** vin.
Il y a **un verre de** coca sur la table pour toi.
Lise a laissé tomber **un litre de** lait.
Raymond a perdu **une paire de** lunettes.
On a besoin d'**un kilo de** pommes pour préparer les tartes.
Marcel a **plus de** disques que Pierre.
Pierre a **moins de** disques que Marcel.

! attention

Avec ces expressions de quantité, on utilise **de** ou **d'** devant un nom.

Mais avec **bien** et **la plupart**, on utilise **de** + **l'article défini** devant le nom:
Bien des gens pensent qu'il est drôle!
La plupart du temps, on s'amuse bien ensemble.

! attention

Marcel a **plus de** cent disques.
Marcel a **plus que** moi!

9 faire causatif (faire + l'infinitif)

(Voir pages 180–81.)

Papa **fait travailler** les enfants.
Je **ferai venir** mes amis.
Elle **a fait attendre** son ami.
Elle **s'était fait laver** les cheveux.
Maman **a fait réparer** sa voiture au (par le) mécanicien.
Faites-les **travailler**.

10 l'impératif

A formation régulière

parler	aller	finir	vendre	partir	faire	venir
parle*	va*	finis	vends	pars	fais	viens
parlons	allons	finissons	vendons	partons	faisons	venons
parlez	allez	finissez	vendez	partez	faites	venez

*Sans «s». Mais, «Parles-en!» et «Vas-y!»

11 les infinitifs

A l'infinitif présent

Veux-tu **aller** au cinéma?
Il faut **finir** ce travail.
Je dois **vendre** ma moto.
Elle va **se lever** de bonne heure.

B l'infinitif passé

Après **avoir fini** nos devoirs, nous avons regardé la télé.
Après **être sortie** du cinéma, elle a rencontré des amis.
Je me suis habillé après **m'être rasé**.

! attention à l'accord
Voir section 1.

C les verbes et l'infinitif

verbe + infinitif

adorer	devoir	il vaut mieux	préférer
aimer (mieux)	entendre	il semble	savoir
aller	espérer	laisser	souhaiter
croire	faire	penser	voir
désirer	il faut	pouvoir	vouloir
détester			

J'**adore étudier** le subjonctif.

D les verbes, les prépositions et l'infinitif

verbe + **de** + infinitif

accepter de	se dépêcher de
s'arrêter de	essayer de
attendre de	être content de
avoir besoin de	être en train de
avoir l'air de	finir de
avoir l'intention de	il s'agit de
avoir le temps de	s'occuper de
avoir peur de	oublier de
c'est dommage de	permettre de
choisir de	refuser de
conseiller de	regretter de
continuer de*	rêver de
décider de	venir de
demander de†	

verbe + **à** + infinitif

aider à	inviter à
s'amuser à	se mettre à
apprendre à	obliger à
arriver à	persister à
avoir à	recommencer à
commencer à	réussir à
continuer à*	servir à
demander à †	tenir à
hésiter à	

J'**essaie de comprendre** son accent.

Je ne l'**ai** pas **invité à venir**.

*Avec ces verbes, on a le choix entre **à** et **de**.
† Je lui ai demandé **de** sortir.   mais Je lui ai demandé **à** sortir.
   (C'est lui qui devait sortir.)   (C'est moi qui voulais sortir.)

12 l'interrogation

l'intonation

Il a assez d'argent? ⌣
C'est Pierre? ⌣
Vous êtes venus avec
    Louise? ⌣
Elle se lèvera
    bientôt? ⌣

est-ce que

Est-ce qu'il a assez d'argent?
Est-ce que c'est Pierre?
Est-ce que vous êtes venus
    avec Louise?
Est-ce qu'elle se lèvera
    bientôt?

l'inversion

A-t-il assez d'argent?
Est-ce Pierre?
Êtes-vous venus avec
    Louise?
Se lèvera-t-elle bientôt?

! attention

On utilise **est-ce que** pour poser une question avec le
sujet **je** au présent, à l'imparfait et au futur:

Est-ce que je parle trop?
Est-ce que je marchais trop vite?
Est-ce que je devrai partir?

Mais on peut dire:
Suis-je en retard?
Ai-je raison?
Dois-je le faire?

! attention

Est-ce que je peux t'aider?
Puis-je t'aider?

A les mots interrogatifs

questions		réponses
Qui est-ce qui est là?	→ **Qui** est là?	—Personne!
Qui est-ce que vous avez vu?	→ **Qui** avez-vous vu?	—Paul.
Qu'est-ce qui s'est passé?		—Rien!
Qu'est-ce qu'elle veut acheter?	→ **Que** veut-elle acheter?	—La robe blanche.
Pourquoi est-ce qu'il est fâché?	→ **Pourquoi** est-il fâché?	—Parce qu'il a perdu le match.
Où est-ce que vous allez?	→ **Où** allez-vous?	—Chez Lise.
Quand est-ce qu'il est arrivé?	→ **Quand** est-il arrivé?	—Vers deux heures.
Comment est-ce qu'elle s'appelle?	→ **Comment** s'appelle-t-elle?	—Suzanne Cormier.
Combien de personnes **est-ce que** tu as invitées?	→ **Combien** de personnes as-tu invitées?	—Une vingtaine.
Quel professeur **est-ce que** tu aimes **le plus**?	→ **Quel** professeur aimes-tu le plus?	—Mme Grevisse.
De quoi est-ce qu'elle a besoin?	→ **De quoi** a-t-elle besoin?	—De son livre.
Laquelle de ces blouses **est-ce que** tu as choisie?	→ **Laquelle** de ces blouses as-tu choisie?	—La bleue.

13 la négation

A les expressions négatives

phrases affirmatives	phrases négatives
Je vais au cinéma.	Je **ne** vais **pas** au cinéma.
Je suis allé à mes cours.	Je **ne** suis **pas** allé à mes cours.
Elle était toujours là.	Elle **n'**était **plus** là.
Vous êtes allés au musée?	Vous **n'**êtes **plus** allés au musée?
Jacques parle toujours!	Jacques **ne** parle **jamais**!
Tu as toujours fait la vaisselle!	Tu **n'**as **jamais** fait la vaisselle!
Lise prend tout!	Lise **ne** prend **rien**!
Il a tout fait.	Il **n'**a **rien** fait.
Marc écoute tout le monde.	Marc **n'**écoute **personne**.
Vous avez compris tout le monde?	Vous **n'**avez compris **personne**?*
Il aime le hockey et le basket-ball.	Il **n'**aime **ni** le hockey **ni** le basket-ball.
J'ai eu une difficulté.	Je **n'**ai eu **aucune** difficulté.†
Nous sortons souvent ensemble.	Nous **ne** sortons **guère** ensemble.

*On place le mot **personne** après le participe passé.
  Je n'ai vu personne.
†Le mot **aucun** est un adjectif singulier qui s'accorde avec le
  nom.

B l'article indéfini, l'article partitif et la négation

Jeannette mange **un** bifteck.	→ Jeannette **ne** mange **pas de** bifteck.
Il a acheté **des** fleurs.	→ Il **n'**a **jamais** acheté de fleurs.
Je veux **du** café.	→ Je **ne** veux **plus de** café.
Vous prenez **de la** tarte?	→ Vous **ne** prenez **pas de** tarte?

! attention

Dans une phrase négative, **un, une, des, du, de la, de l'** changent à **de (d')** sauf avec le verbe **être**:

C'est **une** histoire stupide!	→ Ce **n'**est **pas une** histoire stupide!
Ce sont **des** Français.	→ Ce **ne** sont **pas des** Français.

! attention

ne ... que n'est pas une expression négative.

Contrastez:

Elle **ne** mange **pas de** céréales au petit déjeuner.
Elle **ne** mange **que des** céréales au petit déjeuner.

C les expressions *rien ne* et *personne ne*

comme sujet de la phrase

Rien ne l'intéresse!*
Personne ne m'aime!

*Le verbe est toujours à la troisième personne du singulier.

comme réponse à une question

—Qu'est-ce qui s'est passé?   —**Rien!**
—Qui était à la party?   —**Personne!**

! attention

Rien **de sérieux** n'est arrivé.
Il n'a vu personne **de spécial**.

D la négation avec l'infinitif

À la négative, on place **ne pas, ne jamais, ne plus** et **ne rien** devant l'infinitif. On place aussi le pronom objet devant l'infinitif.

Il a dit de **ne pas l'**attendre.
Je lui ai conseillé de **ne jamais y** aller.
On nous a demandé de **ne jamais leur** parler.
Je lui ai dit de **ne plus en** manger.

E la négation suivie du subjonctif

ne ... rien

Il **n'**y a **rien qui lui plaise!**
Il **n'**y a **rien que je veuille** faire.

ne ... personne

Il **n'**y a **personne** dans la salle **qui le connaisse**.
Il **n'**y avait **personne** dans le restaurant **que j'aie connu**.

14 les nombres

A cardinaux

1 un (une)	**14** quatorze	**51** cinquante et un	**101** cent un
2 deux	**15** quinze	**52** cinquante-deux	**102** cent deux
3 trois	**16** seize	**61** soixante et un	**111** cent onze
4 quatre	**17** dix-sept	**62** soixante-deux	**200** deux cents
5 cinq	**18** dix-huit	**71** soixante et onze	**201** deux cent un
6 six	**19** dix-neuf	**72** soixante-douze	**1000** mille
7 sept	**20** vingt	**80** quatre-vingts	**1001** mille un
8 huit	**21** vingt et un	**81** quatre-vingt-un	**2000** deux mille
9 neuf	**22** vingt-deux	**82** quatre-vingt-deux	**1 000 000** un million (de)
10 dix	**31** trente et un	**90** quatre-vingt-dix	**1 000 000 000** un milliard (de)
11 onze	**32** trente-deux	**91** quatre-vingt-onze	
12 douze	**41** quarante et un	**92** quatre-vingt-douze	
13 treize	**42** quarante-deux	**100** cent	

B ordinaux

1er premier	6e sixième
1re première	7e septième
2e deuxième	8e huitième
3e troisième	9e neuvième
4e quatrième	10e dixième
5e cinquième	

15 les noms

A formation du pluriel

singulier	pluriel	! attention	
un commerçant	des commerçants	un ouvre-bouteille	des ouvre-bouteille
un matelas	des matelas	un pneu	des pneus
un château	des châteaux		
un journal	des journaux		
un feu	des feux		
un mode de vie	des modes de vie		
un petit pain	des petits pains		

16 le participe présent

(Voir page 175.)

Elle a trouvé ma lettre **en rentrant**.
C'est **en sortant** qu'il a perdu un gant.
Nous avons vu une jolie église **en nous arrêtant** au village.

17 le passé

A l'imparfait vs le passé composé

On utilise l'imparfait et le passé composé pour des actions **au passé**.

On utilise **l'imparfait** pour:
a) la description des gens, des choses ou des situations
b) les actions habituelles *(used to)*
c) les actions en progrès *(was/were)*

On utilise **le passé composé** pour:
1) les actions complétées
2) les interruptions

Quand je **suis entré, (2)**
   il **parlait** au téléphone. **(c)**
Elle **a acheté** une voiture **(1)**
   parce qu'elle en **avait** besoin. **(a)**
Chaque été, ils **voyageaient** en Europe. **(b)**

B le passé simple vs le passé composé

Le passé simple est l'équivalent du passé composé **mais** il n'existe que dans la littérature. (Voir pages 25-26.)

le passé simple:
Vaudreuil **fut** le dernier gouverneur français du Canada.

le passé composé:
Jean **a été** en retard ce matin.

le plus-que-parfait, l'imparfait et le passé composé

Le plus-que-parfait décrit une action passée qui est arrivée avant une autre action passée.

Cet été, je suis allé à Québec. Je n'**avais** jamais **visité** cette
   ville avant.

Je pensais qu'ils **étaient partis**.

 le passé récent

Pour parler du **passé récent**, on utilise l'expression **venir de**
+ l'infinitif.

Elle vient d'arriver. = She *has just* arrived.

18 la possession

 les adjectifs possessifs

	singulier		pluriel
masculin		**féminin**	**masculin ou féminin**
mon père		**ma** mère	**mes** parents
ton père		**ta** mère	**tes** parents
son père		**sa** mère	**ses** parents
notre père		**notre** mère	**nos** parents
votre père		**votre** mère	**vos** parents
leur père		**leur** mère	**leurs** parents

! attention
mon amie, **ton é**cole, **son h**istoire, etc.

 les pronoms possessifs

(Voir pages 211–12.)

	singulier		pluriel
masculin	**féminin**	**masculin**	**féminin**
le mien	la mienne	les miens	les miennes
le tien	la tienne	les tiens	les tiennes
le sien	la sienne	les siens	les siennes
le nôtre	la nôtre	les nôtres	les nôtres
le vôtre	la vôtre	les vôtres	les vôtres
le leur	la leur	les leurs	les leurs

Il a pris mon argent et **le vôtre**.
Elle va montrer ses photos à ma soeur et **à la tienne**.
J'ai donné les billets à mon frère et **au tien**.
Le professeur discutait de mes notes et **des tiennes**.

la préposition _de_

Voici le livre **de** Jean-Marc.
La voiture **du** professeur est bleue.
Ils sont allés au bureau **de l'**avocat.
Les vêtements **des** enfants sont sur la table.

être à

Ce livre **est à** Jean-Marc.
Cette voiture **est à** lui.*
Ce disque **est à** moi!

*Pour indiquer la possession après l'expression **être à**, on utilise **le pronom accentué**.

19 les pronoms

A les pronoms indéfinis

quelqu'un	**Quelqu'un** m'a raconté la nouvelle.	**! attention**
quelques-un(e)s	Il a vu **quelques-uns** de ses amis.	J'ai rencontré **quelqu'un de** spécial.
quelque chose	As-tu dit **quelque chose**?	**Quelque chose d'**intéressant m'est arrivé.
personne	**Personne** ne m'a parlé de l'accident.	Il n'a vu **personne de** spécial.
rien	On ne m'a **rien** demandé.	**Rien de** sérieux n'est arrivé.

B le pronom _on_ (we, you, they, one, people)

Alors, **on** part bientôt?
On s'est vu au cinéma.
On parle français au Québec.

C les pronoms personnels

pronoms sujets	pronoms réfléchis	pronoms objets directs	pronoms objets indirects	pronoms accentués
je (j')	me(m')	me(m')	me(m')	moi
tu	te(t')	te(t')	te(t')	toi
il	se(s')	le(l')	lui	lui
elle	se(s')	la(l')	lui	elle
nous	nous	nous	nous	nous
vous	vous	vous	vous	vous
ils	se(s')	les	leur	eux
elles	se(s')	les	leur	elles

Si **je** vais au cinéma, voulez-**vous** m'accompagner?
Tes souliers? **Ils** sont dans ta chambre.
Elle **s'**est ennuyée à la party.
Ils **se** sont parlé.
Il **nous** a rencontrés au restaurant.
Je **te** téléphonerai ce soir.

Ne **leur** donne rien!
Il y a un message pour **eux**.
Qui a cassé la fenêtre? Pas **moi**!
Tu vas le faire **toi-même**?
Parlons-leur **nous-mêmes**!
À qui est ce livre? C'est à **lui**.

l'ordre des pronoms objets

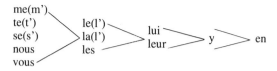

Il ne m'a pas donné **la réponse.** → Il ne **me l'**a pas donnée.
Il répond **à la question.** → Il **y** répond.
Il a voulu voir **ses amis** hier soir. → Il a voulu **les** voir hier soir.
Je ne parle jamais **à Luc.** → Je ne **lui** parle jamais.
Nous verrons **Jeanne et Monique au cinéma** ce soir. → Nous **les y** verrons ce soir.
Ne donnez pas **d'argent à votre frère!** → Ne **lui en** donnez pas!
Il a **trois voitures.** → Il **en** a trois.

l'ordre des pronoms à l'impératif affirmatif

objet direct → objet indirect → y → en
Donnez-moi **les assiettes!** → Donnez-**les-moi!**
Donnez **de l'argent à Paul!** → Donnez-**lui-en!**
Donnez-moi **de l'argent!** → Donnez-**m'en!**

 les pronoms relatifs

(Voir page 216.)

qui	Connais-tu le garçon **qui** vient d'entrer?
	Voilà le monsieur avec **qui** je travaille.
que	Voici les chemises **que** j'ai achetées.
dont	Voilà les filles **dont** je te parlais hier.
	Les livres **dont** vous avez besoin sont sur la table.
où	La maison **où** nous demeurons est très petite.
ce qui	J'ai mangé **ce qui** restait.
ce que	Il ne sait pas **ce qu'**il doit faire.
ce dont	Je sais **ce dont** vous avez besoin.
lequel	Le garçon **auquel** il écrit est son cousin.
laquelle	La maison dans **laquelle** nous demeurons est très petite.
lesquels	Les livres **desquels** vous avez besoin sont sur la table.
lesquelles	Comment s'appellent les filles **auxquelles** il parle?

Pour les pronoms démonstratifs, voir section 7.
Pour les pronoms possessifs, voir section 18.

20 le subjonctif

A le présent du subjonctif

- formation — voir pages 58-61.

B le passé du subjonctif

- formation — voir pages 133-34.

C l'emploi du subjonctif

- avec les verbes de volonté — voir page 62.
- avec certaines expressions impersonnelles — voir
  page 63.
- avec les expressions de doute — voir pages 94-95.
- avec les expressions d'émotion — voir page 96.
- avec certaines conjonctions — voir page 97.
- avec les expressions négatives **ne ... rien** et **ne ...
  personne** — voir page 135.
le subjonctif/l'infinitif: contrastes et emplois — voir
  pages 136-40.

21 la voix passive

A formation et emploi

Voir pages 218-19.

22 les verbes

A les verbes réguliers

parler

participe présent	participe passé	impératif
parlant	parlé	parle, parlons, parlez

indicatif

présent	imparfait	futur	conditionnel présent	passé simple
je parle	je parlais	je parlerai	je parlerais	je parlai
tu parles	tu parlais	tu parleras	tu parlerais	tu parlas
il parle	il parlait	il parlera	il parlerait	il parla
elle parle	elle parlait	elle parlera	elle parlerait	elle parla
nous parlons	nous parlions	nous parlerons	nous parlerions	nous parlâmes
vous parlez	vous parliez	vous parlerez	vous parleriez	vous parlâtes
ils parlent	ils parlaient	ils parleront	ils parleraient	ils parlèrent
elles parlent	elles parlaient	elles parleront	elles parleraient	elles parlèrent

passé composé	plus-que-parfait	futur antérieur	conditionnel passé
j'ai parlé	j'avais parlé	j'aurai parlé	j'aurais parlé
tu as parlé	tu avais parlé	tu auras parlé	tu aurais parlé
il a parlé	il avait parlé	il aura parlé	il aurait parlé
elle a parlé	elle avait parlé	elle aura parlé	elle aurait parlé
nous avons parlé	nous avions parlé	nous aurons parlé	nous aurions parlé
vous avez parlé	vous aviez parlé	vous aurez parlé	vous auriez parlé
ils ont parlé	ils avaient parlé	ils auront parlé	ils auraient parlé
elles ont parlé	elles avaient parlé	elles auront parlé	elles auraient parlé

subjonctif

présent	passé
que je parle	que j'aie parlé
que tu parles	que tu aies parlé
qu'il parle	qu'il ait parlé
qu'elle parle	qu'elle ait parlé
que nous parlions	que nous ayons parlé
que vous parliez	que vous ayez parlé
qu'ils parlent	qu'ils aient parlé
qu'elles parlent	qu'elles aient parlé

finir

participe présent	**participe passé**	**impératif**
finissant	fini	finis, finissons, finissez

indicatif

présent	**imparfait**	**futur**	**conditionnel présent**	**passé simple**
je finis	je finissais	je finirai	je finirais	je finis
tu finis	tu finissais	tu finiras	tu finirais	tu finis
il finit	il finissait	il finira	il finirait	il finit
elle finit	elle finissait	elle finira	elle finirait	elle finit
nous finissons	nous finissions	nous finirons	nous finirions	nous finîmes
vous finissez	vous finissiez	vous finirez	vous finiriez	vous finîtes
ils finissent	ils finissaient	ils finiront	ils finiraient	ils finirent
elles finissent	elles finissaient	elles finiront	elles finiraient	elles finirent

passé composé	**plus-que-parfait**	**futur antérieur**	**conditionnel passé**
j'ai fini	j'avais fini	j'aurai fini	j'aurais fini
tu as fini	tu avais fini	tu auras fini	tu aurais fini
il a fini	il avait fini	il aura fini	il aurait fini
elle a fini	elle avait fini	elle aura fini	elle aurait fini
nous avons fini	nous avions fini	nous aurons fini	nous aurions fini
vous avez fini	vous aviez fini	vous aurez fini	vous auriez fini
ils ont fini	ils avaient fini	ils auront fini	ils auraient fini
elles ont fini	elles avaient fini	elles auront fini	elles auraient fini

subjonctif

présent	**passé**
que je finisse	que j'aie fini
que tu finisses	que tu aies fini
qu'il finisse	qu'il ait fini
qu'elle finisse	qu'elle ait fini
que nous finissions	que nous ayons fini
que vous finissiez	que vous ayez fini
qu'ils finissent	qu'ils aient fini
qu'elles finissent	qu'elles aient fini

vendre

participe présent	**participe passé**	**impératif**
vendant	vendu	vends, vendons, vendez

indicatif

présent	**imparfait**	**futur**	**conditionnel présent**	**passé simple**
je vends	je vendais	je vendrai	je vendrais	je vendis
tu vends	tu vendais	tu vendras	tu vendrais	tu vendis
il vend	il vendait	il vendra	il vendrait	il vendit
elle vend	elle vendait	elle vendra	elle vendrait	elle vendit
nous vendons	nous vendions	nous vendrons	nous vendrions	nous vendîmes
vous vendez	vous vendiez	vous vendrez	vous vendriez	vous vendîtes
ils vendent	ils vendaient	ils vendront	ils vendraient	ils vendirent
elles vendent	elles vendaient	elles vendront	elles vendraient	elles vendirent

passé composé	plus-que-parfait	futur antérieur	conditionnel passé
j'ai vendu	j'avais vendu	j'aurai vendu	j'aurais vendu
tu as vendu	tu avais vendu	tu auras vendu	tu aurais vendu
il a vendu	il avait vendu	il aura vendu	il aurait vendu
elle a vendu	elle avait vendu	elle aura vendu	elle aurait vendu
nous avons vendu	nous avions vendu	nous aurons vendu	nous aurions vendu
vous avez vendu	vous aviez vendu	vous aurez vendu	vous auriez vendu
ils ont vendu	ils avaient vendu	ils auront vendu	ils auraient vendu
elles ont vendu	elles avaient vendu	elles auront vendu	elles auraient vendu

subjonctif

présent	passé
que je vende	que j'aie vendu
que tu vendes	que tu aies vendu
qu'il vende	qu'il ait vendu
qu'elle vende	qu'elle ait vendu
que nous vendions	que nous ayons vendu
que vous vendiez	que vous ayez vendu
qu'ils vendent	qu'ils aient vendu
qu'elles vendent	qu'elles aient vendu

arriver

participe présent	participe passé	impératif
arrivant	arrivé	arrive, arrivons, arrivez

indicatif

présent	imparfait	futur	conditionnel présent	passé simple
j'arrive	j'arrivais	j'arriverai	j'arriverais	j'arrivai
tu arrives	tu arrivais	tu arriveras	tu arriverais	tu arrivas
il arrive	il arrivait	il arrivera	il arriverait	il arriva
elle arrive	elle arrivait	elle arrivera	elle arriverait	elle arriva
nous arrivons	nous arrivions	nous arriverons	nous arriverions	nous arrivâmes
vous arrivez	vous arriviez	vous arriverez	vous arriveriez	vous arrivâtes
ils arrivent	ils arrivaient	ils arriveront	ils arriveraient	ils arrivèrent
elles arrivent	elles arrivaient	elles arriveront	elles arriveraient	elles arrivèrent

passé composé	plus-que-parfait	futur antérieur	conditionnel passé
je suis arrivé(e)	j'étais arrivé(e)	je serai arrivé(e)	je serais arrivé(e)
tu es arrivé(e)	tu étais arrivé(e)	tu seras arrivé(e)	tu serais arrivé(e)
il est arrivé	il était arrivé	il sera arrivé	il serait arrivé
elle est arrivée	elle était arrivée	elle sera arrivée	elle serait arrivée
nous sommes arrivé(e)s	nous étions arrivé(e)s	nous serons arrivé(e)s	nous serions arrivé(e)s
vous êtes arrivé(e)(s)	vous étiez arrivé(e)(s)	vous serez arrivé(e)(s)	vous seriez arrivé(e)(s)
ils sont arrivés	ils étaient arrivés	ils seront arrivés	ils seraient arrivés
elles sont arrivées	elles étaient arrivées	elles seront arrivées	elles seraient arrivées

subjonctif

présent

que j'arrive
que tu arrives
qu'il arrive
qu'elle arrive
que nous arrivions
que vous arriviez
qu'ils arrivent
qu'elles arrivent

passé

que je sois arrivé(e)
que tu sois arrivé(e)
qu'il soit arrivé
qu'elle soit arrivée
que nous soyons arrivé(e)s
que vous soyez arrivé(e)(s)
qu'ils soient arrivés
qu'elles soient arrivées

se laver

participe présent	participe passé	impératif
se lavant	lavé	lave-toi, lavons-nous, lavez-vous

indicatif

présent

je me lave
tu te laves
il se lave
elle se lave
nous nous lavons
vous vous lavez
ils se lavent
elles se lavent

imparfait

je me lavais
tu te lavais
il se lavait
elle se lavait
nous nous lavions
vous vous laviez
ils se lavaient
elles se lavaient

futur

je me laverai
tu te laveras
il se lavera
elle se lavera
nous nous laverons
vous vous laverez
ils se laveront
elles se laveront

conditionnel présent

je me laverais
tu te laverais
il se laverait
elle se laverait
nous nous laverions
vous vous laveriez
ils se laveraient
elles se laveraient

passé simple

je me lavai
tu te lavas
il se lava
elle se lava
nous nous lavâmes
vous vous lavâtes
ils se lavèrent
elles se lavèrent

passé composé

je me suis lavé(e)
tu t'es lavé(e)
il s'est lavé
elle s'est lavée
nous nous sommes lavé(e)s
vous vous êtes lavé(e)(s)
ils se sont lavés
elles se sont lavées

plus-que-parfait

je m'étais lavé(e)
tu t'étais lavé(e)
il s'était lavé
elle s'était lavée
nous nous étions lavé(e)s
vous vous étiez lavé(e)(s)
ils s'étaient lavés
elles s'étaient lavées

futur antérieur

je me serai lavé(e)
tu te seras lavé(e)
il se sera lavé
elle se sera lavée
nous nous serons lavé(e)s
vous vous serez lavé(e)(s)
ils se seront lavés
elles se seront lavées

conditionnel passé

je me serais lavé(e)
tu te serais lavé(e)
il se serait lavé
elle se serait lavée
nous nous serions lavé(e)s
vous vous seriez lavé(e)(s)
ils se seraient lavés
elles se seraient lavées

subjonctif

présent

que je me lave
que tu te laves
qu'il se lave
qu'elle se lave
que nous nous lavions
que vous vous laviez
qu'ils se lavent
qu'elles se lavent

passé

que je me sois lavé(e)
que tu te sois lavé(e)
qu'il se soit lavé
qu'elle se soit lavée
que nous nous soyons lavé(e)s
que vous vous soyez lavé(e)(s)
qu'ils se soient lavés
qu'elles se soient lavées

les verbes auxiliaires

avoir

participe présent	**participe passé**	**impératif**
ayant	eu	aie, ayons, ayez

indicatif

présent	**imparfait**	**futur**	**conditionnel présent**	**passé simple**
j'ai	j'avais	j'aurai	j'aurais	j'eus
tu as	tu avais	tu auras	tu aurais	tu eus
il a	il avait	il aura	il aurait	il eut
elle a	elle avait	elle aura	elle aurait	elle eut
nous avons	nous avions	nous aurons	nous aurions	nous eûmes
vous avez	vous aviez	vous aurez	vous auriez	vous eûtes
ils ont	ils avaient	ils auront	ils auraient	ils eurent
elles ont	elles avaient	elles auront	elles auraient	elles eurent

passé composé	**plus-que-parfait**	**futur antérieur**	**conditionnel passé**
j'ai eu	j'avais eu	j'aurai eu	j'aurais eu
tu as eu	tu avais eu	tu auras eu	tu aurais eu
il a eu	il avait eu	il aura eu	il aurait eu
elle a eu	elle avait eu	elle aura eu	elle aurait eu
nous avons eu	nous avions eu	nous aurons eu	nous aurions eu
vous avez eu	vous aviez eu	vous aurez eu	vous auriez eu
ils ont eu	ils avaient eu	ils auront eu	ils auraient eu
elles ont eu	elles avaient eu	elles auront eu	elles auraient eu

subjonctif

présent	**passé**
que j'aie	que j'aie eu
que tu aies	que tu aies eu
qu'il ait	qu'il ait eu
qu'elle ait	qu'elle ait eu
que nous ayons	que nous ayons eu
que vous ayez	que vous ayez eu
qu'ils aient	qu'ils aient eu
qu'elles aient	qu'elles aient eu

être

participe présent	participe passé	impératif
étant	été	sois, soyons, soyez

indicatif

présent

je suis
tu es
il est
elle est
nous sommes
vous êtes
ils sont
elles sont

imparfait

j'étais
tu étais
il était
elle était
nous étions
vous étiez
ils étaient
elles étaient

futur

je serai
tu seras
il sera
elle sera
nous serons
vous serez
ils seront
elles seront

conditionnel présent

je serais
tu serais
il serait
elle serait
nous serions
vous seriez
ils seraient
elles seraient

passé simple

je fus
tu fus
il fut
elle fut
nous fûmes
vous fûtes
ils furent
elles furent

passé composé

j'ai été
tu as été
il a été
elle a été
nous avons été
vous avez été
ils ont été
elles ont été

plus-que-parfait

j'avais été
tu avais été
il avait été
elle avait été
nous avions été
vous aviez été
ils avaient été
elles avaient été

futur antérieur

j'aurai été
tu auras été
il aura été
elle aura été
nous aurons été
vous aurez été
ils auront été
elles auront été

conditionnel passé

j'aurais été
tu aurais été
il aurait été
elle aurait été
nous aurions été
vous auriez été
ils auraient été
elles auraient été

subjonctif

présent

que je sois
que tu sois
qu'il soit
qu'elle soit
que nous soyons
que vous soyez
qu'ils soient
qu'elles soient

passé

que j'aie été
que tu aies été
qu'il ait été
qu'elle ait été
que nous ayons été
que vous ayez été
qu'ils aient été
qu'elles aient été

*conjugués avec **être**

infinitif	participe présent	participe passé	présent de l'indicatif	passé simple
acheter	achetant	acheté	j'achète	j'achetai

PRÉSENT DE L'INDICATIF: j'achète, tu achètes, il achète, elle achète, nous achetons, vous achetez, ils achètent, elles achètent
PRÉSENT DU SUBJONCTIF: que j'achète, que tu achètes, qu'il achète, qu'elle achète, que nous achetions, que vous achetiez, qu'ils achètent, qu'elles achètent
FUTUR: j'achèterai

aller*	allant	allé	je vais	j'allai

PRÉSENT DE L'INDICATIF: je vais, tu vas, il va, elle va, nous allons, vous allez, ils vont, elles vont
FUTUR: j'irai

amener (comme **acheter**)

annoncer	annonçant	annoncé	j'annonce	j'annonçai

PRÉSENT DE L'INDICATIF: j'annonce, tu annonces, il annonce, elle annonce, nous annonçons, vous annoncez, ils annoncent, elles annoncent
IMPARFAIT: j'annonçais, tu annonçais, il annonçait, elle annonçait, nous annoncions, vous annonciez, ils annonçaient, elles annonçaient
PASSÉ SIMPLE: j'annonçai, tu annonças, il annonça, elle annonça, nous annonçâmes, vous annonçâtes, ils annoncèrent, elles annoncèrent

appeler	appelant	appelé	j'appelle	j'appelai

PRÉSENT DE L'INDICATIF: j'appelle, tu appelles, il appelle, elle appelle, nous appelons, vous appelez, ils appellent, elles appellent
PRÉSENT DU SUBJONCTIF: que j'appelle, que tu appelles, qu'il appelle, qu'elle appelle, que nous appelions, que vous appeliez, qu'ils appellent, qu'elles appellent
FUTUR: j'appellerai

apprendre	apprenant	appris	j'apprends	j'appris

PRÉSENT DE L'INDICATIF: j'apprends, tu apprends, il apprend, elle apprend, nous apprenons, vous apprenez, ils apprennent, elles apprennent
PRÉSENT DU SUBJONCTIF: que j'apprenne, que tu apprennes, qu'il apprenne, qu'elle apprenne, que nous apprenions, que vous appreniez, qu'ils apprennent, qu'elles apprennent

arranger	arrangeant	arrangé	j'arrange	j'arrangeai

PRÉSENT DE L'INDICATIF: j'arrange, tu arranges, il arrange, elle arrange, nous arrangeons, vous arrangez, ils arrangent, elles arrangent
PASSÉ SIMPLE: j'arrangeai, tu arrangeas, il arrangea, elle arrangea, nous arrangeâmes, vous arrangeâtes, ils arrangèrent, elles arrangèrent

s'asseoir*	s'asseyant s'assoyant	assis	je m'assieds je m'assois	je m'assis

PRÉSENT DE L'INDICATIF: je m'assieds, tu t'assieds, il s'assied, elle s'assied, nous nous asseyons, vous vous asseyez, ils s'asseyent, elles s'asseyent

ou je m'assois, tu t'assois, il s'assoit, elle s'assoit, nous nous assoyons, vous vous assoyez, ils s'assoient, elles s'assoient

infinitif	participe présent	participe passé	présent de l'indicatif	passé simple

PRÉSENT DU SUBJONCTIF: que je m'asseye, que tu t'asseyes, qu'il s'asseye, qu'elle s'asseye, que nous nous asseyions, que vous vous asseyiez, qu'ils s'asseyent, qu'elles s'asseyent

ou que je m'assoie, que tu t'assoies, qu'il s'assoie, qu'elle s'assoie, que nous nous assoyions, que vous vous assoyiez, qu'ils s'assoient, qu'elles s'assoient

FUTUR: je m'assiérai **ou** je m'assoirai

boire	buvant	bu	je bois	je bus

PRÉSENT DE L'INDICATIF: je bois, tu bois, il boit, elle boit, nous buvons, vous buvez, ils boivent, elles boivent

PRÉSENT DU SUBJONCTIF: que je boive, que tu boives, qu'il boive, qu'elle boive, que nous buvions, que vous buviez, qu'ils boivent, qu'elles boivent

changer (comme **arranger**)

commencer (comme **annoncer**)

comprendre (comme **apprendre**)

conduire	conduisant	conduit	je conduis	je conduisis

PRÉSENT DE L'INDICATIF: je conduis, tu conduis, il conduit, elle conduit, nous conduisons, vous conduisez, ils conduisent, elles conduisent

connaître	connaissant	connu	je connais	je connus

PRÉSENT DE L'INDICATIF: je connais, tu connais, il connaît, elle connaît, nous connaissons, vous connaissez, ils connaissent, elles connaissent

considérer (comme **espérer**)

croire	croyant	cru	je crois	je crus

PRÉSENT DE L'INDICATIF: je crois, tu crois, il croit, elle croit, nous croyons, vous croyez, ils croient, elles croient

PRÉSENT DU SUBJONCTIF: que je croie, que tu croies, qu'il croie, qu'elle croie, que nous croyions, que vous croyiez, qu'ils croient, qu'elles croient

découvrir (comme **ouvrir**)

déménager (comme **arranger**)

devenir* (comme **venir**)

devoir	devant	dû	je dois	je dus

PRÉSENT DE L'INDICATIF: je dois, tu dois, il doit, elle doit, nous devons, vous devez, ils doivent, elles doivent

PRÉSENT DU SUBJONCTIF: que je doive, que tu doives, qu'il doive, qu'elle doive, que nous devions, que vous deviez, qu'ils doivent, qu'elles doivent

dire	disant	dit	je dis	je dis

PRÉSENT DE L'INDICATIF: je dis, tu dis, il dit, elle dit, nous disons, vous dites, ils disent, elles disent

disparaître (comme **connaître**)

infinitif	participe présent	participe passé	présent de l'indicatif	passé simple
dormir	dormant	dormi	je dors	je dormis

PRÉSENT DE L'INDICATIF: je dors, tu dors, il dort, elle dort, nous dormons, vous dormez, ils dorment, elles dorment

échanger (comme **arranger**)

écrire	écrivant	écrit	j'écris	j'écrivis

PRÉSENT DE L'INDICATIF: j'écris, tu écris, il écrit, elle écrit, nous écrivons, vous écrivez, ils écrivent, elles écrivent

emmener (comme **acheter**)

s'ennuyer*	s'ennuyant	ennuyé	je m'ennuie	je m'ennuyai

PRÉSENT DE L'INDICATIF: je m'ennuie, tu t'ennuies, il s'ennuie, elle s'ennuie, nous nous ennuyons, vous vous ennuyez, ils s'ennuient, elles s'ennuient
PRÉSENT DU SUBJONCTIF: que je m'ennuie, que tu t'ennuies, qu'il s'ennuie, qu'elle s'ennuie, que nous nous ennuyions, que vous vous ennuyiez, qu'ils s'ennuient, qu'elles s'ennuient
FUTUR: je m'ennuierai

espérer	espérant	espéré	j'espère	j'espérai

PRÉSENT DE L'INDICATIF: j'espère, tu espères, il espère, elle espère, nous espérons, vous espérez, ils espèrent, elles espèrent

essayer	essayant	essayé	j'essaie	j'essayai

PRÉSENT DE L'INDICATIF: j'essaie, tu essaies, il essaie, elle essaie, nous essayons, vous essayez, ils essaient, elles essaient
PRÉSENT DU SUBJONCTIF: que j'essaie, que tu essaies, qu'il essaie, qu'elle essaie, que nous essayions, que vous essayiez, qu'ils essaient, qu'elles essaient
FUTUR: j'essaierai

faire	faisant	fait	je fais	je fis

PRÉSENT DE L'INDICATIF: je fais, tu fais, il fait, elle fait, nous faisons, vous faites, ils font, elles font
PRÉSENT DU SUBJONCTIF: que je fasse, que tu fasses, qu'il fasse, qu'elle fasse, que nous fassions, que vous fassiez, qu'ils fassent, qu'elles fassent
FUTUR: je ferai

s'inscrire* (comme **écrire**)

se lever* (comme **acheter**)

lire	lisant	lu	je lis	je lus

PRÉSENT DE L'INDICATIF: je lis, tu lis, il lit, elle lit, nous lisons, vous lisez, ils lisent, elles lisent

manger (comme **arranger**)

mentir (comme **dormir**)

mettre	mettant	mis	je mets	je mis

PRÉSENT DE L'INDICATIF: je mets, tu mets, il met, elle met, nous mettons, vous mettez, ils mettent, elles mettent

nager (comme **arranger**)

obliger (comme **arranger**)

infinitif	participe présent	participe passé	présent de l'indicatif	passé simple

offrir (comme **ouvrir**)

| **ouvrir** | ouvrant | ouvert | j'ouvre | j'ouvris |

PRÉSENT DE L'INDICATIF: j'ouvre, tu ouvres, il ouvre, elle ouvre, nous ouvrons, vous ouvrez, ils ouvrent, elles ouvrent

partager (comme **arranger**)

| **partir*** | partant | parti | je pars | je partis |

PRÉSENT DE L'INDICATIF: je pars, tu pars, il part, elle part, nous partons, vous partez, ils partent, elles partent

payer (comme **essayer**)

permettre (comme **mettre**)

| **pleuvoir** | pleuvant | plu | il pleut | il plut |

PRÉSENT DU SUBJONCTIF: qu'il pleuve

FUTUR: il pleuvra

plonger (comme **arranger**)

| **pouvoir** | pouvant | pu | je peux | je pus |

PRÉSENT DE L'INDICATIF: je peux, tu peux, il peut, elle peut, nous pouvons, vous pouvez, ils peuvent, elles peuvent

PRÉSENT DE LE SUBJONCTIF: que je puisse, que tu puisses, qu'il puisse, qu'elle puisse, que nous puissions, que vous puissez, qu'ils puissent, qu'elles puissent

FUTUR: je pourrai

prédire (comme **dire**)

préférer (comme **espérer**)

prendre (comme **apprendre**)

produire (comme **conduire**)

se promener* (comme **acheter**)

rappeler (comme **appeler**)

ramener (comme **acheter**)

| **recevoir** | recevant | reçu | je reçois | je reçus |

PRÉSENT DE L'INDICATIF: je reçois, tu reçois, il reçoit, elle reçoit, nous recevons, vous recevez, ils reçoivent, elles reçoivent

PRÉSENT DU SUBJONCTIF: que je reçoive, que tu reçoives, qu'il reçoive, qu'elle reçoive, que nous recevions, que vous receviez, qu'ils reçoivent, qu'elles reçoivent

FUTUR: je recevrai

reconnaître (comme **connaître**)

répéter (comme **espérer**)

infinitif	participe présent	participe passé	présent de l'indicatif	passé simple
savoir	sachant	su	je sais	je sus

PRÉSENT DE L'INDICATIF: je sais, tu sais, il sait, elle sait, nous savons, vous savez, ils savent, elles savent
IMPÉRATIF: sache, sachons, sachez
PRÉSENT DU SUBJONCTIF: que je sache, que tu saches, qu'il sache, qu'elle sache, que nous sachions, que vous sachiez, qu'ils sachent, qu'elles sachent
FUTUR: je saurai

sentir (comme **dormir**)

servir (comme **dormir**)

songer (comme **arranger**)

sortir* (comme **partir**)

se souvenir* (comme **venir**)

suivre	suivant	suivi	je suis	je suivis

PRÉSENT DE L'INDICATIF: je suis, tu suis, il suit, elle suit, nous suivons, vous suivez, ils suivent, elles suivent

tenir (comme **venir**)

venir*	venant	venu	je viens	je vins

PRÉSENT DE L'INDICATIF: je viens, tu viens, il vient, elle vient, nous venons, vous venez, ils viennent, elles viennent
PRÉSENT DU SUBJONCTIF: que je vienne, que tu viennes, qu'il vienne, qu'elle vienne, que nous venions, que vous veniez, qu'ils viennent, qu'elles viennent
FUTUR: je viendrai
PASSÉ SIMPLE: je vins, tu vins, il vint, elle vint, nous vînmes, vous vîntes, ils vinrent, elles vinrent

vivre	vivant	vécu	je vis	je vécus

PRÉSENT DE L'INDICATIF: je vis, tu vis, il vit, elle vit, nous vivons, vous vivez, ils vivent, elles vivent

voir	voyant	vu	je vois	je vis

PRÉSENT DE L'INDICATIF: je vois, tu vois, il voit, elle voit, nous voyons, vous voyez, ils voient, elles voient
PRÉSENT DU SUBJONCTIF: que je voie, que tu voies, qu'il voie, qu'elle voie, que nous voyions, que vous voyiez, qu'ils voient, qu'elles voient
FUTUR: je verrai

vouloir	voulant	voulu	je veux	je voulus

PRÉSENT DE L'INDICATIF: je veux, tu veux, il veut, elle veut, nous voulons, vous voulez, ils veulent, elles veulent
PRÉSENT DU SUBJONCTIF: que je veuille, que tu veuilles, qu'il veuille, qu'elle veuille, que nous voulions, que vous vouliez, qu'ils veuillent, qu'elles veuillent
FUTUR: je voudrai

VOCABULAIRE

Un astérisque (*) après un mot ou une
expression indique un usage familier.

A

à to; at; in: **à cause de** because of; **à côté de**
beside; **à deux pas d'ici** very close to
here; **à droite** on the right; **à gauche** on
the left; **à gogo** galore; **à l'affiche** on the
programme; **à l'appareil** speaking (on
the telephone); **à l'avant-garde** on the
leading edge; **à l'écart** aside, on one side,
apart; isolated; **à l'étranger** abroad;
à l'heure on time; **à l'heure actuelle**
right now; **à l'insu de** without the
knowledge of; **à la campagne** in the
country; **à la carte** à la carte; **à la
dérobée** secretly, on the sly; **à la fois** at
the same time; **à la main** by hand; **à la
mi-voix** in an undertone; **à la mode** in
style; **à la prochaine** see you soon; **à
moins que** unless; **à moitié** (by) half; **à
part** aside, apart; besides; **à partir de**
from; **à peine** hardly, scarcely; **à peu
près** about; **à pic** steep, sheer; **à pied**
on foot; **à prix fixe** at a fixed price;
à propos by the way; **à propos de**
concerning; **à temps** in time; **à temps
partiel** part-time; **à terre** on land;
à travers across; **à vrai dire** to tell the
truth; **au bord de** on the edge of;
au choix according to choice; **au
courant** aware, in the know; **au fait**
as a matter of fact; **au milieu de** in the
middle of; **au moyen de** by means of;
au premier coup d'oeil at first glance;
au revoir goodbye; **au sujet de**
concerning, about
abandonner to abandon
abattre to knock down
abolir to abolish
abonder to abound
abonnement m. subscription
s'abonner (à) to subscribe (to)
aboutir to end
aboutissement m. end, ending, result
abracadabrant(e) stupendous, amazing
abruptement abruptly
absolument absolutely
abus m. abuse
accablé(e) overwhelmed
accélérer to accelerate
accepter to accept

acclamer to acclaim, to praise
accompagner to accompany
accomplir to accomplish
accord m. agreement: **être d'accord**
to agree, to be in agreement
accorder to match: **s'accorder** to agree,
to come to an agreement
s'accoutumer (à) to become used (to)
accueil m. welcome
accueillir to welcome
achat m. purchase
acheter to buy
s'achever to end
acier m. steel
acoustique acoustic
acte f. act
acteur m. actor
actif, active active
activiste m. or f. activist
actrice f. actress
actuel, actuelle current: **à l'heure actuelle** at
the present time
actuellement at present
addition f. check, bill
additionner to add
adieu good-bye
adjoint(e) assistant, deputy
administratif, administrative administrative
administrer to administer, to manage
adresse f. address
adresser to address: **s'adresser (à)** to apply
(to)
adversaire m. or f. opponent
adverse opposite, opposing, on the other
side
aérien, aérienne air, aerial: **ligne aérienne**
airline
aérodrome m. airdrome, airfield
aéronautique f. airplane industry
aéroport m. airport
aérospatiale f. aerospace science
affaire f. business; affair: **faire l'affaire** to
be suitable
affectionner to like, to be fond of; to affect
affiche f. poster, bill: **à l'affiche** on the
programme
afin de in order to
afin que in order that
africain(e) African
Africain(e) m. or f. African (person)
Afrique f. Africa
âge m. age

agence f. agency: **agence de voyage** travel
agency
agent m. agent: **agent d'assurance**
insurance agent; **agent de police**
policeman
aggraver to worsen
agir to act, to operate: **il s'agit (de)** it is a
question (of)
agité(e) excited
agréable agreeable, pleasing
agricole agricultural
agriculture f. agriculture
aider to help
ailleurs elsewhere: **d'ailleurs** besides
aimable pleasant, kind
aimer to like; to love: **aimer mieux** to
prefer
ainsi thus, so
air m. appearance: **avoir l'air** to seem
ajouter to add
alcool m. alcohol
Algérie f. Algeria
alimentaire alimentary: **produit alimentaire**
m. food product
Allemagne f. Germany: **Allemagne de
l'Ouest** West Germany
allemand m. German (language)
Allemand(e) m. or f. German (person)
aller to go: **allons-y!** let's go!; **ça va?** how
are you? how's it going?; **aller au lit**
to go to bed; **aller chercher** to go and
get; **aller à** to suit
aller et retour: un billet aller et retour m.
a return ticket
alliance f. alliance
allier to ally
allô! hello! (on the telephone)
s'allonger to stretch out
allumer to light; to turn on
allusion f. allusion: **faire allusion (à)** to
refer (to)
alors so, well; then
Alpes f. pl. Alps
l'alpinisme m. mountaineering
alpiniste m. or f. mountaineer
alsacien m. Alsatian (dialect)
Alsacien, Alsacienne m. or f. Alsatian
(person)
ambassade f. embassy
ambiguïté f. ambiguity
ambulant(e) walking, mobile
âme f. soul

265

améliorer to improve
amener to bring (along)
américain(e) American
Américain(e) *m.* or *f.* American (person)
Amérique *f.* America
Amérique du Nord *f.* North America
Amérique du Sud *f.* South America
ami *m.* friend: **petit ami** boyfriend
amie *f.* friend: **petite amie** girlfriend
amitié *f.* friendliness, affection
amour *m.* love
amoureux, amoureuse *m.* or *f.* lover
amoureux, amoureuse in love
amusant(e) amusing, funny
amuser to amuse: **s'amuser** to enjoy
  oneself, to have a good time
an *m.* year
ancêtre *m.* or *f.* ancestor
ancien, ancienne old; former
anglais *m.* English (language)
anglais(e) English
Anglais(e) *m.* or *f.* English (person)
Angleterre *f.* England
anglo-saxon, anglo-saxonne Anglo-Saxon
animateur, animatrice *m.* or *f.* animator;
  radio/TV announcer
animé(e) animated, lively
animer to excite
année *f.* year: **les années soixante** the
  sixties
anniversaire *m.* birthday; anniversary: **bon
  anniversaire!** happy birthday!
annonce *f.* advertisement
annoncer to announce
annonceur, annonceuse *m.* or *f.* announcer
annuler to cancel
antenne *f.* antenna, aerial
antillais(e) West Indian
Antilles *f. pl.* West Indies
antiquité *f.* antiquity, ancientness
antre *m.* cave, cavern
anxiété *f.* anxiousness, anxiety
anxieux, anxieuse anxious
août *m.* August
apercevoir to notice, to see: **s'apercevoir
  de** to realize, to become aware
aplanir to flatten, to smooth
apparaître to seem
appareil *m.* apparatus, machine:
  à l'appareil speaking (on the telephone)
appareil-photo *m.* camera
apparence *f.* appearance
apparenté(e) related
apparition *f.* appearance
appartement *m.* apartment
appel *m.* call, telephone call
appeler to call, to name: **s'appeler** to be
  called
apporter to bring
apprécier to appreciate
apprendre to learn
apprenti(e) *m.* or *f.* apprentice
apprentissage *m.* learning
approcher to bring near: **s'approcher de**
  to come near, to approach
appuyer to support
après after: **après que** after; **après tout**
  after all; **d'après** according to
après-demain *m.* the day after tomorrow

après-midi *m.* afternoon
arabe *m.* Arabic
arachide *f.* peanut
arborescence *f.* tree-like formation
arbre *m.* tree
arc *m.* arch
arc-en-ciel *m.* rainbow
archéologie *f.* archeology
architecte *m.* or *f.* architect
architecture *f.* architecture
archives *f. pl.* archives
argent *m.* money
armée *f.* army
armement *m.* arming, equipping
armoire *f.* cupboard
arôme *m.* aroma, odour
arracher to snatch, to grab, to tear away
arranger to arrange, to set in order
arrêter to stop; to arrest: **s'arrêter** to stop,
  to come to a stop
arrière-plan *m.* background
arrivée *f.* arrival
arriver to arrive; to happen
arroser to water
art *m.* art
article de luxe *m.* luxury item
artisan *m.* craftsman
artisanat *m.* handicrafts
artiste *m.* or *f.* artist; performer
artistique artistic
ascenseur *m.* elevator
Asie *f.* Asia
aspiration *f.* hope
assaisonner to season
assemblée *f.* assembly; meeting:
  Assemblée générale General
  Assembly (United Nations)
s'asseoir to sit (down)
assez enough; quite, rather: **assez de**
  enough
assidu(e) diligent, industrious
assiette *f.* plate, dish
assistance *f.* presence, attendance
assistant(e) *m.* or *f.* assistant
assister à to attend
assortiment *m.* assortment
assurance *f.* assurance, confidence: **agent
  d'assurance** *m.* insurance agent;
  assurance-vie *f.* life insurance
assurer to assure; to insure
atelier *m.* workshop
athlétique athletic
Atlantique *m.* Atlantic (Ocean)
attaché culturel *m.* cultural attaché
attaque *f.* attack
attendre to wait (for): **attendre que** to wait
  until
attendrissement *m.* pity, emotion;
  tenderness
attente *f.* expectation
attention *f.* attention: **faire attention
  (à)** to listen, to pay attention (to)
atterrir to land
attester to attest, to certify
attirer to attract
attitude *f.* attitude
attrait *m.* attraction
attraper to catch
au = à + le: au contraire on the

contrary; **au lieu de** instead of; **au revoir**
  goodbye
aube *f.* dawn
auberge *f.* inn
aucun(e) no one, nobody; none: **ne . . .
  aucun(e)** not any
audace *f.* audacity, daring
auditeur *m.* listener
augmentation *f.* increase
augmenter to grow, to increase
aujourd'hui today
aussi also, too: **aussi . . . que** as . . . as
aussitôt at once, immediately: **aussitôt que**
  as soon as
australien, australienne Australian
autant as much; as many
auteur *m.* author
authentique authentic, real
auto *f.* automobile, car: **en auto** by car
auto-défense *f.* self-defence
auto-école *f.* driving school
autobus *m.* bus: **en autobus** by bus
autocar *m.* highway bus, coach: **en
  autocar** by coach
automatique automatic
automne *m.* autumn, fall: **en automne**
  in the fall
automobile *f.* automobile, car
automobiliste *m.* or *f.* car driver
autonome independent
autorité *f.* authority
autour (de) around, about
autre other: **les autres** the others, the
  other ones; **quelque chose d'autre**
  something else; **autre que** other than
autrefois formerly, in the past
aux = à + les
avancé(e) advanced
avancement *m.* promotion
avancer to advance
avant before: **avant J.-C.** B.C.; **avant que**
  before; **en avant** in front, before
avantage *m.* advantage
avec with
avenant(e) pleasant
avenir *m.* future
aventure *f.* adventure
avenue *f.* avenue
avertissement *m.* warning
aveugle blind
avion *m.* plane: **en avion** by plane
avis *m.* opinion: **à mon avis** in my
  opinion
avocat(e) *m.* or *f.* lawyer
avoir to have: **avoir à** to have to; **avoir
  beau** to do in vain; **avoir besoin (de)**
  to need; **avoir chaud** to be hot; **avoir
  coutume (de)** to be in the habit (of);
  avoir de la chance to be lucky; **avoir
  de la veine** to be lucky; **avoir droit
  (à)** to have a right (to); **avoir envie
  (de)** to want; **avoir faim** to be hungry;
  avoir froid to be cold; **avoir honte
  (de)** to be ashamed; **avoir l'air (de)**
  to seem; **avoir le temps (de)** to have
  time (for); **avoir lieu** to take place;
  avoir l'intention (de) to intend; **avoir
  mal** to be sick; **avoir peur (de)** to be
  afraid (of); **avoir raison** to be right;

avoir soif to be thirsty; **avoir tendance (à)** to tend (to), to be inclined (to); **avoir tort** to be wrong
avouer to confess

B

bacon *m.* ✤bacon
badaud(e) *m.* or *f.* idler, gawker
bagages *m. pl.* baggage; **faire ses bagages** to pack one's luggage
baguette *f.* stick; long thin loaf of bread
bain *m.* bath: **prendre un bain** to take a bath; **salle de bains** *f.* bathroom; **maillot de bain** *m.* bathing suit
baisser to lower
bal *m.* dance
balayer to sweep
balcon *m.* balcony
Bâle *m.* Basel
balle *f.* ball; franc*
ballon *m.* ball
banal(e) banal, trite
banc *m.* bench
bande *f.* band; group: **bande dessinée** comic strip; **bande élastique** elastic band
banlieue *f.* suburb
banlieusard(e) *m.* or *f.* suburbanite
banque *f.* bank
barbare barbaric, uncouth
barber to bore; to be bored
baronne *f.* baronness
barrage *m.* dam
barre *f.* bar, rod; ballet bar
bas, basse low: **en bas** under, below; **ici-bas** here below (i.e., on Earth)
bas-relief *m.* low-relief
base *f.* base, basis
basilique *f.* basilica
bateau(x) *m.* boat: **en bateau** by boat
bâtiment *m.* building
bâtir to build
bâton *m.* stick
battre to beat
beau (bel), belle, beaux, belles beautiful: **il fait beau** it's nice out (weather); **le beau temps** fine weather
beaucoup very much; a lot: **beaucoup (de)** much, many
beauté *f.* beauty
bébé *m.* or *f.* baby
bel et bien really and truly
belge Belgian
Belge *m.* or *f.* Belgian (person)
Belgique *f.* Belgium
belle *f.* beautiful girl, woman
belote *f.* belote (card game)
berceau(x) *m.* cradle
besogne *f.* work; task
besoin *m.* need: **avoir besoin (de)** to need
bétail *m.* cattle, livestock
bête *f.* animal
bête stupid
beurre *m.* butter: **beurre d'arachides** peanut butter

bibliothèque *f.* library
bicyclette *f.* bicycle
bien *m.* good, benefit
bien well: **bien (de)** much, many; **eh bien!** well then!; **bien sûr** of course!, sure!; **bien à toi** yours truly; **bien que** although
bientôt soon
bilingue bilingual
billet *m.* ticket
bistro *m.* bar
bizarre peculiar, strange
bla-bla* *m.* idle talk
blague *f.* joke
blanc, blanche white
blé *m.* wheat: **blé entier** whole wheat
blesser to wound
bleu(e) blue: **bleu marine** navy blue
bleuet *m.* blueberry
bleuté(e) bluish
bloquer to block
blouse *f.* blouse
blouson *m.* jacket, windbreaker
blues *m. pl.* blues (music)
bohémien, bohémienne gypsy, bohemian
boire to drink; **quelque chose à boire** something to drink: **boire un coup** to have a drink
bois *m.* wood; woods: **bois de rose** rosewood
boisson *f.* drink
boîte *f.* box; can; company*: **boîte à chansons** cabaret, night spot
bombarder to bomb
bon *m.* voucher: **bon de réduction** discount voucher
bon, bonne good; right, correct
bon de réduction *m.* discount coupon, discount voucher
bonbon *m.* candy
bond *m.* leap
bonheur *m.* happiness
bonté *f.* goodness
bord *m.* side; edge: **au bord (de)** on the edge (of), on the shore (of), beside; **à bord** on board, aboard
border to edge
botte *f.* boot
bouche *f.* mouth
boucherie *f.* butcher shop
bouchon *m.* traffic jam*
bouffer* to eat
bouger to move: **ça bouge!*** things are moving along!
bouillabaisse *f.* fish stew
bouillir to boil
boulanger, boulangère *m.* or *f.* baker
boulangerie *f.* bakeshop
boule *f.* ball
boulevard *m.* boulevard
boulot* *m.* work, job
boum *f.* party
bourg *m.* small town
Bourgogne *f.* Burgundy
bourse *f.* stock exchange
bout *m.* end, tip
boute-en-train *m.* live wire, life of the party
bouteille *f.* bottle
boutique *f.* shop

bouton *m.* button
bovin, bovine: bovins cattle
bras *m.* arm
brasser to stir up
brebis *f.* sheep
brésilien, brésilienne Brazilian
Bretagne *f.* Brittany
breton *m.* Breton (language)
breton, bretonne Breton
Breton, Bretonne *m.* or *f.* Breton (person)
bricolage *m.* tinkering about, do-it-yourself
bricoler to tinker about
bricoleur *m.* tinkerer, handyman
bricoleuse *f.* tinkerer, handywoman
brillant(e) brilliant, bright
briller to shine
brin d'herbe *m.* blade of grass
briquet *m.* lighter
briser to break
brochette *f.* skewer, spit
brochure *f.* brochure, pamphlet
bronzer to tan
brosse *f.* brush: **brosse à cheveux** hairbrush; **brosse à dents** toothbrush
brosser to brush: **se brosser les dents** to brush one's teeth
brouillard *m.* fog, mist
brouiller to scramble: **oeufs brouillés** *m. pl.* scrambled eggs
bruit *m.* noise
brûler to burn
brûlure *f.* burn
brume *f.* mist
brumeux, brumeuse foggy, misty
brun(e) brown
brut(e) raw: **produit national brut** *m.* gross national product
brutalité *f.* brutality
Bruxelles Brussels
bûcheron *m.* lumberjack
buée *f.* mist, vapour
bulletin *m.* bulletin: **bulletin de notes** report card
bureau(x) *m.* office; desk: **bureau d'accueil** tourist office; **bureau de placement** employment office; **bureau de poste** post office
but *m.* end, goal: **gardien de but** goalie, goalkeeper
butte *f.* small hill

C

ça it; that: **ça dépend** that depends; **comme ça** in this (that) way, thus; **ça y est!** that's it!
cabine *f.* cabin: **cabine téléphonique** telephone booth
cacher to hide
cadeau(x) *m.* gift, present
cadre *m.* professional, executive
café *m.* coffee; café, restaurant: **café express** espresso coffee
cahier *m.* notebook
caillé *m.* curd
caissier, caissière *m.* or *f.* cashier

calculer to calculate
Californie *f.* California
calmer to calm: **se calmer** to calm down
camarade *m.* or *f.* pal, friend
camion *m.* truck
campagne *f.* country(side): **à la campagne** in the country
Canada *m.* Canada: **au Canada** to (in) Canada
canadien, canadienne Canadian
Canadien, Canadienne *m.* or *f.* Canadian (person)
canne *f.* cane
canon *m.* cannon: **poudre à canon** cannon powder, gunpowder
canotage *m.* boating, rowing; canoeing♣
cantonnais(e) Cantonese
caoutchouc *m.* rubber
capacité *f.* capacity, ability
capitaine *m.* captain
capitale *f.* capital city
captiver to capture
car for, because
carabiné(e) shocking, outlandish
caractère *m.* character, type: **caractères gras** boldface type, boldface letters
caractéristique *f.* characteristic, feature
Caraïbes *f. pl.* West Indies
cardiaque cardiac: **crise cardiaque** *f.* heart attack
caresse *f.* caress, stroke
caricaturiser to caricature
carotte *f.* carrot
carré(e) square
carrefour *m.* intersection
carrière *f.* career
carte *f.* card; map: **carte de crédit** credit card; **carte d'étudiant** student card; **carte postale** postcard
cas *m.* case, situation: **en cas de** in case of; **en tout cas** in any case
cascadeur, cascadeuse *m.* or *f.* stuntperson
casser to break
catégorie *f.* category, group
cathédrale *f.* cathedral
cause *f.* cause: **à cause (de)** because (of)
causette *f.* chat
c'est-à-dire that is to say
ce it; this; that: **c'est ça!** that's right!; **c'est combien?** how much is that? how much are they?; **c'est dommage!** that's too bad!; **c'est vrai!** that's right!; **ce soir** this evening; **n'est-ce pas?** isn't it so?; **qui est-ce?** who is it? who is that?
ce (cet), cette, ces this, that, these, those
ce dont what, that (of) which
ce que what, that (of) which
ce qui what, that (of) which
ceci this
cèdre *m.* cedar
cela that: **cela va sans dire** that goes without saying
célèbre famous
célébrer to celebrate
célébrité *f.* celebrity, famous person
celtique Celtic
celui, celle, ceux, celles the one(s); this one, that one, these, those
cendre *m.* ash: **les cendres** remains

censé(e) meant, supposed
centaine *f.* about one hundred
central(e) central: **chauffage central** central heating
centralisé(e) centralized
centre *m.* centre: **centre d'achats** shopping centre; **centre culturel** cultural centre; **centre-ville** *m.* downtown
cependant however
cercle *m.* circle
céréales *f. pl.* cereal
certain(e) certain, sure; some
certainement certainly
César *m.* Caesar: **Jules César** Julius Caesar
cesser to stop
chacun(e) each (one): **chacun son goût** to each his own
chagrin *m.* sorrow
chahut* *m.* noise, to-do
chaîne *f.* chain; TV channel, network; **chaîne de montagnes** mountain chain
chaise *f.* chair: **chaise longue** deck chair
chalet *m.* cottage
chambre *f.* room: **chambre à air comprimé** inner tube; **chambre à coucher** bedroom; **chambre d'hôtel** hotel room; **femme de chambre** *f.* maid
champ *m.* field: **champ de courses** racetrack
champignon *m.* mushroom
chanceux, chanceuse lucky
chandail *m.* sweater
chandelle *f.* candle
changement *m.* change
chanson *f.* song: **boîte à chansons** *f.* cabaret, night spot
chansonnier *m.* singer, folksinger; song writer
chant *m.* song
chanter to sing
chanteur, chanteuse *m.* or *f.* singer
chantier *m.* work camp
chapeau *m.* hat
chapitre *m.* chapter
chaque each, every
charbon *m.* coal
chargé(e) (de) responsible (for)
charmant(e) charming
charme *m.* charm
charpenterie *f.* carpentry
charpentier *m.* carpenter
chat *m.* cat
château(x) *m.* castle
chaud(e) hot: **avoir chaud** to be hot; **il fait chaud** it's hot (weather)
chauffage *m.* heating: **chauffage central** central heating
chauffer to heat, to warm
chaussette *f.* sock
chaussure *f.* shoe
chef *m.* chief; chef: **chef d'état** head of state; **chef de cuisine** head cook; **chef-d'oeuvre** *m.* masterpiece
chemin *m.* route, path; road
chemin de fer *m.* railroad
cheminée *f.* fireplace
chemise *f.* shirt
cher, chère expensive; dear
chercher to look for

chère *f.* welcome, entertainment: **faire bonne chère** to have a good meal
chéri(e) dear, darling
cheval (chevaux) *m.* horse
chevelure *f.* hair
cheveu(x) *m.* hair
chez at (to) the home, the place of
chic smart, stylish: **chic alors!*** great!, terrific!
chien *m.* dog
chimie *f.* chemistry
chimique chemical
chimiste *m.* or *f.* chemist; chemical researcher
Chine *f.* China
Chinois(e) *m.* or *f.* Chinese (person)
chirurgien, chirurgienne *m.* or *f.* surgeon
choc *m.* shock
chocolat *m.* chocolate
choeur *m.* chorus: **en choeur** all together
choisir to choose
choix *m.* choice
chômeur, chômeuse *m.* or *f.* unemployed person
choriste *m.* or *f.* singer
chose *f.* thing: **quelque chose** something
chou *m.* sweetheart*
chouette* great, super
chronique *f.* chronicle
ci-dessous below
ci-dessus above
cible *f.* target
ciel (cieux) *m.* sky, heaven
cinéma *m.* movie theatre; movies
circulaire circular, round
circulation *f.* traffic
citation *f.* quotation, quote
cité *f.* city: **cité universitaire** university campus
citer to quote
citoyen, citoyenne *m.* or *f.* citizen
citron *m.* lemon
clair de lune *m.* moonlight
clairement clearly
clamer to cry out, to shout
classe *f.* class; classroom: **en classe** in class
classement *m.* classification
classique *m.* classic
classique classic, classical
clef *f.* key: **mot-clef** *m.* key word
client(e) *m.* or *f.* customer
climat *m.* climate
climatique climatic
climatisateur *m.* air-conditionner
climatisation *f.* air-conditionning
club *m.* club
coca *m.* cola
coco* *m.* guy, fellow
code postal *m.* postal code
coeur *m.* heart
coiffer to do hair: **se coiffer** to do one's hair
coiffeur, coiffeuse *m.* or *f.* hairdresser
coin *m.* corner: **au coin de** at the corner of
coincé(e) stuck
col *m.* collar
colisée *m.* coliseum
collection *f.* collection
collectionner to collect

collectionneur, collectionneuse *m.* or *f.* collector
collègue *m.* or *f.* colleague, fellow-worker
colline *f.* hill
colon *m.* colonist
colonie *f.* colony
coloré(e) coloured
combat *m.* fight, combat
combattant *m.* fighter
combien (de) how much; how many
combiner to combine
comédie *f.* comedy; play
comité *m.* committee
commande *f.* order
commander to order
comme like, as: **comme ceci** like this; **comme ci, comme ça** so so
commencement *m.* beginning
commencer to begin
comment how: **comment? pardon?**; **et comment!** you bet!, and how!
commentaire *m.* commentary
commerçant(e) *m.* or *f.* merchant
commis *m.* clerk
commode convenient, suitable
commodité *f.* convenience, comfort
communautaire communal
communiquer to communicate
commutateur *m.* switch
compagnie *f.* company
compagnon *m.* companion
comparaison *f.* comparison
compatibilité *f.* compatibility
compétent(e) competent, qualified
complaisant(e) kind, obliging
complet *m.* suit
complet, complète complete
compléter to complete
complexe complicated
compliment *m.* compliment
comporter to comprise, to include
compositeur *m.* composer
composition *f.* composition
composter to date, to perforate (ticket)
compréhensif, compréhensive understanding
comprendre to understand; to include
comprimé(e) compressed: **chambre à air comprimé** *f.* inner tube
compter to count
comptoir *m.* counter
comte *m.* count
concentrer to concentrate
concernant about
concerner to concern
concert *m.* concert
concierge *m.* or *f.* doorkeeper, caretaker
concombre *m.* cucumber
concours *m.* contest
concurrent(e) *m.* or *f.* competitor
condition *f.* condition
conducteur, conductrice *m.* or *f.* conductor; driver
conduire to drive: **permis de conduire** *m.* driver's licence
conduite *f.* conduct, behaviour
conférence *f.* conference
confiture *f.* jam
confluent *m.* confluence

se confondre to blend, to merge
confort *m.* comfort
confortable comfortable
conjonction *f.* conjunction: **en conjonction** with
connaissance *f.* acquaintance; knowledge: **faire la connaissance (de)** to meet; **perdre connaissance** to lose consciousness, to faint
connaisseur *m.* expert, connoisseur
connaître to know, to be acquainted with
conquérir to conquer
conquête *f.* conquest
conquis(e) conquered
consacrer to dedicate, to devote
conscient(e) conscious, aware
conseil *m.* advice
conseiller to advise
conseiller, conseillère *m.* or *f.* (guidance) counsellor
considérer to consider
consistance *f.* consistency
consolider to consolidate: **se consolider** to grow firm
consommation *f.* consumption
consommer to consume
constituer to constitute
construire to build
construit(e) built
consulat *m.* consulate
contempler to contemplate
contemporain(e) contemporary, recent
content(e) happy, glad
contenter to satisfy
conter to tell, to relate
continental(e) continental
contre against
contrebasse *f.* double-bass
contribuer to contribute
contrôle *m.* control
contrôleur *m.* ticket collector
convenable suitable
convoiter to covet, to desire
copain *m.* friend, pal
copie *f.* copy
copine *f.* friend, pal
coque *f.* shell: **oeuf à la coque** *m.* boiled egg
coquille *f.* shell
coranique Koranic
corde *f.* rope, cord
cordonnier *m.* shoemaker
corps *m.* body
correct(e) correct
correspondre (à) to correspond (to)
corriger to correct
Corse *f.* Corsica
cortège *m.* procession
cosmonaute *m.* or *f.* cosmonaut
côte *f.* coast; rib: **Côte d'Azur** French Riviera; **Côte d'Ivoire** Ivory Coast
côté *m.* side: **d'un côté** on one side; **à côté de** beside; **de l'autre côté** on the other side
coter to assess, to rate
se coucher to go to bed
couler to flow
couleur *f.* colour
coulissant(e) sliding

couloir *m.* corridor
coup *m.* blow, swing: **boire un coup** to have a drink; **coup d'oeil** glance; **coup de soleil** sunburn; **tout à coup** suddenly; **tout d'un coup** all at once
coupe *f.* cup; cut
couper to cut
cour *f.* court; yard
courageux, courageuse brave
courir to run
cours *m.* course, class: **au cours de** during
course *f.* race: **course de chevaux** horse race: **champ de courses** *m.* racetrack
court(e) short
cousin, cousine *m.* or *f.* cousin
coût *m.* cost
couteau(x) *m.* knife
coûter to cost
coutume *f.* custom, habit: **avoir coutume de** to be in the habit of
couture *f.* dressmaking: **la haute couture** high fashion
couturier, couturière *m.* or *f.* dressmaker, fashion designer
couvrir to cover
cracheur de feu *m.* fire-eater
cravate *f.* tie
créateur *m.* creator
créer to create
crème *f.* cream: **crème glacée** ice-cream
crémier, crémière *m.* or *f.* dairykeeper
créole *m.* Creole (language)
crépuscule *m.* twilight
crevette *f.* shrimp
cri *m.* cry, shout: **le dernier cri** the latest fashion, the latest thing
crier to cry, to shout
crise *f.* crisis: **crise cardiaque** heart attack
critique *f.* criticism
critique *m.* critic
critiquer to criticize
croire (à) to believe (in)
croissant *m.* crescent roll
croissant(e) growing
croque-monsieur *m.* toasted ham and cheese sandwich
crottin *m.* dung, manure; a small, round cheese
cru(e) raw
cueillette *f.* gathering, picking
çui-là* = **celui-là**
cuiller *f.* spoon
cuillerée *f.* spoonful
cuir *m.* leather
cuire to cook
cuisine *f.* kitchen; cooking: **faire la cuisine** to cook
cuisinette *f.* kitchenette
cuit(e) cooked
culot* *m.* nerve, gall
cultiver to cultivate
culture *f.* culture; farming
culturel, culturelle cultural
curé *m.* parish priest
curieux, curieuse curious
curiosité *f.* curiosity
cyclisme *m.* bicycling
cycliste *m.* or *f.* cyclist
cygne *m.* swan

D

d'abord first
d'accord all right, okay: être d'accord
  (avec) to agree (with)
dame *f.* lady
danger *m.* danger
dangereux, dangereuse dangerous
danoise *f.* Danish pastry
danse *f.* dance; dancing: danse carrée
  square dance
danser to dance
danseur *m.* dancer
danseuse *f.* dancer
date *f.* date
davantage more
de of; from: d'abord first; d'accord all
  right, okay; d'ailleurs besides;
  d'autrefois formerly, long ago; de bonne
  heure early; de luxe luxury; de peur que
  for fear that; de plus moreover; de plus
  en plus more and more; de préférence
  preferably; de retour back; de rien
  you're welcome; de rigueur compulsory;
  de temps à autre from time to time; de
  temps en temps from time to time;
  d'habitude usually; d'outre-mer overseas
se débarrasser (de) to get rid (of)
déboucher to emerge; to flow (into)
se débrouiller to manage, to get along, to
  cope
début *m.* beginning, start
décéder to die
décembre *m.* December
décennie *f.* decade, period of ten years
déception *f.* deception
décerner to bestow, to confer
déchaîner to unchain, to let loose
décider to decide
décision *f.* decision
déclarer to declare
décoller to take off
décolonisation *f.* decolonisation
décoration *f.* decoration
décorer to decorate
décourageant(e) discouraging
décourager to discourage
découverte *f.* discovery
découvrir to discover
décrire to describe
déçu(e) disappointed
dédier to dedicate
défaut *m.* error; fault; weakness
défendre to defend; to forbid
défense *f.* defence; prohibition
déferler to unfurl
défi *m.* challenge
défilé *m.* parade
définitivement conclusively, definitively
défouler to unwind, to let off steam
degré *m.* degree
déguster to taste, to sample
déjà already; ever
déjeuner *m.* lunch; breakfast ♣: petit
  déjeuner breakfast
déjeuner to have lunch; to have breakfast
délai *m.* delay

délicat(e) delicate
délice *m.* delight
demain tomorrow: à demain! see you
  tomorrow!
demande *f.* request, application: demande
  d'emploi job application; formulaire
  de demande *m.* application form
demander to ask: se demander to wonder
démarche *f.* step, walk, gait
démarrer to start (up); to pull away
déménager to move, to relocate
dément(e) crazy
demeurer to live; to remain
demi(e) half
demi-heure *f.* half hour
demi-pension *f.* half room and board
dénoncer to denounce
dent *f.* tooth
dentelle *f.* lace
dentiste *m.* or *f.* dentist
dépanner to help out
départ *m.* departure
département *m.* department
dépasser to go beyond
se dépêcher to hurry
dépense *f.* expenditure, expense
dépenser to spend
dépit *m.* spite, resentment: en dépit
  (de) despite
se déplacer to move around, to relocate
depuis since, for: depuis quand? since
  when?, for how long?
dérangement *m.* disarrangement;
  disturbance
déranger to bother
dernier, dernière last: le dernier cri the
  latest fashion, the latest thing
dernièrement lately
dérobée: à la dérobée stealthily, secretly
se dérouler to occur
dès from, right from, beginning: dès que
  since, once
désappointer to disappoint
descendre to go down; to come down; to
  bring down; to take down
descente *f.* descent
désenchanté(e) disillusioned, disenchanted
désert *m.* desert
désigner to designate
désir *m.* desire, wish
désirer to desire, to wish
désireux, désireuse desirous, eager
désolé(e) (very) sorry
dessaisir to let go, to release
dessert *m.* dessert
dessin *m.* sketch, drawing: dessin animé
  cartoon
dessiner to sketch, to draw
destination *f.* destination: en destination de
  heading, bound for
détail *m.* detail
déterminer to determine; to decide
détester to detest
détour *m.* detour
détourner to divert
deuxièmement secondly
développement *m.* development
développer to develop: se développer to
  develop; to transpire

devenir to become
deviner to guess
devoir *m.* task; duty: devoirs homework
devoir to have to
dévouer to dedicate: se dévouer to devote
  oneself
diable *m.* devil
dialecte *m.* dialect
diamant* *m.* anthracite coal
diathèque *f.* slide collection
dictionnaire *m.* dictionary
Dieu *m.* God
différence *f.* difference
différent(e) different
difficile difficult
difficulté *f.* difficulty
diffusion *f.* broadcast (radio, television)
digestif *m.* after-dinner drink
digne worthy
dîner *m.* dinner, supper; lunch♣
dîner to dine, to have dinner
diplôme *m.* diploma
dire to say: vouloir dire to mean
directeur, directrice *m.* or *f.* (school)
  principal
direction *f.* direction
diriger to direct, to control: se diriger
  (vers) to turn (towards), to head (for)
discerner to distinguish; to see
discret, discrète discreet, tactful
discuter (de) to discuss: discuter le coup to
  talk about things in general
disparaître to disappear
disponible available
disposer to arrange, to dispose
disposition *f.* arangement, disposition:
  à votre disposition at your service;
  mettre à la disposition (de) to make
  available (to)
disputer to fight: se disputer to argue
disquaire *m.* or *f.* record seller
disque *m.* record
dissimuler to hide, to conceal
distillerie *f.* distillery
distraction *f.* absent-mindedness;
  entertainment
distrait(e) absent-minded
distribuer to distribute
divers(e) various
diversité *f.* diversity
divertir to entertain
divertissement *m.* diversion, amusement
diviser to divide
dizaine *f.* about ten
docteur *m.* or *f.* doctor
documentaire *m.* documentary
dogue *m.* large dog, mastiff
doigt *m.* finger; toe
domaine *m.* area
dominer to dominate
dommage *m.* pity, shame: c'est dommage
  it's a pity; il est dommage it's a pity
dompter to tame, to overcome
donc so, then, therefore: voyons donc!
  oh, come on!; dis donc! say!, tell me!
donner to give: donner naissance to give
  birth
dont of whom, of what, of which; whose
dormir to sleep

dos *m.* back
dossier *m.* file
douane *f.* customs
douanier *m.* customs official
double double: **en double** double, doubled, in duplicate
doublure *f.* lining
douche *f.* shower: **prendre une douche** to take a shower
doute *m.* doubt: **sans doute** doubtless, no doubt
douter to doubt
Douvres Dover
doux, douce sweet, soft
douzaine *f.* dozen
dramatiser to dramatize
drame *m.* drama, play
drapeau *m.* flag
drave *f.* ♣(log) drive
se dresser to stand up
droit *m.* right; law
droit(e) right: **à droite** on/to the right
drôle curious, funny, odd: **un/une drôle de ...** a funny sort of ...
drôlement oddly, funnily
duché *m.* duchy
dur(e) hard, difficult
durée *f.* duration: **de courte durée** shortlived
durement hard, vigorously, severely
durer to last

E

eau *f.* water: **eau de Cologne** cologne; **eau de toilette** toilet water; **ville d'eau** *f.* spa town
s'ébrouer to shake oneself
écart *m.* divergence, discrepancy: **à l'écart** aside, apart; isolated
échange *f.* exchange
échanger to exchange
échapper to escape
écluse *f.* (canal) lock
école *f.* school: **école primaire** primary/grade school; **école secondaire** secondary/high school
écologique ecological
économe thrifty
économie *f.* economy, saving: **faire des économies** to save (up)
économique economical, inexpensive
économiser to save money
écorce *f.* bark (of tree)
Écosse *f.* Scotland
écouter to listen (to)
écraser to run over, to crush
écraseur *m.* crusher
écrire to write
écrit *m.* writing: **par écrit** in writing
écriture *f.* (hand) writing
écrivain *m.* writer, author
écume *f.* froth, foam
édifice *m.* building
éditeur *m.* editor; publisher
effectivement effectively

effet *m.* effect: **en effet** in fact, indeed
effort *m.* effort
égal(e) equal: **ça m'est égal** it's all the same to me
également equally, also, as well
s'égarer to lose one's way
église *f.* church
égyptien, égyptienne Egyptian
élargir to enlarge, to expand
électricien, électricienne *m.* or *f.* electrician
élégie *f.* elegy
élevage *m.* breeding, raising (of animals)
élève *m.* or *f.* pupil, student
élever to raise, to rear
élu(e) elected
embarras *m.* difficulty, embarrassment: **embarras du choix** wealth of choices; **dans l'embarras** in difficulty
embêter to annoy
emblème *m.* emblem, symbol
embouchure *f.* mouthpiece
embouteillage *m.* traffic jam
s'embraser to catch fire
embrasser to embrace, to kiss
émerveillé(e) amazed
émerveiller to amaze, to fill with wonder
émission *f.* programme (radio, television)
emmener to take (someone) somewhere
empêcher to prevent, to impede, to stop
emploi *m.* use; job: **emploi du temps** timetable; **offre d'emploi** *f.* job offer
employé(e) *m.* or *f.* employee
employer to use
empoigner to grab, to seize
emporter to carry off
emprisonnement *m.* imprisonment
emprunter to borrow; to take
en in, into; by: **en bas** under, below; **en cas de** in case of; **en destination de** heading, bound for; **en double** double, doubled, in duplicate; **en effet** in effect; **en face** opposite; **en fait** indeed; **en fin de compte** after all; **en général** in general; **en même temps** at the same time; **en particulier** in particular; **en plein air** in the open air; **en plein essor** vigorous, making rapid strides; **en plein milieu** right in the middle; **en plein(e)** in the middle of; **en retard** late; **en route** on the way; **en simple** single; **en tout cas** in any case; **en vacances** on vacation; **en vente** for sale; **en ville** in town, downtown
enchaînement *m.* linking, connection
enchevêtrement *m.* tangling up
encore again, still; **encore une fois** once more, again
encyclopédie *f.* encyclopedia
endommager to damage
endormi(e) asleep
endroit *m.* place, spot
énergie *f.* energy
énervé(e) nervous
enfance *f.* childhood
enfant *m.* or *f.* child
enfermer to close, to enclose
enfin finally, at last
engagé(e) engaged: **homme engagé** *m.* hired man
s'enlacer to intertwine

enlever to remove, to take off
ennuyant(e) boring
s'ennuyer to become bored
ennuyeux, ennuyeuse boring
énorme enormous
énormité *f.* enormousness, vastness
enregistrer to record
enseignement *m.* teaching
enseigner to teach
ensemble together
ensemble *m.* whole, entirety
ensoleillé(e) sunny
ensuite next
entendre to hear: **entendre parler de** to hear of, about
entendu all right, okay
enterrer to bury
entier, entière whole: **blé entier** *m.* whole wheat
entourer to surround
entracte *m.* intermission
entraînant(e) heart-stirring, catchy
entre between
entrée *f.* entrance; entrée: **entrée libre** admission free; **payer l'entrée** to pay admission
entrer (dans) to enter
entrevoir to catch sight of
entrevue *f.* interview
énumérer to enumerate, to count up
enveloppe *f.* envelope
envelopper to envelop, to wrap
envers towards: **à l'envers** upside down; backwards
envie *f.* envy: **avoir envie (de)** to want
envier to envy, to covet
environ about: **d'environ** about; **environs** *m. pl.* surroundings, vicinity
environnement *m.* surroundings, environment
envisager to face, to envisage
s'envoler to fly away, to fly off
envoyer to send
épais, épaisse thick
épaule *f.* shoulder
épeler to spell (out)
épice *f.* spice
épicerie *f.* grocery store
épicier, épicière *m.* or *f.* grocer
éponger to sponge
époque *f.* era, epoch, time: **à l'époque** at the time
équilibre *m.* balance
équipe *f.* team
équipement *m.* equipment
équitation *f.* horsemanship, horseback riding
erreur *f.* mistake, error
escalader to scale, to climb
escalier *m.* staircase: **escalier mécanique** escalator
escargot *m.* snail
esclavage *m.* slavery
escrime *f.* fencing, swordsmanship
espace *m.* space
Espagne *f.* Spain
espérer to hope
espoir *m.* hope
esprit *m.* mind; wit

essayer to try: **essayer de** to try to
essence *f.* essence; gasoline
essentiel *m.* essential
essentiel, essentielle essential
est *m.* east
estimer to estimate; to esteem
étage *m.* floor, storey (of a building)
étain *m.* pewter; tin
étape *f.* step, stage
état *m.* state: **États-Unis** *m. pl.* United
    States
été *m.* summer
éteindre to put out, to turn off
s'étendre to stretch out, to lie down
étendue *f.* extent, area, stretch
éternel, éternelle eternal
étiquette *f.* label
étoile *f.* star: **guerre des étoiles** *f.* star wars
étonnant(e) amazing, surprising
étonné(e) astonished, surprised
étrange strange
étranger, étrangère *m. or f.* foreigner
étranger, étrangère foreign: **à l'étranger**
    abroad
être to be: **être d'accord** to agree, to be in
    agreement; **être en train de faire qqch.**
    to be in the middle of doing something;
    n'est-ce pas? isn't it so?
étroit(e) narrow
études *f.* studies: **faire des études** to study
étudiant(e) *m. or f.* student: **carte**
    d'étudiant *f.* student card
étudier to study
Europe *f.* Europe
européen, européenne European
euh er, ah
évader to evade: **s'évader** to escape
s'évaporer to evaporate; to disappear
événement *m.* event
éventail *m.* fan
évêque *m.* bishop
évidemment evidently
éviter to avoid
évoquer to evoke, to conjure up
exactement exactly
exagérer to exaggerate
examen *m.* examination, test
exaspérer to exasperate
excéder to exceed, to go beyond
excuse *f.* excuse
excuser to forgive, to excuse: **s'excuser** to
    apologize
exemplaire *m.* copy
exemple *m.* example: **par exemple** for
    example
exercer to exercise
exercice *m.* exercise: **exercices aérobiques**
    aerobic exercises
exiger to demand, to require
existence *f.* existence
expérience *f.* experience; experiment
expliquer to explain
exploit *m.* exploit, achievement
explorateur *m.* explorer
exportation *f.* export
exposé *m.* exposition, revelation
exprimer to express: **s'exprimer** to express
    oneself
exquis(e) exquisite

extérieur(e) exterior, outside: **à l'extérieur**
    outside
extrait *m.* extract
extraordinaire extraordinary

fabricant *m.* manufacturer
fabrication *f.* production, manufacture
fabriquer to manufacture, to make
façade *f.* façade, front
face *f.* face: **face à face** face to face; **en face**
    (de) opposite (to); **faire face (à)** to face,
    to stand opposite
fâché(e) angry
se fâcher to become angry
facile easy
façon *f.* way, manner
facteur *m.* factor
facture *f.* bill
faible weak: *m.* weak spot
faillite *f.* bankruptcy
faim *f.* hunger: **avoir faim** to be hungry
faire to do, to make: **faire allusion (à)** to
    allude (to); **faire attention (à)** to pay
    attention (to); **faire beau** to be nice out
    (weather); **faire chaud** to be hot
    (weather); **faire de même** to do the
    same; **faire de la voile** to go sailing;
    faire des économies to save (up);
    faire du ski to ski; **faire envie** to make
    envious, to appeal to; **faire face (à)**
    to face, to stand opposite; **faire froid**
    to be cold (weather); **faire fureur**
    to cause a sensation; **faire la**
    connaissance (de) to meet; **faire la**
    lessive to do the laundry; **faire la**
    manche to beg; **faire la vaisselle** to do
    the dishes; **faire le ménage** to do the
    housework; **faire mal (à)** to hurt; **faire**
    mauvais to be bad out (weather); **faire**
    partie (de) to be a member (of); **faire**
    une partie (de) to play a game (of);
    faire peur to frighten; **faire plaisir (à)**
    to please; **faire un pique-nique** to go
    on a picnic; **faire un stage** to attend/
    to take a course; **se faire bronzer**
    to get a tan
fait *m.* fact: **au fait** as a matter of fact; **de**
    fait in fact, indeed
falaise *f.* cliff, bluff
falloir to be necessary: **il (me) faut** (I) must
fameux, fameuse famous
familier, familière familiar
famille *f.* family
fantastique fantastic, super
fantôme *m.* ghost
fatigué(e) tired
se fatiguer to become tired
fauché(e) broke, penniless
faut: il faut it is necessary to, one must
faute *f.* mistake, error, fault
fauteuil *m.* armchair
faux, fausse false, not true
faveur *f.* favour
favori, favorite favorite

félicitations *f. pl.* congratulations
femme *f.* woman; wife: **femme de chambre**
    maid
fenêtre *f.* window
fer *m.* iron: **chemin de fer** *m.* railroad
ferme *f.* farm
ferme firm
ferment *m.* fermentation
fermer to close; to turn off (e.g., radio,
    light): **fermer à clef** to lock
fermier, fermière *m. or f.* farmer
féroce fierce, wild
férocité *f.* fierceness
ferronnier, ferronnière *m. or f.*
    ironworker
ferroviaire pertaining to a railroad:
    transport ferroviaire *m.* rail transport
féru(e) keen, interested
fête *f.* celebration, feast; birthday: **bonne**
    fête! happy birthday!
feu(x) *m.* fire; traffic light
feuilleté(e) flaky (e.g., pastry)
feuilleton *m.* serial
février *m.* February
fiancé(e) *m. or f.* fiancé(e)
se ficher (de) to care nothing (for)
fidèle faithful
fier, fière proud
fierté *f.* pride
se figurer to imagine
fil *m.* wire; cord
file *f.* file, row
filet *m.* net
fille *f.* girl; daughter: **jeune fille** young girl
film *m.* film
fils *m.* son
filtre *m.* filter
fin *f.* end: **à la fin** finally; **fin de semaine**♣
    weekend; **en fin de compte** after all
fin(e) fine: **les fins fonds** (deep in) the
    interior
finalement finally
finir to finish, to end
Finlande *f.* Finland
fixe fixed, firm: **à prix fixe** at a set price
flamand *m.* Flemish (language)
flamand(e) Flemish
flanc *m.* side
flâner to stroll about
flèche *f.* arrow
fleur *f.* flower
fleuret *m.* fencing foil
fleuve *m.* river
flotter to float
flûte *f.* flute
foie *m.* liver
fois *f.* time, occasion: **à la fois** at the same
    time; **encore une fois** once again
foncier, foncière basic
fonction *f.* function
fonctionnaire *m.* civil servant
fonctionnement *m.* functioning, working
fond *m.* bottom; **les fins fonds** (deep in)
    the interior
fondamental(e) basic
fondation *f.* foundation
fondre to melt
fontaine *f.* fountain
force *f.* strength

forêt *f.* forest
forger to forge
forgeron *m.* blacksmith
formation *f.* formation; education
forme *f.* form
former to form
formidable great, terrific
formulaire *m.* form: **formulaire de demande** application form
fort strongly
fort(e) strong; loud
fortune *f.* fortune
fou (fol), folle, foux, folles crazy, mad: **un succès fou** a tremendous success
foudroyant(e) terrifying; terrific
foudroyé(e) struck by lightning
foule *f.* crowd
four *m.* oven
fourchette *f.* fork
fournir to furnish
fourrure *f.* fur
foutrement* very, bloody
foyer *m.* home
fragilité *f.* fragility, weakness
frais *m. pl.* expenses
frais, fraîche cool: **il fait frais** it's cool (weather)
fraise *f.* strawberry
franc *m.* franc
franc, franche open, direct, frank
français *m.* French (language)
Français(e) *m. or f.* French (person)
franchement frankly
franco-africain(e) French-African, Franco-African
francophone French-speaking
frange *f.* fringe
frapper to knock
fredonner to hum
frénétique frenzied, frantic
fréquenter to frequent, to visit (frequently)
frère *m.* brother
friand(e) partial to
frisson *m.* shiver, shudder
frissonner to shiver, to shudder
froid(e) cold: **avoir froid** to be/feel cold; **il fait froid** it's cold (weather)
fromage *m.* cheese
fromageophile *m.* cheese enthusiast
front *m.* forehead
frontière *f.* frontier, border
fumant(e) smoking, smoky; terrific*
fumer to smoke
fumeur *m.* smoker: **(compartiment) fumeurs** *m.* smoking compartment; **(compartiment) non-fumeurs** *m.* non-smoking compartment
fureur *f.* fury, rage: **faire fureur** to cause a sensation
furieux, furieuse furious

gages *m. pl.* wages
gagnant(e) *m. or f.* winner
gagnant(e) winning

gagner to earn, to gain; to win
gai(e) happy, merry
gain *m.* gain, profit
galérien *m.* galley slave
gallo-romain(e) Gallo-Roman
gallois *m.* Welsh (language)
garage *m.* garage
garagiste *m. or f.* garage owner; garage mechanic
garantir to guarantee
garçon *m.* boy; waiter; **garçon de table** waiter
garde-robe *f.* wardrobe
garder to keep, to maintain
gardien de but *m.* goalie
gare *f.* (train) station
garer to park
garni(e) garnished: **assiette garnie** *f.* plate of assorted coldcuts
gars* *m.* fellow, guy
gastronomie *f.* gastronomy
gastronomique gastronomical
gâteau(x) *m.* cake: **du gâteau** very easy
gauche left: **à gauche** to/on the left
gaufre *f.* waffle
Gaule *f.* Gaul
gazon *m.* lawn
géant *m.* giant
géant(e) giant
gendarme *m.* police constable
général *m.* general
général(e) general: **en général** generally, usually
généralement generally, in general, usually
Genève Geneva
génie *m.* genius; mind; spirit
genre *m.* kind, type
gens *m. or f. pl.* people
gentil, gentille nice, sweet, kind
géographie *f.* geography
géographique geographical
géologie *f.* geology
gérer to manage
germanique Germanic
geste *m.* sign, gesture
gigue *f.* jig
girouette *f.* weathervane
glace *f.* ice; ice cream; glass
glas *m.* death knell
glisser to slip, to slide
gloire *f.* glory
gober to swallow, to gulp down
gogo: à gogo galore, in abundance
golfe *m.* gulf, bay
gommer to obscure, to blur
gosse* *m. or f.* kid
gothique Gothic
gourmet *m.* gourmet, epicure
goût *m.* taste: ~~avoir bon goût~~ to have good taste
goûter *m.* snack
goûter to taste
goûteur *m.* taster
gouvernement *m.* government
gouverner to govern
gouverneur *m.* governor
grâce à thanks to; because of, due to
graisse *f.* grease

grand(e) big, tall: **grand magasin** *m.* department store
Grande-Bretagne *f.* Great Britain
grandir to grow
gras, grasse fat: **en caractères gras** in boldface type
gratte-ciel *m.* skyscraper
gratuit(e) free, gratis
Grèce *f.* Greece
grenier *m.* attic
grenouille *f.* frog
griffe *f.* claw
grille *f.* grill, grating
grimper to climb up, to clamber up
grimpeur *m.* climber
gris(e) grey
gros, grosse big, fat: **le gros lot** the big prize, first prize
grotte *f.* cave
groupe *m.* group
guère: ne . . . guère hardly (any), not much, not many
guerre *f.* war: **guerre des étoiles** star wars
guichet *m.* ticket counter, wicket
guide *m.* guide; guidebook
guincher* to dance
Guinée *f.* Guinea
guitare *f.* guitar: **première guitare** lead guitar, lead guitarist
Guyane *f.* Guyana

habileté *f.* skill
habiller to dress: **s'habiller** to get dressed
habitant(e) *m. or f.* inhabitant
habiter to live in/at
habitude *f.* habit: **d'habitude** usually
habitué(e) *m. or f.* regular visitor
habituel, habituelle usual
s'habituer (à) to get used (to)
hacher to chop
haine *f.* hate
haïr to hate
haltérophile *m. or f.* weightlifter
haltérophilie *f.* weightlifting
hasard *m.* chance, luck: **par hasard** by accident; **jeu de hasard** *m.* game of chance
haut *m.* height: **en haut (de)** at the top (of), above
haut(e) high: **haute couture** *f.* high fashion; **haute cuisine** *f.* gourmet cooking
hautboïste *m. or f.* oboe player, oboist
hauteur *f.* height: **être à la hauteur (de)** to be up (to), to be equal (to)
hebdomadaire weekly
hein?* eh?
herbe *f.* grass
hérissé(e) bristling
héritage *m.* inheritance, heritage
héritier, héritière *m. or f.* heir, heiress
héros *m.* hero
hésiter to hesitate
hêtre *m.* beech tree
heu ah, hm

273

heure *f.* hour: **à l'heure** on time; per hour; **à l'heure actuelle** right now; **de bonne heure** early; **de l'heure** by the hour (e.g., wages)
heureusement luckily; happily
heureux, heureuse happy
heurt *m.* shock, bump: **sans heurt** smoothly
heurter to knock against, to run into, to hit
hier yesterday
histoire *f.* history; story
hiver *m.* winter: **en hiver** in (the) winter
hockey *m.* hockey
hollandais *m.* Dutch (language)
hollandais(e) Dutch
Hollandais(e) *m.* or *f.* Dutch (person)
Hollande *f.* Holland
homard *m.* lobster
hommage *m.* homage, tribute
homme *m.* man: **homme engagé** hired man
honnête honest
hôpital *m.* hospital
horaire *m.* schedule, timetable
horreur *f.* horror: **film d'horreur** horror film
hors (de) out (of), outside (of)
hôte *m.* or *f.* host; guest
hôtel *m.* hotel
hôtel de ville *m.* city hall
houblon *m.* hops
huile *f.* oil: **huile à bronzer** suntan oil; **huile végétale** vegetable oil
humain(e) human; humane
humanité *f.* humanity
humeur *f.* humour, mood
humide damp
hymne *m.* hymn, anthem

---

ici here: **ici-bas** here below (i.e., on Earth)
icitte ♣ **=** **ici**
idée *f.* idea
identifier to identify
identité *f.* identity
il s'agit de it is a question of
il y a there is; there are: **il n'y a pas de quoi** don't mention it!; **il y a deux heures** two hours ago
île *f.* island: **Îles du Vent** Windward Islands
illustre famous
illustrer to illustrate, to explain
image *f.* image; picture
imbattable unbeatable
imiter to imitate
immatriculation *f.* registration: **plaque d'immatriculation** *f.* licence plate (car)
immatriculer to register (e.g., a car)
immeuble *m.* (apartment) building
s'impatienter to become impatient
imperméable *m.* raincoat
impertinence *f.* impertinence, rudeness
impitoyablement pitilessly, ruthlessly
implacable relentless, unrelenting
importance *f.* importance
impôt *m.* tax
impressionner to impress

---

impureté *f.* impurity
inaugurer to inaugurate, to launch
incendie *m.* fire
incertitude *f.* uncertainty
inclinable inclinable, tilting, reclining
inconnu(e) unknown
indemnité *f.* indemnity, compensation
indépendance *f.* independence
indépendant(e) independent
indication *f.* indication; instruction; direction
Indien, Indienne *m.* or *f.* Indian (person): **océan Indien** *m.* Indian Ocean
indigène native
indigne unworthy; shameful
indiquer to indicate
individualité *f.* individuality
individuel, individuelle individual
induire to lead
industrie *f.* industry
industriel, industrielle industrial
infériorité *f.* inferiority
infiniment infinitely
influencer to influence
informatique *f.* computer science
s'informer (de) to make inquiries, to ask (about)
ingénieur *m.* engineer: **ingénieur-chimiste** chemical engineer
initiative *f.* initiative: **syndicat d'initiative** *m.* tourist bureau
innombrable numberless, countless
inoffensif, inoffensive harmless
inoubliable unforgettable
inouï(e) unheard of
inquiétant(e) disturbing
inquiéter to disturb, to trouble: **s'inquiéter** to worry
inquiétude *f.* anxiety, concern
s'inscrire (à) to register (for)
insolite unusual, strange
insonorisation *f.* soundproofing
inspirer to inspire
installer to install: **s'installer** to install oneself, to settle
instantané(e) instant, sudden
instaurer to set up, to establish
instrumentiste *m.* or *f.* instrumentalist
insu: à l'insu (de) without the knowledge (of)
intellectuel, intellectuelle intellectual
intelligible intelligible, understandable, clear
intensément intensely; intensively
intention *f.* intention: **avoir l'intention (de)** to intend (to)
interdit(e) forbidden
intéressant(e) interesting
s'intéresser (à) to concern oneself (with); to be interested (in)
intérieur *m.* interior, inside: **à l'intérieur** inside
interminable interminable, endless
interpréter to interpret
intime intimate; close
s'intituler to be entitled, to be called
introduire to introduce, to insert
inutile useless
invasion *f.* invasion

---

invective *f.* invective, abuse, insult
inventaire *m.* inventory, stocktaking
inventeur, inventrice *m.* or *f.* inventor
invitation *f.* invitation
invité(e) *m.* or *f.* guest
irlandais *m.* Irish (language), Erse
irlandais(e) Irish
ironie *f.* irony
irremplaçable irreplaceable
irrespect *m.* disrespect
irriter to bother, to irritate
isolé(e) isolated, remote
Israël *m.* Israel
issu(e) (de) descended (from), born (of)
Italie *f.* Italy
Italien, Italienne *m.* or *f.* Italian (person)
ivresse *f.* intoxication, drunkenness

J

J.-C.: avant J.-C. B.C.
jadis formerly, once
jaloux, jalouse jealous
jamais ever; never: **ne ... jamais** never; **jamais de la vie!** not on your life!
jambe *f.* leg
jambon *m.* ham
janvier *m.* January
Japon *m.* Japan: **au Japon** in(to) Japan
japonais(e) Japanese
jardin *m.* garden
jardinet *m.* small garden
jarretière *f.* garter
jasmin *m.* jasmine
jaune yellow
jazz *m.* jazz
jeans *m. pl.* jeans
jeter to throw away: **se jeter** to throw oneself, to fall (upon)
jeton *m.* token
jeu(x) *m.* game: **jeu de cartes** game of cards; deck of cards; **jeu de société** board game; **jeu de hasard** game of chance
jeune young
jeune *m.* or *f.* young person
job *m.* or *f.* ♣ job
joie *f.* joy: **joie de vivre** joy of living, high spirits
joindre to join, to bring together
joli(e) pretty
jongleur *m.* juggler
joual *m.* ♣ French-Canadian dialect
jouer to play: **jouer à un sport** to play a sport; **jouer d'un instrument de musique** to play a musical instrument; **jouer un rôle** to play a role, to act; **jouer aux cartes** to play cards
joueur, joueuse *m.* or *f.* player
jouir to enjoy
jour *m.* day: **jour de semaine** weekday
journal (journaux) *m.* newspaper
journée *f.* day(time)
joyau(x) *m.* jewel
joyeux, joyeuse joyful, happy
juger to judge

juillet *m.* July
juin *m.* June
Jules César Julius Caesar
jupe *f.* skirt
jus *m.* juice
jusqu'à until, up to: **jusqu'à ce que** until
juste just, right, fair
justement justly, properly, rightly

K

kangourou(s) *m.* kangaroo
képi *m.* kepi, peaked cap
kilo(gramme) *m.* kilogram (kg)
kilomètre *m.* kilometre (km)
kiosque *m.* kiosk, newspaper stand
klaxon *m.* horn

L

là there: **de là** from there; **là-bas** over
   there, down there; **-là** that (e.g., **à ce**
   moment-là at that moment); **par là** that
   way
labeur *m.* labour, toil
lac *m.* lake
laisser to allow; to leave (behind): **laisser**
   tomber to drop
lait *m.* milk
laitier, laitière milk, dairy: **industrie**
   laitière *f.* dairy industry
lamentation *f.* lamentation, lament
lampe *f.* lamp
lancé(e) launched; thrown
lancement *m.* launch; throw
lancer to launch; to throw
langage *m.* language, speech
langue *f.* language; tongue: **langue vivante**
   living language
large wide: **au large de** off the coast of
latin *m.* Latin (language)
latin(e) Latin
Laurentides *f. pl.* Laurentians
lavabo *m.* wash basin, washstand
lavande *f.* lavender
laver to wash: **se laver** to get washed:
   machine à laver *f.* washing machine
leçon *f.* lesson
lecteur *m.* reader
légendaire legendary
léger, légère light
lent(e) slow
lentement slowly
lessive *f.* washing: **faire la lessive** to do the
   washing
léthargie *f.* lethargy, inactivity
lettre *f.* letter
lever to raise: **se lever** to get up, to stand up
lèvre *f.* lip
liaison *f.* liaison
libérer to free, to liberate
liberté *f.* liberty
libraire *m.* or *f.* bookseller
librairie *f.* bookstore

libre free: **entrée libre** *f.* admission free;
   libre-service *m.* self-service (e.g.,
   store, restaurant)
librement freely
licence *f.* (university) degree
lieu(x) *m.* place, spot: **avoir lieu** to occur,
   to take place
ligne *f.* line
linotte *f.* linnet: **tête de linotte*** *f.*
   thoughtless, harebrained person
lire to read
lit *m.* bed: **aller au lit** to go to bed
littéraire literary
littérature *f.* literature
livre *m.* book
livreur *m.* delivery person
logement *m.* lodging, housing
loger to lodge, to accommodate
loin (de) far (from): **au loin** in the distance
loisirs *m. pl.* pastimes, leisure activities
Londres London
long, longue long: **le long de** along, all
   along the way of
longtemps long, for a long time
longueur *f.* length
lors de at the time of, when
lorsque when
lot *m.* share: **le gros lot** the big prize, first
   prize
loterie *f.* lottery
louer to rent
lourd(e) heavy
loyer *m.* rent
lueur *f.* light
luge *f.* toboggan, sled
luisant(e) shining
lumière *f.* light
lune *f.* moon: **clair de lune** *m.* moonlight
lunettes *f. pl.* glasses: **lunettes de soleil**
   sunglasses
lurette: depuis belle lurette since long ago
lutte *f.* wrestling
luxe *m.* luxury: **de luxe** de luxe
Luxembourg *m.* Luxemburg
lycée *m.* secondary school (France)
lycéen, lycéenne *m.* or *f.* student at a *lycée*

M

machine *f.* machine: **machine à laver**
   washing machine
machinerie *f.* machinery
mâchonner to chew, to munch
maçonnerie *f.* masonry; brickwork
magasin *m.* store: **grand magasin**
   department store
magazine *m.* magazine
Maghreb *m.* Maghreb (Morocco, Algeria
   and Tunisia)
magnétophone *m.* tape recorder
magnétoscope *m.* video tape recorder
magnifique wonderful, great, magnificent
mai *m.* May
maillot de bain *m.* swimsuit
main *f.* hand: **à la main** by hand; **coup de**
   main *m.* helping hand

maint(e) many
maintenant now
maintenir to maintain
mais but
maïs *m.* corn
maison *f.* house: **maison de couture**
   fashion house
maître *m.* master: **maître d'hôtel** butler;
   head waiter
maîtriser to master
majestueux, majestueuse majestic, stately
majeur(e) major
mal (maux) *m.* evil, hurt, harm: **avoir mal**
   to be sick; **faire mal** to cause pain
mal badly: **ça va mal** things are going
   badly; **pas mal** not bad; **pas mal de***
   quite a lot of
malade sick, ill
maladie *f.* sickness, illness
malgré in spite of
malheureux, malheureuse unhappy
malheureusement unfortunately, unhappily
mamour *m.* my love, my dear: *m.pl.* sweet
   talk
manche *f.* sleeve: **la Manche** the English
   Channel; **faire la manche** to beg
manger to eat
manier to handle
manière *f.* manner, way
manifestement clearly
manquer to miss
manteau(x) *m.* coat
manuscrit *m.* manuscript
maquillage *m.* make-up
se maquiller to put on one's make-up
marbre *m.* marble
marche *f.* step
marché *m.* market; shopping: **faire le**
   marché to go shopping; **meilleur**
   marché cheaper
marcher to walk
marée *f.* tide
marémoteur, marémotrice tidal
mari *m.* husband
mariage *m.* marriage
se marier (avec) to get married (to)
marine *f.* navy: **bleu marine** navy blue
Maroc *m.* Morocco
marque *f.* brand, make
marquer to mark; to score
marre: avoir marre (de) to be fed up
   (with), to have had enough (of)
mars *m.* March
Marseillais(e) *m.* or *f.* person from
   Marseille
martiniquais(e) of Martinique
masse *f.* mass
masser to massage
Massif Central *m.* Central Highlands
   (France)
masure *f.* shack, hovel
match *m.* game
matelas *m.* mattress: **matelas pneumatique**
   air mattress
maternel, maternelle maternal: **langue**
   maternelle *f.* mother tongue
mathématicien(ne) *m.* or *f.* mathematician
maths *f. pl.* mathematics
matière *f.* (school) subject

matin *m.* morning: **petit matin** early morning

matinée *f.* morning: **faire la grasse matinée** to sleep in

mauvais(e) bad: **il fait mauvais** it's bad out (weather); **sentir mauvais** to smell bad; **mauvais temps** *m.* bad weather

mécanicien(ne) *m.* or *f.* mechanic

mécanique *f.* mechanism; (science of) mechanics

mécanique mechanical

méchant(e) mean, spiteful, bad

médaille *f.* medal

médecin *m.* doctor

médecine *f.* medicine

méditer to meditate

Méditerranée *f.* Mediterranean

meilleur(e) better; best: **le/la/les meilleur(e)(s)** the best; **(à) meilleur marché** cheaper

mélancolie *f.* melancholy, sadness

mélange *m.* mix, mixing, blending

mélanger to mix, to blend

mêler to mix, to blend, to mingle

mélodrame *m.* melodrama: **mélodrame à épisodes** soap opera

membre *m.* member

même same; even: **en même temps** at the same time; **quand même** even so, anyway; **nous-mêmes** ourselves

mémoire *f.* memory

menacer to menace, to threaten

ménage *m.* housekeeping: **faire le ménage** to do the housework

mentionner to mention

mentir to (tell a) lie

menuiserie *f.* carpentry, woodworking

menuisier, menuisière *m.* or *f.* carpenter, joiner

mépriser to despise, to have a poor opinion of

mer *f.* sea: **mer des Caraïbes** Caribbean; **d'outre-mer** overseas

mère *f.* mother

méridional, méridionale southern (especially of southern France)

mérite *m.* merit, worth

merveille *f.* marvel, wonder

merveilleusement wonderfully, marvellously

merveilleux, merveilleuse wonderful, marvellous

message *m.* message

mesurer to measure

métallurgie *f.* metallurgy

méthode *f.* method, system

métier *m.* trade, profession

mètre *m.* metre

métro *m.* subway: **en métro** by subway

metteur en scène *m.* film director

mettre to place, to put (on): **mettre à la disposition (de)** to make available (to), to put at the disposal (of); **mettre à la poste** to mail; **mettre de côté** to save (up); **mettre la radio** to turn on the radio; **mettre la table** to set the table; **mettre pied** to step; **se mettre à** to begin; **se mettre à** to set about: **se mettre chaud** to get hot; to get angry

meuble *m.* piece of furniture

Mexique *m.* Mexico

mi half, mid, semi-: **à mi-voix** in an undertone, under one's breath

microsillon *m.* long-playing record

midi *m.* noon

Midi *m.* the south of France

miel *m.* honey

le mien, la mienne, les miens, les miennes mine

mieux better; best: **aimer mieux** to prefer; **faire de son mieux** to do one's best; **il vaut mieux que** it is better that

mignon, mignonne dear, sweet, darling

mil thousand (with dates)

milieu *m.* middle: **au milieu (de)** in the middle (of); **en plein milieu** right in the middle

milliard *m.* billion

millier *m.* thousand

million *m.* million

millionnaire *m.* or *f.* millionaire

ministère *m.* ministry

ministre *m.* minister: **premier ministre** prime minister

minuit *m.* midnight

minute *f.* minute

minutieusement thoroughly, minutely

miroir *m.* mirror

mise *f.* placing, putting in place: **mise de base** basic bet; **mise en boîte** canning

miser to bet

misère *f.* misery, suffering

mobylette *f.* motorcycle, moped

mode *f.* style, fashion: **à la mode** fashionable, in style

mode *m.* (grammar) mood; method: **mode de vie** life style

moé* ♣ **= moi**

moindre less(er): **le/la moindre** the least

moins less: **à moins que** unless; **au moins** at least; **moins de** fewer than, less than; **moins que** less than; **le/la/les moins** the least

mois *m.* month

moitié *f.* half: **à moitié** (by) half

monde *m.* world; people: **tout le monde** everybody, everyone; **tiers monde** Third World

moniteur, monitrice *m.* or *f.* (camp) counsellor

monstre *m.* monster

monstrueux, monstrueuse monstrous, huge, dreadful

mont *m.* mount, mountain

montagne *f.* mountain

montagneux, montagneuse mountainous

montant *m.* amount

montant(e) rising, uphill

montée *f.* rise, rising

monter to go/come up; to raise, to take up

montrer to show

monument *m.* monument

se moquer (de) to make fun (of), to laugh (at)

morceau(x) *m.* piece

mordre to bite

mort *f.* death

mort(e) dead; died

morue *f.* cod

mot *m.* word: **mot-clef** keyword

moteur *m.* motor

motiver to motivate, to be the motive for; to justify

moto(cyclette) *f.* motorcycle: **à moto** by motorcycle

se moucher to wipe one's nose

mouchoir *m.* handkerchief

mouette *f.* seagull

moule *f.* mussel

moulin *m.* mill

mourir to die

mousse *f.* froth, foam

moustache *f.* moustache

moutarde *f.* mustard

mouton *m.* sheep: **élevage de moutons** *m.* sheep-raising

mouvement *m.* movement

moyen *m.* means; method; way: **moyen de transport** means of transport; **au moyen de** by means of

moyen, moyenne mean; average; middle: **Moyen-Âge** *m.* Middle Ages;

muet, muette silent, mute, speechless

multicolore multicoloured, many-coloured

munir to furnish, to supply, to provide

mur *m.* wall

muraille *f.* (high) wall

musée *m.* museum

musical(e) musical

musicien, musicienne *m.* or *f.* musician

musique *f.* music

mystérieux, mystérieuse mysterious

N

nager to swim

nageur *m.* swimmer

naguère a short time ago

naissance *f.* birth

naître to be born

natal(e) native: **ville natale** *f.* birthplace

natation *f.* swimming

nation *f.* nation: **Nations-Unies** United Nations

nature *f.* nature

nature natural, plain

naturel, naturelle natural

naturellement naturally

nautique nautical: **ski nautique** *m.* water skiing

ne ... aucun(e) not any

ne ... guère hardly (any), not much, not many

ne ... jamais not ever, never

ne ... ni ... ni neither . . . nor

ne ... pas not

ne ... personne nobody, no one

ne ... plus no more, no longer

ne ... point not (at all)

ne ... que only

ne ... rien nothing

né(e) born: **je suis né(e)** I was born; **quand es-tu né(e)?** when were you born?

néanmoins nevertheless

nécessaire *m.* necessities, the indispensable

nécessaire necessary
nécessiter to require
neige *f.* snow
neiger to snow
nerveux, nerveuse nervous
n'est-ce pas? isn't it so?, don't you?, aren't we?, haven't they?, etc.
net, nette clean; clear, distinct
nettement cleanly; clearly, distinctly
neuf, neuve new: **quoi de neuf?*** what's new?
nez *m.* nose
niçois(e) of/from Nice
niveau(x) *m.* level
noblesse *f.* nobility
Noël *m.* Christmas
noir(e) black
Noir(e) *m. or f.* Black (person)
nolisé(e)♣chartered: **vol nolisé** *m.* chartered flight
nom *m.* name
nombre *m.* number
nombreux, nombreuse numerous
nomination *f.* nomination
nommer to name
non no: **mais non!** not at all!; **non plus** neither, not either
non-fumeur *m.* non-smoking
nord *m.* north
nord-américain(e) North-American
Nord-Américain(e) *m. or f.* North-American (person)
normand(e) Norman, of Normandy
Normandie *f.* Normandy
Norvège *f.* Norway
nostalgie *f.* nostalgia: **nostalgie de la terre natale** homesickness
notamment especially, in particular
note *f.* mark (at school)
noter to note; to notice; to mark
nourrir to feed
nourriture *f.* food
nouveau (nouvel), nouvelle, nouveaux, nouvelles new
Nouveau-Brunswick *m.* New Brunswick
nouvelle *f.* (piece of) news: **les nouvelles** the news (report)
Nouvelle-Calédonie *f.* New Caledonia
Nouvelle-Écosse *f.* Nova Scotia
Nouvelle-France *f.* New France
Nouvelle-Orléans *f.* New Orleans
novembre *m.* November
nu(e) naked
nuage *m.* cloud
nucléaire *m.* nuclear science
nuisance *f.* nuisance, harmful effect
nuit *f.* night: **bonne nuit!** good night!
nul nil, nothing
numéro *m.* number; issue (of a magazine): **numéro de téléphone** telephone number

O

obélisque *m.* obelisk
objet *m.* object: **objet d'art** art objet
obliger to oblige, to compel

obtenir to obtain
occasion *f.* opportunity, chance; event
occidental(e) western: **monde occidental** *m.* western world
occuper to occupy; to inhabit: **s'occuper (à)** to be busy (with); **s'occuper de** to be interested (in), to be busy (with); to occupy oneself
océan *m.* ocean
océanographie *f.* oceanography
octobre *m.* October
oculiste *m. or f.* oculist
odeur *f.* odour, smell
oeil (yeux) *m.* eye: **coup d'oeil** *m.* glance
oeuf *m.* egg: **oeuf à la coque** boiled egg; **oeuf poché** poached egg; **oeuf sur le plat** fried egg; **oeufs brouillés** scrambled eggs
oeuvre *f.* work; working
offre *f.* offer
offrir to offer
oignon *m.* onion
oisif, oisive idle; lazy
olivier *m.* olive tree
olympique olympic: **les jeux Olympiques** The Olympic Games
ombre *f.* shadow
omelette *f.* omelet
on we; you; they; people
oncle *m.* uncle
ongle *m.* (finger)nail
opérer to operate
opiniâtre obstinate, stubborn
opinion *f.* opinion
opportunité *f.* opportunity; timeliness
opposer to oppose
option *f.* option
or *m.* gold
or now
orange *f.* orange
orchestre *m.* orchestra: **orchestre de chambre** chamber orchestra
ordinaire ordinary
ordinateur *m.* computer
ordonner to order
ordre *m.* order
oreille *f.* ear
organdi *m.* organdy
organe *m.* organ
organisateur *m.* organizer
organiser to organize
organisme *m.* organism; organization
orgue *m.* organ
orgueil *m.* pride
Orient *m.* Orient, East
origine *f.* origin
originer to originate, to begin
ornement *m.* ornament
oser to dare
ôter to remove
oublier to forget
ouest *m.* west
ouolof *m.* Wolof (West-African language)
outil *m.* tool
outre beyond: **d'outre-mer** overseas
ouverture *f.* opening
ouvre-bouteille *m. inv.* bottle opener
ouvrier, ouvrière *m. or f.* worker
ouvrir to open: **ouvrir la radio** to turn on the radio

P

Pacifique *m.* Pacific (ocean)
pacifiste *m. or f.* pacifist
paiement *m.* payment
pain *m.* bread: **pain de blé entier** wholewheat bread; **pain de seigle** rye bread; **petit pain** roll
paire *f.* pair
palais *m.* palace
palmier *m.* palm tree
palper to feel, to examine by feeling
pamplemousse *m.* grapefruit
panier *m.* basket
papier *m.* paper
Pâques *f. pl.* Easter
paquet *m.* package
par by: **par excellence** to the ultimate degree; **par exemple** for example; **par hasard** by chance; **par là** that way; **par-dessous** below, underneath; **par-dessus** over, above
paradis *m.* paradise
paradoxal(e) paradoxical
paraître to seem; to appear: **il paraît (que)** it seems (that)
parapluie *m.* umbrella
parasol *m.* parasol; beach umbrella
parc *m.* park
parce que because
parcellaire divided into small portions
parcourir to travel through; to examine quickly
parcours *m.* distance covered
pardi of course
pardon pardon me; **pardon?** pardon?
parent *m.* parent: **grands-parents** grand-parents
parenthèse *f.* parenthesis: **entre parenthèses** between/in parentheses
paréo *m.* grass skirt
paresseux, paresseuse lazy
parfaire to perfect
parfait(e) perfect
parfois sometimes
parfum *m.* perfume
parier to bet
parieur *m.* bettor
parisien, parisienne Parisian
Parisien, Parisienne *m. or f.* Parisian (person)
parking *m.* parking lot
parler to speak; to talk
parmi among
parole *f.* word: **à vous la parole!** your turn to speak!
part *f.* part, share: **à part** aside; except for, besides; **quelque part** somewhere
partager to share
partenaire *m. or f.* partner
participer (à) to participate (in), to take part (in)
particulier, particulière *m. or f.* individual person
particulier, particulière special, particular: **en particulier** in particular
particulièrement particularly
partie *f.* part, portion; game

partiel, partielle part, partial: **à temps partiel** part-time
partir (de) to leave, to go away (from): **à partir de** from
partisan(e) *m.* or *f.* partisan, supporter
partout everywhere
party *f.* or *m.*♣party
parvenir to arrive; to reach, to attain
pas *m.* step: **pas à pas** step by step; **à deux pas d'ici** very close to here
pas (*voir* **ne . . . pas**): **pas de problème** no problem; **pas mal** not bad; **pas mal de*** quite a few of; **pas pire*** not bad; **croyez-le ou pas!** believe it or not!
passager, passagère *m.* or *f.* passenger
passant(e) *m.* or *f.* passer-by
passé *m.* past
passé(e) past, over; last
passe-partout *m.* master key, pass key
passeport *m.* passport
passer to pass; to spend: **se passer** to happen, to take place; **se passer de** to do without
passe-temps *m.* pastime
passionnant(e) exciting, fascinating
passionné(e) (de) passionate, crazy (about)
passionner to excite
pâte *f.* paste: **pâte à pain** bread dough; **pâte dentifrice** toothpaste
patience *f.* patience
patienter to wait; to have patience
patin *m.* skate
patinage *m.* skating
patiner to skate
pâtisserie *f.* pastry; pastry shop
patrie *f.* homeland
patrimoine *m.* patrimony, heritage
patriotisme *m.* patriotism
patron, patronne *m.* or *f.* boss
pauvre *m.* or *f.* poor man, poor woman
pauvre poor; unfortunate
payer to pay (for)
pays *m.* country
peau *f.* skin: **dans la peau** crazy about
pêche *f.* fishing
pêcheur *m.* fisherman
pédale *f.* pedal: **perdre les pédales** to become confused
peigne *m.* comb
peigner to comb: **se peigner** to comb one's hair
peine *f.* pain; trouble: **à peine** hardly, scarcely
peintre *m.* painter, artist
peinture *f.* painting
pèlerinage *m.* pilgrimage
pencher to lean
pendant during: **pendant que** while
pénible painful; difficult
péninsule *f.* peninsula
pensée *f.* thought
penser to think: **penser à** to think of; **penser de** to have an opinion about
pensif, pensive thoughtful
pension *f.* pension; board; boarding house: **prendre pension** to board
pente *f.* slope
perdre to lose: **perdre connaissance** to faint
père *m.* father

perfectionnement *m.* improvement
perfectionner to perfect; to improve
péril *m.* danger
permettre to permit, to allow
permis *m.* permit: **permis de conduire** driver's licence
perplexité *f.* perplexity, confusion
perruque *f.* wig
personnage *m.* character, personnage, figure
personnalité *f.* personality, individuality
personne *f.* person: **ne . . . personne** not anybody, nobody
personnel *m.* personnel, staff
personnel, personnelle personal
persuader to persuade
petit(e) small, little: **petit déjeuner** *m.* breakfast; **petit matin** *m.* early morning; **petit pain** *m.* roll
pétrir to knead
pétrochimique petrochemical
pétrole *m.* petroleum, oil
pétrolier, pétrolière petroleum, oil: **crise pétrolière** *f.* oil crisis
peu *m.* little, few: **un peu (de)** a few
peu (de) little, not much, few: **à peu près** approximately
peuple *m.* people, populace
peur *f.* fear: **avoir peur (de)** to be afraid (of); **de peur que (ne)** for fear that; **faire peur (à)** to frighten
peut-être maybe, perhaps
pharmacie *f.* pharmacy, drugstore
pharmacien, pharmacienne *m.* or *f.* pharmacist
phénomène *m.* phenomenon
philologie *f.* philology
philosophe *m.* or *f.* philosopher
philosophe philosophical
photo *f.* photo
photographe *m.* or *f.* photographer
photographie *f.* photography
physique physical
piastre *m.*♣dollar
pic *m.* (mountain) peak: **à pic** sheer, abrupt; **escalier à pic** steep staircase
pièce *f.* room; piece; play: **pièce de théâtre** play
pied *m.* foot: **à pied** on foot
pierre *f.* stone
piéton *m.* pedestrian
piler to pound, to crush, to grind
pilote *m.* or *f.* pilot
pioche *f.* pick, pickaxe
pionnier, pionnière *m.* or *f.* pioneer
pique-nique *m.* picnic: **faire un pique-nique** to go on a picnic
pire worse: **le/la pire** the worst: **pas pire*** not bad
pittoresque picturesque
pizza *f.* pizza
placage *m.* tackle (football)
place *f.* place, seat; square: **sur place** on the spot; **place aux jeunes!** make room for young people!
placement *m.* placing: **bureau de placement** employment office
se placer to take one's seat; to obtain a job

plage *f.* beach
plaindre to pity: **se plaindre** to complain
plaine *f.* plain
plaire to please: **s'il vous plaît** please
plaisant(e) pleasant, agreeable; funny, amusing
plaisanter to joke, to tease
plaisanterie *f.* joke
plaisir *m.* pleasure
plan *m.* plan, diagram: **plan de la ville** city map
planche *f.* board, plank: **planche à roulettes** skateboard; **planche à voile** windsurfer
plancher *m.* floor
plante *f.* plant
plaque *f.* plate, sheet: **plaque d'immatriculation** licence plate
plastique *m.* plastic
plat *m.* dish
plat(e) flat
plateau(x) *m.* tray; plateau
platine *m.* platinum
plein(e) full
pleurer to cry
pleuvoir to rain
plier to fold
plomberie *f.* plumbing
plongée sous-marine *f.* scuba diving
plonger to dive
pluie *f.* rain
plumard *m.* feather duster; bed*: **au plumard*** in bed
plupart (de) *f.* most, the majority
plus more: **plus de** more than; **plus . . . que** more . . . than; **de plus** more; **en plus** besides; **ne . . . plus** not any more, no longer
plusieurs several
plutôt rather
pluvieux, pluvieuse rainy
pneu(s) *m.* tire
pneumatique pneumatic: **matelas pneumatique** *m.* air mattress
poche *f.* pocket
poêle *f.* frying pan
poème *m.* poem
poète *m.* poet
poétique poetical
poids *m.* weight
poignant(e) poignant, heartbreaking
point *m.* point: **point de vue** viewpoint; **point de repère** landmark
point: **point de** no, none; **ne . . . point** not (at all)
pointage *m.* checking, scoring: **système de pointage** *m.* scoring system
pointe *f.* point: **à la pointe** in advance, ahead, in the forefront
pois *m.* pea; dot: **chemise à pois** *f.* polka dot shirt
poisson *m.* fish
poitrine *f.* chest
pôle *m.* pole
poli(e) polite
police *f.* police: **agent de police** *m.* policeman
policier, policière *m.* or *f.* police constable
politique political

pomme *f.* apple: **pomme de terre** potato
pont *m.* bridge
populaire popular
porc *m.* pig; pork: **élevage de porcs** *m.* pig raising, pig farming
porcelaine *f.* porcelain, china
port *m.* port
portatif, portative portable
porte *f.* door
portée *f.* reach: **à la portée (de)** within reach (of)
portefeuille *m.* wallet
porter to carry; to wear
porteur *m.* porter
Portugal *m.* Portugal
poser to pose; to ask: **poser une question** to ask a question
posséder to possess
possession *f.* possession
possibilité *f.* possibility
poste *f.* mail
pot* *m.* jar; drink*
poste *m.* job
pote* *m.* or *f.* friend, pal
poteau(x) *m.* post
poterie *f.* pottery
potier, potière *m.* or *f.* potter
pouah! ugh!
poubelle *f.* garbage can
pouce *m.* thumb
poudre *f.* powder
poulet *m.* chicken
pour for: **pour que** in order that; **pour cent** per cent (e.g., **100 pour cent** 100 per cent)
pourcentage *m.* percentage
pourquoi why: **le pourquoi** *m.* the reason why
poursuivre to pursue, to go after
pourtant nevertheless, however
pourvu que provided that
pousser to grow; to push
pouvoir *m.* power
pouvoir to be able
pratique practical
pratiquement practically
pratiquer to practise
précéder to precede
préchauffer to preheat
précieux, précieuse precious
précis(e) precise
précisément precisely
préciser to specify, to state
précision *f.* precision, exactness: **avoir des précisions** to have exact information
prédire to foretell, to predict
préférable preferable
préféré(e) preferred
préférence *f.* preference: **de préférence** preferably
préférer to prefer
prématurément prematurely
premier, première first: **premier ministre** *m.* prime minister
premièrement first
prendre to take: **prendre une décision** to make a decision; **prendre soin (de)** to take care (of); **se prendre (pour)** to take oneself (for)

prénom *m.* first name, given name
préparer to prepare
près (de) near: **tout près** very near; **à peu près** approximately, almost
présentement at present
présenter to present: **se présenter** to introduce oneself
président *m.* president: **président-directeur général** chairman and managing director, president and general manager
presque almost
presse *f.* press, newspapers
pression *f.* pressure
prestige *m.* prestige
prestigieux, prestigieuse prestigious; wonderful, amazing
prêt(e) (à) ready (to)
prêter to lend
preuve *f.* proof
prier to pray: **je vous en prie** you're welcome, not at all
principauté *f.* principality
printemps *m.* spring
privé(e) private
privilégié(e) privileged
prix *m.* price; prize: **à prix fixe** at a fixed price
probablement probably
problème *m.* problem
processus *m.* process, method
prochain(e) next: **à la prochaine** see you soon
se procurer to obtain
producteur, productrice *m.* or *f.* producer
produire to produce
produit *m.* product: **produit national brut** gross national product
professeur *m.* teacher
profit *m.* profit; benefit
profiter (de) to profit (from); to benefit (from)
profondeur *f.* depth
programmateur, programmatrice *m.* or *f.* (computer) programmer
programme *m.* program
progrès *m.* progress
projet *m.* plan, project
projeter to plan
prolonger to prolong, to lengthen
promenade *f.* walk: **faire une promenade** to take a walk
promettre to promise
propos *m.* purpose, matter: **à propos** by the way; **à propos (de)** concerning
propre own
propriétaire *m.* or *f.* owner
protestation *f.* protest, protestation
provençal(e) Provençal, of Provence
proverbe *m.* proverb
province *f.* province
provoquer to provoke; to instigate
prudence *f.* prudence, carefulness: **avec prudence** prudently, carefully
psychologie *f.* psychology
public *m.* public
publiciste *m.* or *f.* publicity manager
publicitaire pertaining to advertising: **annonce publicitaire** *f.* advertisement

publier to publish
puis then, next
puisque since, as
puissance *f.* power
pur(e) pure
purement purely
Pyrénées *f. pl.* Pyrenees Mountains

quai *m.* quay, wharf, platform
qualité *f.* quality
quand when: **depuis quand** since when; **quand même** anyway, all the same
quart *m.* quarterback (football)
quartier *m.* neighbourhood
quasiment* almost
que what; that; which; whom: **ne ... que** only
Québec *m.* Quebec (province)
Québécois(e) *m.* or *f.* Quebecker
quel, quelle which, what: **quel(le) que soit ...** whatever may be ...
quelque some, a few
quelque chose something: **quelque chose d'autre** something else
quelquefois sometimes
quelque part somewhere
quelqu'un someone
quelques-un(e)s some, a few
qui that; which; who; whom
quinzaine *f.* about fifteen
quitter to leave
quoi what: **il n'y a pas de quoi** don't mention it
quoique although

racine *f.* root
raconter to tell, to relate
radical(e) radical
radio *f.* radio
radiodiffusion *f.* radio broadcasting
raffinerie *f.* refinery
se rafraîchir to refresh oneself
rafraîchissant(e) refreshing
raison *f.* reason: **avoir raison** to be right
raisonnable reasonable
râler to growl; to complain
râleur, râleuse grumbling, complaining
ramener to bring back (again)
rancune *f.* rancour, spite, malice
rang *m.* rank
ranger to tidy up
râpe *f.* scraper
râper to scrape
rappel *m.* reminder
rappeler to recall, to remind: **se rappeler** to remember
rapport *m.* report; relation
rapporter to bring back
raquette *f.* racket

279

se raser to shave
rassasier to satisfy
rassemblement *m.* gathering, collection
ravi(e) delighted, overjoyed
rayonner to radiate, to shine
réaliser to realise
réalité *f.* reality: **en réalité** in reality
récemment recently
réception *f.* reception, front desk
recevoir to receive
recherche *f.* search: **à la recherche (de)** in search (of)
recherché(e) choice, exquisite
réciprocité *f.* reciprocity
récit *m.* story, account
recoin *m.* nook, recess
récolte *f.* harvest
récolter to harvest
recommandation *f.* recommendation
recommander to recommend
recommencement *m.* beginning again, restarting
recommencer to begin again
récompense *f.* reward
reconnaître to recognize
reconquérir to regain, to reconquer, to recover
recouvrir to cover over again, to recover
recueil *m.* collection, compilation
rédaction *f.* editing; editorial staff; composition, essay
redécouvrir to rediscover
rédiger to word, to write (out); to edit
réduction *f.* reduction: **bon de réduction** *m.* discount coupon
réellement really, in reality
se référer (à) to refer (to)
réfléchir to think
reflet *m.* reflection
refléter to reflect
refuge *m.* refuge
se réfugier to take shelter
regain *m.* revival, renewal
regard *m.* glance, look
regarder to look
règle *f.* rule; ruler
régler to pay, to settle an account
régner to reign
regretter to regret
reine *f.* queen
réinstaurer to reinstate
rejoindre to join, to meet
relaxant(e) relaxing
relever to raise: **se relever** to stand up (again)
relier to link
remarquable remarkable, noteworthy
remarquer to notice; to remark
remède *m.* remedy, cure
remercier to thank
remonter to go up, to come up again; to take up, to bring up again
remplacement *m.* replacement
remplacer to replace
remplir to fill
remporter to carry, to take back; to win
renaissance *f.* rebirth
renaître to be born again
rencontrer to meet: **se rencontrer** to meet

rendez-vous *m.* appointment; date
rendre to give, to furnish; to render, to grant: **se rendre** to go; **se rendre compte (de)** to realize
renforcement *m.* reinforcement
renforcer to reinforce
renfort *m.* reinforcement
rengaine *f.* tune, refrain
renommé(e) famed, famous
renouveler to renew
rénover to renovate, to restore
renseignement *m.* (piece of) information
renseigner to inform: **se renseigner** to get information, to find out
rentrée *f.* return, beginning of school term
rentrer to return (home)
renvoyer to send back; to refer
répandu(e) widespread
réparer to repair
repartir to leave, to set off again
repas *m.* meal
repayer to pay again
repère *m.* landmark
répertoire *m.* list, repertory
répéter to repeat; to rehearse
répondre to answer
réponse *f.* answer, reply
reporter *m.* reporter
reporter to put over, to postpone
se reposer to rest
repousser to push back, to repulse; to grow again
reprendre to take again; to begin again
reprise *f.* recovery, renewal: **reprise automatique** automatic replay
république *f.* republic
réputé(e) famous
requête *f.* request
requis(e) required, needed
réserve *f.* reserve
réserver to reserve
résidence *f.* residence
résoudre to resolve
ressembler (à) to resemble
ressentir to feel
ressource *f.* resource
Restau-U = **restaurant universitaire**
restaurant *m.* restaurant
restauration *f.* catering
reste *m.* rest, remainder
rester to remain
resto* = **restaurant**
résultat *m.* result
résumer to resume
retard *m.* delay: **en retard** late
se retirer to withdraw, to retire
retour *m.* return: **aller et retour** *m.* round-trip; **de retour** back
retourner to return
retrouver to find again: **se retrouver** to meet again
Réunion *f.* Reunion
se réunir to meet, to gather together
réussir to succeed
réussite *f.* success
rêve *m.* dream
réveil *m.* alarm clock
se réveiller to wake up
révéler to reveal

revenir (de) to come back (from)
revenu *m.* income
rêver to dream
revivre to relive
revoir to see again: **au revoir** good-bye
révolutionnaire revolutionary
rez-de-chaussée *m.* ground floor
Rhin *m.* Rhine
riche rich
richesse *f.* wealth
ridicule ridiculous
rien nothing, not anything: **de rien** you're welcome; **ne ... rien** nothing
rigoler to joke, to laugh
rigueur *f.* rigour: **de rigueur** indispensable, obligatory
rire *m.* laughing, laughter
rire to laugh
risque *m.* risk
rive *f.* bank, side, shore
rivet *m.* rivet
rivière *f.* river
robe *f.* dress
roi *m.* king
rôle *m.* role: **jouer un rôle** to play a part
romain(e) Roman
Romain(e) *m.* or *f.* Roman (person)
roman *m.* novel
rond(e) round
rond-point *m.* traffic circle
rondelle *f.* (hockey) puck
rose *f.* rose: **bois de rose** *m.* rosewood
rosée *f.* dew
rôti(e) cooked, roasted
rôtie *f.* toast
roue *f.* wheel
rouge red
rougir to blush
rouler to roll; to drive
roulette *f.* wheel, castor
roulotte *f.* trailer
route *f.* road, route: **en route** on the way
royal(e) royal
royaume *m.* kingdom, realm
rubis *m.* ruby
rubrique *f.* heading; item
rude hard, rough
rudesse *f.* roughness, coarseness
rue *f.* street
ruine *f.* ruin
ruisseler to flow; to trickle
russe Russian
Russe *m.* or *f.* Russian (person)
Russie *f.* Russia
rythme *m.* rhythm

S

sable *m.* sand
sac *m.* sack
sacré(e) holy: **Sacré-Coeur** *m.* Sacred-Heart
sacrer to curse, to swear
sage wise; good
sagesse *f.* wisdom
saillant(e) outstanding, salient; important

Saint-Bernard *m.* Saint Bernard (dog)
Saint-Domingue *m.* Santo Domingo
Saint-Laurent *m.* Saint Lawrence River
Sainte-Lucie *f.* Saint Lucia
saisir to seize, to grasp
saison *f.* season
salade *f.* salad
salaire *m.* salary
salir to dirty, to soil
salle *f.* room: **salle d'attente** waiting room; **salle de bains** bathroom; **salle de classe** classroom
salon *m.* salon; living room: **salon de beauté** beauty salon
saltimbanque *m.* or *f.* tumbler, acrobat
saluer to greet
sang *m.* blood
sans without: **sans doute** without doubt; **sans que** without
santé *f.* health
sapin *m.* fir (tree); pine
satisfait(e) satisfied
saucisse *f.* sausage
sauf but, except: **sauf que** except that
sauter to jump
sauvage wild
sauver to save
savant(e) *m.* or *f.* wise person; scientist, scholar
saveur *f.* flavour
savoir to know
savon *m.* soap
savourer to savour
scandaleux, scandaleuse scandalous
scène *f.* scene
science *f.* science
scientifique *m.* or *f.* scientist
scorbut *m.* scurvy
sec, sèche dry
sécher to dry
séchoir *m.* drier
secondaire secondary: **école secondaire** *f.* secondary/high school
secouer to shake
secrétaire *m.* or *f.* secretary
séduisant(e) seductive, alluring
seigle *m.* rye: **pain de seigle** rye bread
seigneur *m.* lord
séjour *m.* stay
self* *m.* self-service restaurant
selon according to: **selon le cas** as the case may be
semaine *f.* week
semblable *m.* or *f.* fellow person
semblable alike, similar
sembler to seem
Sénégal *m.* Senegal
Sénégalais(e) *m.* or *f.* Senegalese (person)
sénilité *f.* senility
sens *m.* direction; sense: **sens de l'humour** sense of humour
sensass* super, great
sensationnel, sensationnelle sensational
sentiment *m.* feeling
sentir to feel; to smell: **se sentir** to feel
séparément separately
séparer to separate
septembre *m.* September
série *f.* series

sérieux, sérieuse serious
serment *m.* oath
serré(e) close together
serrer to clasp: **serrer la main** to shake hands
serveur, serveuse *m.* or *f.* waiter, waitress
service *m.* service: **service des ventes** sales department; **libre-service** self-service store or restaurant
serviette *f.* towel; napkin
servir to serve: **servir à** to be used for; **servir de** to be used for, as; **se servir de** to use
seul(e) *m.* or *f.* the only one; a single one
seul(e) alone, only, single
seulement only
sévèrement severely
si if; so; yes (in answer to negative questions)
siècle *m.* century
siège *m.* chair
le sien, la sienne, les siens, les siennes his; hers; its
siffloter to whistle
signaler to point out
significatif, significative significant
signifier to mean
sillonner to plough
simple simple; single: **en simple** single
simplement simply
simplifier to simplify
sinon otherwise, (or) else, if not
sirop *m.* syrup
site *m.* site, spot
situation *f.* situation; location
situé(e) located, placed
se situer to be located
ski *m.* ski: **ski de fond** cross-country skiing; **faire du ski** to go skiing; **ski nautique** water skiing; **station de ski** *f.* ski resort
slow* *m.* slow dance
société *f.* society; business, firm; **jeu de société** *m.* board game
sociologue *m.* or *f.* sociologist
soeur *f.* sister
soie *f.* silk
soin *m.* care: **prendre soin (de)** to take care (of)
soir *m.* evening
soirée *f.* evening; party
soit ... soit whether ... or
sol *m.* soil
soldat *m.* soldier: **Soldat inconnu** Unknown Soldier
solde *m.* sale; discount item: **en solde** on sale
soleil *m.* sun, sunshine
solennel, solennelle solemn
soliste *m.* or *f.* soloist
somme *f.* sum
sommet *m.* top
somptueux, somptueuse sumptuous, lavish
son *m.* sound
sondage *m.* opinion poll
songer to dream, to think: **songer (à)** to think about, to consider
sonner to ring
sonore resonant, sonorous

sorcier, sorcière *m.* or *f.* warlock, witch
sorte *f.* sort, kind
sortir to go out, to leave; to take out, to bring out
souci *m.* care, concern
se soucier to worry
soucieux, soucieuse anxious, concerned
soudain suddenly
souffler to blow
souffrir to suffer
souhaiter to hope
soulever to lift
soulier *m.* shoe
souligner to underline
soumettre to submit
soumission *f.* submission; surrender
soupe *f.* soup
source *f.* source; spring (of water), well
sourdre to spring, to well up
souriant(e) smiling
sourire to smile
sous-directeur, sous-directrice *m.* or *f.* vice-principal
sous-marin(e) underwater
sous-sol *m.* basement
soutenir to help, to support
souvenir *m.* memory
se souvenir (de) to remember
souvent often
spécial(e) special
spécialité *f.* speciality, specialty
spectacle *m.* show
spectateur *m.* spectator
spéléologie *f.* caving; speleology
sport *m.* sport: **voiture de sport** *f.* sports car
sportif, sportive *m.* or *f.* athlete
sportif, sportive athletic, fond of sports
stade *m.* stadium
stage *m.* period of probation, instruction: **stage de formation** training period; **faire un stage** to attend a (training) course
standardiste *m.* or *f.* switchboard operator
star *f.* (movie) star
station *f.* station: **station de radio** radio station; **station de ski** ski resort
stationner to park
statisticien *m.* statistician
statue *f.* statue
sténographie *f.* stenography, shorthand writing
stéréo *m.* stereo
stimuler to stimulate
studio *m.* studio; bachelor apartment
style *m.* style
stylo *m.* pen
suaire *m.* shroud
subir to undergo
subvenir to relieve, to support
succès *m.* success
sucre *m.* sugar
sud *m.* south
suédois(e) Swedish
suffire to suffice, to be sufficient: **ça suffit!** that's enough!
suffisamment sufficiently, enough
suggérer to suggest
Suisse *f.* Switzerland
Suisse *m.* or *f.* Swiss (person)

suite *f.* following, continuation: **à la suite (de)** with reference to; following; **tout de suite** immediately
suivant(e) following, next
suivre to follow: **suivre un cours** to take a course
sujet *m.* subject: **au sujet (de)** concerning
superbe superb, magnificent
superficie *f.* surface, area
superflu(e) superfluous, unnecessary
supérieur(e) superior; upper
supériorité *f.* superiority
supermarché *m.* supermarket
supplier to beg, to implore
support *m.* support: **support téléviseur** TV stand
supporter to support, to endure
supprimer to suppress
suprême supreme
sûr(e) sure, certain; safe: **bien sûr!** of course!
surdité *f.* deafness
sûrement surely, certainly
surnommé(e) called, nicknamed
surnommer to call, to nickname
surprenant(e) surprising
surprendre to surprise
surpris(e) surprised
surtout especially
surveiller to watch over, to look after
symétrie *f.* symmetry
sympa(thique) *inv.* likeable
syndicat d'initiative *m.* tourist office, tourist bureau

table *f.* table
tableau(x) *m.* board; chalkboard; painting
tailleur *m.* tailor
se taire to be silent
tambour *m.* drum: **tambour de basque** tambourine
tandis que as long as, while
tant (de) so much, so many
tante *f.* aunt
tapage *m.* noise, uproar
taper to tap: **taper à la machine** to type
tapis *m.* carpet
tapisserie *f.* tapestry; wallpaper(ing)
taquiner to tease
tard late
tartiner to spread (with butter, etc.)
tasse *f.* cup
Tchad *m.* Chad
technique technical
technologique technological
teindre to dye
teint(e) dyed
tel, telle, tels, telles (que) such (as)
télécommande *f.* remote control
télédiffuser to televise
télégraphie *f.* telegraphy
télépathie *f.* telepathy
téléphone *m.* telephone: **au téléphone** on the telephone

téléphoner to telephone
téléphonique telephone, telephonic: **cabine téléphonique** *f.* telephone booth
téléspectateur *m.* television viewer
téléviser to televise
téléviseur *m.* television set
télévision *f.* television
tellement in such a manner, so: **tellement de** so many
témoignage *m.* evidence, testimony
témoigner to testify, to give evidence
témoin *m.* witness
temps *m.* time; weather: **temps libre** free time, spare time; **à temps** on time; **dans le temps** formerly; **de temps en temps** from time to time; **de temps à autre** from time to time; **en même temps** at the same time
tendance *f.* tendency: **avoir tendance (à)** to be inclined (to), to have a tendency (to)
tendre soft, tender
tendresse *f.* tenderness, fondness
tenir to hold: **tenir à** to value, to prize; to be bent on
terminer to end
terrain *m.* ground, piece of ground: **terrain vague** waste ground, wasteland
terrasse *f.* terrace
terre *f.* earth; ground: **la Terre** Earth; **à terre** on the ground
Terre-Neuve *f.* Newfoundland
territoire *m.* territory
tête *f.* head: **avoir mal à la tête** to have a headache; **ça va pas la tête!*** you're out of your mind!
têtu(e) stubborn
textile *m.* textile
théâtre *m.* theatre: **pièce de théâtre** *f.* stage play
théologie *f.* theology
théorie *f.* theory
le tien, la tienne, les tiens, les tiennes yours
tiercé *m.* horse racing
tiers *m.* third
tiers, tierce third: **tiers monde** *m.* Third World
timbre *m.* stamp
timidité *f.* timidity, shyness
tintamarre *m.* noise, racket
tirer to draw, to take out; to pull: **tirer une flèche** to shoot an arrow
tiroir *m.* drawer
tisserand(e) *m.* or *f.* weaver
tissu *m.* fabric, tissue, textile
tir à l'arc *m.* archery
titre *m.* title
tohu-bohu *m.* confusion; hubbub
toilettes *f. pl.* washroom(s): **eau de toilette** *f.* toilet water
tomate *f.* tomato
tombe *f.* tomb, grave
tombeau *m.* tomb
tomber to fall: **laisser tomber** to drop
ton *m.* tone
tonalité *f.* tone, tonality
tondre to cut, to mow
tonne *f.* tonne
topographie *f.* topography
toqué(e)* crazy

tordre to twist
tôt soon
toto *m.* fool
touche *f.* key (piano, typewriter, etc)
toucher to touch
toujours always
toupet *m.* cheek, nerve
tour *f.* tower
tour *m.* tour
tourbillon *m.* whirlwind
touriste *m.* or *f.* tourist
tournée *f.* tour, round
tourner to turn: **tourner un film** to shoot a film
tout, toute, tous, toutes every, all: **tout à fait** completely; **tout d'un coup** suddenly; **tout d'abord** first; **tout de suite** immediately; **tout le monde** everybody; **tout près** near; **en tout cas** in any case
tout-puissant(e), almighty, all-powerful
toutefois yet, nevertheless, however
traditionnel, traditionnelle traditional
traducteur, traductrice *m.* or *f.* translator
traduire to translate
trafic *m.* traffic
tragédie *f.* tragedy
tragiquement tragically
train *m.* train: **en train** by train; **être en train de faire qqch.** to be in the middle of doing something
traîneau(x) *m.* sleigh
trait *m.* feature
traitement *m.* salary
traiter to treat
trajet *m.* trip, journey
tranche *f.* slice
tranquille calm, quiet
tranquillement quietly, calmly
transmettre to transmit, to send
transport *m.* transport: **transport aérien** air transport; **transport ferroviaire** rail transport
transporter to transport, to carry
travail *m.* work; job
travailler to work
travailleur, travailleuse *m.* or *f.* worker
travailleur, travailleuse industrious, hard-working
travers *m.* breadth: **à travers** across, throughout
traversée *f.* crossing
traverser to cross
trèfle *m.* clover; club (cards)
trémolo *m.* tremolo
trésor *m.* treasure
tribu *f.* tribe
tricher to cheat
triomphe *m.* triumph
triste sad
tristesse *f.* sadness
se tromper to make a mistake
trop (de) too much; too many
trottoir *m.* sidewalk
trou(s) *m.* hole
troupeau(x) *m.* herd
trouvaille *f.* find, lucky find
trouver to find: **se trouver** to be situated
truc *m.* contraption, gadget; trick

truite *f.* trout
tube *m.* tube, pipe; hit*
Tunisie *f.* Tunisia
turbin* *m.* hard work, grind
Turquie *f.* Turkey
type *m.* type, sort; fellow
typique typical
typiquement typically

ulcère *m.* ulcer
unité *f.* unity; unit
univers *m.* universe
universel, universelle universal
universitaire university
université *f.* university
usage *m.* usage, use: **le bon usage** proper use
user to wear (out)
usine *f.* factory
usiter to use
utile useful
utiliser to use

vacances *f. pl.* holidays: **en vacances** on vacation; **les grandes vacances** the summer holidays
vacarme *m.* uproar, racket
vacciner to vaccinate
vague *f.* wave
vague vague: **terrain vague** waste land
vain(e) pointless
vaincre to conquer
vaisselle *f.* dishes: **faire la vaisselle** to do the dishes
valable valid
valeur *f.* value
valider to validate; to confirm
validité *f.* validity
valise *f.* suitcase
valoir mieux to be better
vaniteux, vaniteuse vain, conceited
vantard(e) boastful
se vanter to boast
vapeur *f.* steam, vapour
varappe *f.* rock climbing
variante *f.* variant
vedette *f.* star: **en vedette** starring
végétal(e) vegetable: **huile végétale** *f.* vegetable oil
veillée *f.* social evening
veine *f.* vein; humour: **avoir de la veine** to be lucky
vélo *m.* bicycle
vendeur, vendeuse *m.* or *f.* salesperson
vendre to sell
vénérer to revere, to worship
venir to come: **venir de faire qqch.** to have just done something
vent *m.* wind

vente *f.* sale, selling: **en vente** for sale; **service des ventes** *m.* sales department
vérifier to check
véritable genuine, true
vermoulu(e) decrepit, moth-eaten
verre *m.* glass: **prendre un verre** to have a drink
vers towards; about (with time): **vers une heure** about one o'clock
vert(e) green
vertigineux, vertigineuse dizzy, giddy
vêtement *m.* garment, piece of clothing: **vêtements** *m. pl.* clothing, clothes
veuf, veuve *m.* or *f.* widower, widow
viande *f.* meat
vidéoclip *m.* music video
vie *f.* life: **assurance-vie** *f.* life insurance; **membre à vie** *m.* life member; **mode de vie** *m.* life style
vieillerie *f.* old thing; out-of-date, old-fashioned thing, idea
vierge *f.* virgin
vieux (vieil), vieille, vieux, vieilles old
vieux, vieille *m.* or *f.* old person
vif, vive alive, living: **sur le vif!** live!, in person!
vigne *f.* vine
vigneron, vigneronne *m.* or *f.* vine grower
vignoble *m.* vineyard
ville *f.* city: **en ville** in (to) town, downtown; **ville d'eau** spa town; **plan de ville** *m.* city map
vin *m.* wine
vingtaine *f.* about twenty
violence *f.* violence, force
violent(e) violent
violoneux* *m.* fiddler
virtuose *m.* or *f.* virtuoso, brilliant performer
vis-à-vis opposite; next to; compared to; towards
visage *m.* face
visite *f.* visit
visiteur, visiteuse *m.* or *f.* visitor
vite quickly
vitesse *f.* speed
viticulteur *m.* vine grower
viticulture *f.* grape production (for wine-making)
vitre *m.* pane of glass; (car) window
vive/vivent long live: **vive le français!** long live French!, hooray for French!
vivre to live
voie *f.* way, road, track
voile *f.* sail: **faire de la voile** to go sailing
voir to see: **voir le jour** to be born
voisin(e) *m.* or *f.* neighbour
voisin(e) neighbouring, adjoining
voiture *f.* car: **voiture de sport** sports car; **en voiture** by car
voix *f.* voice
vol *m.* flight
vol delta *m.* hang-gliding
volaille *f.* poultry: **élevage de volaille** *m.* poultry raising
volant *m.* steering wheel; shuttlecock, badminton bird
voler to steal, to rob; to fly
volonté *f.* will; willpower

volontiers willingly, gladly, with pleasure
volley-ball *m.* (the game of) volleyball
volume *m.* volume, book; volume (of sound)
volupté *f.* (sensual) pleasure, delight
vouloir to want: **vouloir dire** to mean
voûte *f.* vault, arch
voyage *m.* voyage, trip: **voyage d'affaires** business trip
voyager to travel
voyageur, voyageuse *m.* or *f.* traveller
vrai(e) true: **vrai ou faux?** true or false?
vraiment really, truly
vue *f.* view: **avoir en vue** to have in sight.

wallon, wallonne Walloon
W.C. *m. pl.* (from water-closet) toilet
week-end *m.* weekend
whisky *m.* whisky

y to it, to them; there: **il y a** there is, there are
yacht *m.* yacht
yeux (un oeil) *m. pl.* eyes: **il a les yeux bleus** he has blue eyes

Zaïre *m.* Zaire
Zambie *f.* Zambia
zébu *m.* zebu, Asiatic ox
zéro *m.* zero
Zoulouland *m.* Zululand
zut! darn it!

INDEX

ABOUT 158
accord du participe passé 133, 178, 238
adjectifs 239-40
adverbes 241
l'Afrique francophone 201
ALL 158
après + l'infinitif passé 177
articles 242
conditionnel: concordance des temps 242
conditionnel passé: formation 19
conjonctions 243
démonstratifs 243
EACH 158
EVERY 158
expressions de quantité 244
faire causatif 180-181, 244
FEW 42
FOR 112
la France: agriculture 54; *départements* 199;
   exportations 40-41; *provinces* 157
la France d'outre-mer 198
futur antérieur: emploi 21; formation 22
HOT, WARM; COLD (TO BE) 6
impératif 244
infinitif passé: formation 177-178, 245
infinitifs 245
instruments de musique 122-23
interrogation 246
TO LEAVE 80
LESS THAN 42
LITTLE, FEW 42
MONEY 179
MORE THAN 42
musique: genres 111; instruments 122-23
négation 92, 247-48

nombres 112, 248
noms 249
PART 81
participe passé: accord 19, 178, 238
participe présent: emploi 175, 249; formation 175
passé composé: formation 19, 249
passé récent 250
passé simple 25, 249
PERHAPS, MAYBE 6
le petit déjeuner 5
la plage 195
le plus-que-parfait: formation 19, 250
possession 212, 250
présent: de l'indicatif 56; du subjonctif 58-61
pronoms: démonstratifs 172-73, 243; indéfinis 251;
   interrogatifs (*lequel*) 214, 240; personnels 171, 251-52;
   possessifs 211-12, 250; relatifs 209, 216, 252
TO RETURN 96
sports 79
subjonctif: emploi avec certaines conjonctions 97; emploi avec
   certaines expressions impersonnelles 63; emploi avec les
   expressions d'émotion 96; emploi avec les expressions de
   doute 94, 95; emploi avec les expressions négatives *ne ... rien*
   et *ne ... personne* 135; emploi avec les verbes de volonté 62;
   emploi du passé 132; formation du passé 133; formation du
   présent 58, 59, 60, 61; le subjonctif/l'infinitif: contrastes et
   emplois 136, 137, 138, 139, 140
TO TAKE, TO BRING 6
TO THINK ABOUT 42
TIME 80
verbes: auxiliaires 258-59; irréguliers 260-64; réguliers 254-57;
   boire 98; *descendre* (avec *avoir*) 23; *dormir* 24; *mentir* 24;
   monter (avec *avoir*) 23; *recevoir* 98; *sentir* 24; *servir* 24;
   sortir (avec *avoir*) 23; verbes et l'infinitif 129, 245
voix passive 218-19